Le Cheval

Mythe et Fascination

Le Cheval

Mythe et Fascination

Susanne Sgrazzutti

Photographies de Jürgen Schulzki

p

Copyright © Parragon Books Ltd

Queen Street House
4 Queen Street
Bath BA1 1HE
Royaume-Uni

Réalisation : ditter.projektagentur gmbh, Cologne
Édition : Susanne Sgrazutti, Irina Ditter-Hilkens, Jürgen Schulzki
Mise en page : Claudio Martinez, Cologne
Gravure : Klaussner Medien Service GmbH, Cologne

Copyright © Parragon Books Ltd 2007 pour l'édition française
Réalisation : InTexte, Toulouse
Traduction de l'anglais : Dominique Taffin-Jouhaud et Élisabeth Rochet

ISBN : 978-1-4054-9010-8

Imprimé en Chine
Printed in China

Sommaire

La force du cheval au quotidien 76

Des athlètes d'exception 104

Du cheval à bascule
au dada   158

L'auteur, Susanne Sgrazzutti, en conversation avec Ludger Beerbaum,
sous l'œil attentif d'Enorm, un bel étalon.

Ludger Beerbaum, né en 1963, est le cavalier le plus célèbre d'Allemagne. Lors des premiers Jeux olympiques de 1968 à Séoul, il a remporté la médaille d'or et a confirmé ce succès à Atlanta ainsi qu'à Sydney. Ensuite, il a gagné deux autres titres de champion du monde et trois titres de champion d'Europe en équipe, s'arrogeant un titre individuel. Il a dominé la finale de la coupe du monde avec sa célèbre jument Ratina Z. Depuis, il collectionne les trophées dans de nombreux parcours d'obstacles. À lui seul, il s'est assuré le Grand Prix d'Aix-la-Chapelle. Ludger Beerbaum sait comment mener ses montures jusqu'aux podiums les plus prestigieux et comment mener ses étalons par la bride. Tout l'univers équestre reconnaît son sens de la perfection, ses qualités de cavalier et sa compréhension des animaux.

Introduction

Les chevaux sont des animaux fascinants, notamment parce qu'ils forcent les humains à communiquer avec eux de manière sensible et attentive, sans l'usage des mots ou presque. Le cavalier doit comprendre le langage corporel de l'animal et réagir en conséquence.

Les chevaux font partie du patrimoine culturel de toute société. Souvent, leur existence s'est trouvée menacée, mais leur flexibilité a triomphé de tous les obstacles. Aujourd'hui, soixante millions d'équidés vivent à nos côtés et entretiennent des relations particulières avec nous.

En tant que professionnel, j'ai beaucoup appris, et ma personnalité a évolué à leur contact. J'ai été particulièrement marqué par les longs moments que j'ai passés avec Ratina Z. Lorsqu'elle est entrée dans mon écurie, j'attendais beaucoup de cette jument d'exception qui avait permis à Piet Raymarkers de remporter en individuel la médaille d'argent aux jeux olympiques de Barcelone. Naturellement, je voulais la monter comme je l'avais fait avec tous mes autres chevaux, en exerçant un contrôle maximal. Mais Ratina avait autant de caractère que moi, mon style ne lui plaisait pas du tout et elle se montrait de plus en plus rétive. Même si je ne voulais pas lâcher prise, j'ai dû reconnaître que je n'arrivais à rien et qu'elle perdait de son allant. Il m'a fallu apprendre à faire d'utiles compromis avec elle, à lui laisser davantage de liberté au quotidien et sur les parcours, et elle a su m'en remercier. Au bout d'un an de vie commune, nous avions trouvé un terrain d'entente et les victoires ont commencé à s'égrener. À la page 156, vous noterez à quel point nous nous sommes rapprochés.

Ce livre vous permettra de connaître la mythologie, l'histoire, les techniques sportives ainsi que la culture équestres. Susanne Sgrazzutti a apporté de nombreuses informations, anecdotes amusantes ainsi que des éléments presque oubliés de tous. Çà et là, elle glisse quelques clins d'œil, des photos spectaculaires de chevaux, d'hommes et d'événements remarquables. Découvrez sans tarder le monde fascinant des chevaux !

Je vous souhaite le plus grand plaisir dans votre lecture !

Ludger Beerbaum

Le mythe du cheval – légendes et réalité

La licorne

La licorne a toujours incarné la force, la pureté des formes, la féminité et l'amour. Il est dit qu'elle ne se laissait approcher que lorsqu'elle s'était réfugiée dans le giron d'une vierge.

Ce cheval de légende, au corps blanc et au front surmonté d'une corne unique était connu dans le monde entier.

En Chine, la licorne fait partie des quatre créatures mythiques, avec le dragons, le phénix et la tortue. Selon une légende, une licorne serait apparue à une jeune femme au VIᵉ siècle avant J.-C. pour lui faire comprendre par signes qu'elle mettrait au monde « un roi sans trône ». Cette prophétie fut ensuite rapportée par le philosophe Confucius.

De l'Antiquité jusqu'au XIXᵉ siècle, les humains ont cru à l'existence de la licorne – et, dans l'Occident chrétien, le livre *Physiologos*, qui décrivait les caractéristiques de la faune et de la flore, contribua à propager ce mythe. Pendant des siècles, celui-ci ne fut pas remis en cause, jusqu'à ce que le baron Georges de Cuvier, paléontologue, prouve en 1827 que l'anatomie du cheval rendait impossible la présence d'une corne entre les deux os du front.

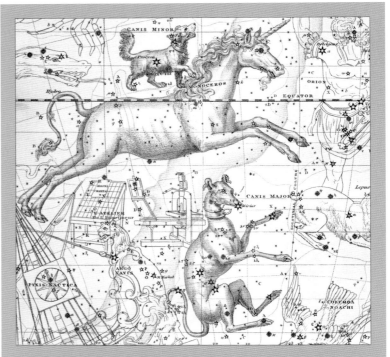

Prétendument solitaire, la licorne vivait, selon la légende, dans une forêt où régnait un été éternel. La présence d'un lac était jugée indispensable. En effet, les licornes étant des créatures très coquettes, elles aimaient se mirer dans l'eau.

La constellation de la Licorne
C'est en 1624 seulement que la licorne a fait sa première apparition dans le ciel étoilé. À cette époque, le mathématicien Jakob Bartsch a dessiné la constellation du Narval, constituée de cinq étoiles situées entre Orion et la constellation du Chien, visibles pendant l'hiver, et lui a attribué le nom de Licorne sur la carte des étoiles. Traversée par la Voie lactée, notre galaxie, c'est le 5 janvier, vers minuit, que cette constellation apparaît le plus clairement dans notre ciel nocturne .

La licorne arbore fièrement la corne torsadée et pointue qui lui sert à combattre ses ennemis. Toutefois, selon la légende, cet appendice avait aussi le pouvoir de soigner et de ressusciter les morts.

Cependant, cette longue corne pointue et phallique, aux vertus thérapeutiques voire aphrodisiaques éveillait la curiosité des humains. Si cet animal n'avait pas de corne, à qui empruntait-on celle que l'on pouvait réduire en poudre, ou dans laquelle il était possible de sculpter des amulettes, des bagues ou de petits gobelets, et qui était censée nous protéger de tous les poisons ? La réponse est à la fois prosaïque et attristante. Il s'agissait de la défense gauche d'un narval mâle (*Monodon monoceros*). En Europe, ces paisibles mammifères marins qui hantent les mers arctiques sont restés longtemps inconnus. De ce fait, lorsque les marins ramenaient des dents, longues de trois mètres parfois, de leurs périples la croyance à l'existence des licornes s'en trouvait ravivée. Le narval, dont la population est aujourd'hui estimée à 20 000 individus, est parfois surnommé baleine-licorne.

La dernière licorne

La licorne a également fait son apparition sur le grand écran. Dès 1982, le film d'animation américain *The Last Unicorn*, inspiré par un livre du même titre, a été diffusé dans les cinémas du monde entier. Au cours d'un merveilleux périple, la dernière licorne vivante cherche à retrouver ses semblables. Elle apprend que ses congénères sont retenues au bout du monde par le taureau rouge et se lance à leur secours, avec trois compagnons.

En raison de la croyance dans les vertus thérapeutiques de la licorne, dès le XVe siècle, les apothicaires ont choisi cet emblème pour symboliser leur corporation. Aujourd'hui encore, certaines pharmacies allemandes revendiquent cette effigie.

Si le fer à cheval revêt une grande importance en tant que porte-bonheur aux yeux de certains, il est également essentiel au cheval. En effet, il protège efficacement les sabots qui s'usent rapidement sur les sols durs, même si la corne est susceptible de repousser.

La magie du fer à cheval

Qui veut conjurer la mauvaise humeur des dieux se sert d'un fer à cheval qui lui portera bonheur et éloignera de lui le sort funeste. On se demande toutefois si l'objet apporte le bonheur ou se contente de protéger de son propriétaire, et quiconque a trébuché sur un fer sans se blesser peut déjà s'estimer heureux.

Ce qui compte, c'est l'intervention du hasard. Car il ne suffit pas de chercher volontairement un fer à cheval ou même de l'acheter. Dans ce cas, l'acquéreur aura un simple objet décoratif dépourvu de pouvoir magique. Le fer à cheval magique est celui qui surgit littéralement sous les pieds de celui ou celle à qui il portera bonheur. Il ne se laisse nullement soudoyer.

À celui qui estime mériter de trouver un fer à cheval se pose alors la question de savoir comment tomber dessus. Jusqu'à présent, les avis sont partagés sur ce point, et il n'est ici nulle logique. Naturellement, il faut que l'ouverture soit pointée vers le haut, afin que le bonheur puisse s'être accumulé à l'intérieur du fer, prétendent certains. En aucun cas, protestent les autres, car le bonheur doit pouvoir s'échapper de la demi-lune

pour chasser les nuages. C'est ici que nous retrouvons la sagesse populaire : chacun est l'artisan de son propre bonheur. Et celui qui refuse la superstition refuse aussi l'idée de la chance.

Les clous du fer à cheval

Heureusement, le cheval ne souffre pas lorsque les clous sont directement plantés dans les fers, car il serait difficile de les fixer autrement. Les fers ne sont pas magiques au point de tenir tout seuls. Le maréchal-ferrant ne peut donc éviter de planter prudemment les six à dix clous qui maintiendront en place le fer en forme de U.

Outre le fait que certaines jeunes filles portent des clous de fer à cheval en sautoir, enfilés sur un cordon en cuir, il existe une autre application pour cet objet d'une longueur qui varie entre 30 et 80 mm, et qui présente une forme bien particulière. Toutefois, cette utilisation est erronée. Lors de la guerre de Trente Ans, les paysans avaient songé à une forme de torture particulièrement raffinée. Ils glissaient des clous de fer à cheval dans la nourriture de leurs ennemis, ce qui devait rendre leur digestion plus que difficile.

La mythologie accorde également une place de choix au clou de fer à cheval, mais lui donne une signification moins guerrière. Cet objet est censé éloigner les maladies et porter chance au forgeron. Souvent, dans les forges anciennes, on voyait des clous plantés dans des bâts en bois. L'un d'entre eux était un clou de cercueil et les autres étaient des clous de fer à cheval.

Dunstan et son pacte avec le diable

Le personnage de Dunstan, archevêque de Canterbury né en 909, a suscité les légendes les plus folles. Lorsqu'il mourut en 988, il passa toute sa vie en revue. Dans la réalité, il avait en effet vécu toutes sortes d'épisodes hauts en couleurs.

Élevé chez les moines irlandais, Dunstan apprit à leur contact à discipliner son esprit et ouvrit son âme à la doctrine chrétienne. Il s'initia également à toutes sortes de techniques artisanales et s'employa à manier le marteau et l'enclume.

C'est là que commence la partie légendaire de sa vie. Le diable, généralement rusé et prudent, se remit sans méfiance entre les mains de Dunstan. C'est en effet à lui que l'être maléfique s'adressa et demanda de ferrer ses pieds fourchus. Dunstan, ayant reconnu le malin, profita de l'occasion pour lui coincer le nez entre ses pinces rougies. L'histoire ne dit pas si son geste fut guidé par la peur ou, au contraire, si l'archevêque profita de l'occasion pour lui donner une bonne leçon. En tout cas, le diable montra des signes de faiblesse. D'une toute petite voix, il supplia Dunstan de le lâcher. Le saint homme mit ce moment à profit pour exiger du diable qu'il évite tout bâtiment sur lequel il verrait un fer à cheval. Malgré ses réticences, le diable fit cette promesse qui assura la protection de tous les forgerons.

Le fer rouillé, si possible garni de clous, est un gage de bonheur absolu. Les ignorants penseront sans doute bien faire en le passant à l'abrasif, ce qui aura pour effet de lui retirer tout pouvoir magique. Certains ne jurent que par les fers de chevaux de course, parce que ces derniers sont censés être nés sous une bonne étoile.

Perdre un fer à cheval n'est pas une bagatelle. Les dieux ne le pardonnent guère. Cela suffit-il à faire disparaître le bonheur ? En tout cas, la richesse ne sera plus au rendez-vous. Le maréchal-ferrant doit immédiatement intervenir pour remplacer l'objet perdu. Voilà pourquoi tout cavalier qui se respecte doit chercher un fer perdu, même au milieu d'une botte de foin.

Mais pourquoi fait-on tant de cas d'un morceau de métal tordu, d'un accessoire si courant ? Peut-être parce que le fer à cheval, selon les manuels de magie, réunit en lui trois forces surnaturelles : il a été forgé dans le feu, à partir du fer doté de propriétés magiques, et vient du cheval mythique. Les symboliques romaine, celtique et germanique trouvent ici un point de croisement.

Par ailleurs, d'autres objets en forme de fer à cheval sont dépourvus de toute propriété particulière. Il existe un trèfle et une chauve-souris qui portent cette appellation, et rien ne les distingue des autres variétés de faune ou de flore.

La croyance aux propriétés magiques du métal est à l'origine de la tradition qui voulait que l'on cloue des fers à cheval sur les portes, afin d'éloigner le diable. Le culte du fer à cheval a survécu jusqu'à nos jours, car il n'est pas rare d'apercevoir encore cet objet sur la porte d'une grange, mais plus souvent encore de le voir orner une voiture ou un camion.

L'art de la maréchalerie

« Chacun forge sa propre vérité », a prévenu le consul romain Appius Claudius en l'an 307 avant J.-C., et ce n'est pas en vain qu'il a ainsi fait référence à l'artisanat du forgeron et du maréchal-ferrant, qui avait fait son entrée dans la mythologie grecque et romaine. Les Romains vénéraient Vulcain, dont les forges divines étaient censées se trouver à l'intérieur de l'Etna, en Sicile. De même, Héphaïstos, dieu grec du feu, était le forgeron de tous les dieux parce qu'il fondait pour eux le métal de leurs armes, et avait même confectionné le sceptre de Zeus. Seule son épouse Aphrodite, la belle déesse, lui donnait quelques soucis. Pendant qu'il travaillait consciencieusement dans sa forge, elle allait se divertir ailleurs. Héphaïstos confectionna donc un filet indestructible qu'il installa au-dessus de son lit, afin d'y emprisonner sa belle et de mettre fin, avec succès, à ses aventures extraconjugales.

Le mariage du feu, de l'eau, du fer, du marteau et de l'enclume a toujours exercé une grande fascination sur les humains, qui ne se reflète pas seulement dans la mythologie grecque et romaine. Le maréchal-ferrant occupait une place prépondérante dans la société. Dans la hiérarchie du village, il venait juste après le maire et lui servait de remplaçant quand celui-ci était absent. C'était à lui que revenaient les grandes décisions et il pouvait aller jusqu'à remplacer le prêtre.

Mais revenons au présent. Il y a longtemps que les femmes ont aussi pris en charge le travail du maréchal-ferrant. Tant qu'il y aura des chevaux, des maréchaux-ferrants, hommes ou femmes, s'en occuperont et

Saint Éloi (588-660)

Il fallait évidemment un saint patron à la profession des forgerons, car celle-ci a toujours occupé une place prépondérante en raison des services qu'elle rendait aux chevaux. Selon les régions, le christianisme a attribué la protection des ouvriers métallurgistes à plusieurs grandes figures, et on en dénombre pas moins de dix connus.

Saint Éloi, qui fut orfèvre et connaissait l'art des forgerons, fut évêque de Noyon. En France, ses hauts faits sont restés peu connus, mais, en Allemagne, de nombreux récits légendaires ont circulé sur son compte. On raconte en effet qu'il avait été forgeron et s'estimait « maître d'entre les maîtres » dans cette discipline.

Un jour, il expliqua autour de lui qu'il connaissait un moyen de s'épargner une grande partie des efforts ordinairement dévolus au maréchal-ferrant. Sans hésiter, il coupa le pied d'un cheval, posa la ferrure directement sur l'enclume, et remit le membre de l'animal en place, comme si de rien n'était.

Comme ce haut fait ne tenait pas au don de saint Éloi mais à l'intervention du Christ en personne, la méthode s'avéra efficace. Éloi croyait cependant à un don personnel. Un jour qu'il coupa la patte du cheval de saint Georges, il fut incapable de la remettre en place. Le Christ en personne sauva la situation en intervenant directement, sous les traits d'un homme déguisé.

Par la suite, Éloi apprit l'humilité et ne tenta plus de se surestimer aux yeux de son entourage. Il devint très pieux et se contenta de travailler le plus consciencieusement du monde dans sa forge, au service du Très-Haut. Grâce à ses efforts constants, il fut nommé évêque et fut choisi comme le saint patron de tous les forgerons et ouvriers métallurgistes chrétiens.

À ce jour, on trouve encore dans quelques coins de France et dans le Nord de l'Allemagne une couronne de fers à cheval, surmontée d'une tenaille et d'un marteau, en guise d'enseignes des forges locales. On les appelle les « bouquets de saint Éloi ».

seront sollicités. Après tout, les sabots des chevaux s'allongent d'environ 1 centimètre par mois et ce, de manière permanente. Il est absolument nécessaire d'intervenir, car la corne s'allonge et le cheval finit par perdre de son équilibre si personne ne s'en occupe. Imaginez une ballerine dont les ongles de pied seraient trop longs, confrontée à la perspective de faire des pointes. Les chevaux peuvent être aussi capricieux qu'une danseuse dont les chaussures seraient trop étroites. En outre, les ferrures s'usent

Héphaïstos est le dieu du feu dans la mythologie grecque, et le forgeron est le seul artisan représenté parmi les dieux de l'Olympe. Son atelier se trouvait, disait-on, sous le volcan Etna.

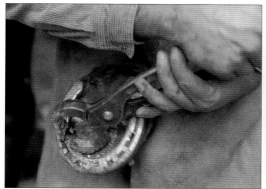

Toutes les six à huit semaines, il faut ferrer les chevaux de neuf. Tout d'abord, le maréchal-ferrant doit retirer l'ancienne ferrure à l'aide d'une pince.

Ensuite, à l'aide d'une gouge, il égalise la corne avant de râper la sole afin que la nouvelle ferrure puisse être mise en place.

Pour adapter la ferrure au sabot du cheval, celle-ci doit être chauffée et mise en forme.

Il faut brûler le dessous du sabot pour que celui-ci épouse bien la forme de la ferrure. Le maréchal-ferrant doit veiller à ne pas brûler trop profondément le sabot.

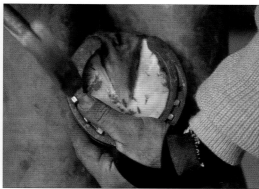

Ensuite seulement, la ferrure peut être clouée. Le sabot est insensible, jusqu'au niveau de la ligne blanche, et le cheval ne souffre pas.

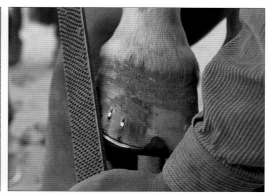

L'avant du sabot, appelé pince, doit être limé pour ne laisser dépasser aucune pointe de clou qui pourrait blesser sévèrement le cheval.

et, au bout de six à huit semaines, il est temps de les remplacer. Le maréchal-ferrant doit avoir beaucoup de force pour ferrer le cheval. Ensuite il faut faire en sorte que la ferrure épouse bien la forme du sabot. On se sert à cet effet de modèles préformés (il en existe une centaine). Le maréchal-ferrant s'occupe des finitions. Il peut, s'il connaît bien la morphologie du cheval et les caractéristiques de sa démarche, compenser de légers défauts. Il faut un grand professionnalisme pour adapter les ferrures à chaque animal.

LE FORGERON ET SES ACCESSOIRES ONT INSPIRÉ TOUTES SORTES D'EXPRESSIONS :

« Souffler comme une forge »

« Avoir plusieurs fers au feu »

« C'est en forgeant qu'on devient forgeron »

« Par le fer et par le feu »

« Battre le fer quand il est chaud »

« Freiner des quatre fers »

« Les quatre fers en l'air »

« Mettre les fers au feu »

« On n'en donnerait pas un fer d'aiguillette »

« Ferrer la mule »

« Se trouver entre l'enclume et le marteau »

« Il vaut mieux être marteau qu'enclume ».

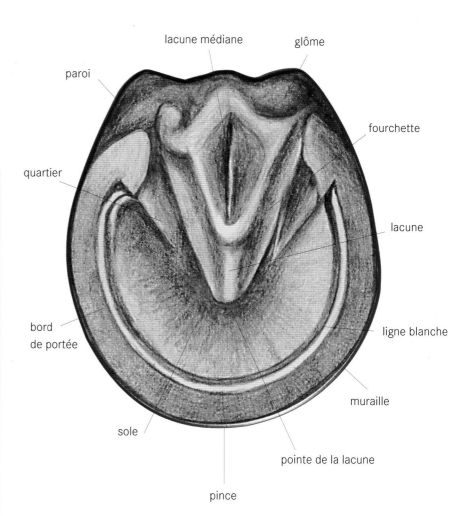

lacune médiane — glôme — paroi — fourchette — quartier — lacune — bord de portée — ligne blanche — sole — muraille — pointe de la lacune — pince

Contes antiques autour des chevaux

Sans conteste, le cheval a fait progresser l'Histoire. Même les Égyptiens durent le reconnaître, lorsqu'ils furent envahis en 1720 avant J.-C. par les chars d'Hyksos, et qu'ils durent subir le joug asiatique pendant un siècle. C'est ainsi que le cheval fit son entrée en Égypte, où il fut très vite l'objet d'une véritable vénération et même embaumé avec les cavaliers.

Grâce à ces fameux chars, qui constituaient un moyen de se déplacer extrêmement maniable et rapide, les Assyriens jouèrent un rôle essentiel dans la guerre. Ce peuple belliqueux fut l'un des premiers à initier l'élevage des chevaux, et ses connaissances furent largement rapportées sur les monnaies et les gravures sur pierre qui nous parviennent de cette époque.

Les Celtes interdisaient les gravures et l'écriture pour des raisons de culte, et il faut donc se fier aux écrits des Romains lorsqu'ils affirment que ce peuple était extrêmement doué pour s'occuper des chevaux. Les Romains affirment également que les Celtes aimaient arborer, en guise de trophées, la tête de leurs ennemis accrochées au cou de leur monture, tout en craignant superstitieusement que le ciel ne tombe sur leur propre tête. Dans les vagues de la mer d'Irlande, les Celtes croyaient apercevoir le « Cheval de Lyr » et croyaient que Manannan, fils du dieu Lyr, chevauchait son destrier pour emmener les hommes ivres dans les profondeurs de la mer, jusqu'à une île bienheureuse. Sous la bannière de leur déesse Épona, qui symbolisait la fertilité, les Celtes conquirent et pillèrent une bonne partie de l'Europe actuelle. Épona, qui était également la déesse des chevaux, était représentée assise de côté sur un cheval et était l'objet d'une grande vénération. Pour les Celtes, l'esprit d'Épona était invincible. Cette figure divine réapparut ensuite chez les

Les Assyriens furent sans doute le premier peuple qui fit intervenir les chevaux dans l'art de la guerre. Ils ont laissé de nombreuses œuvres d'art illustrant l'élevage des chevaux.

Romains sous les traits de la déesse de la guerre, bien que les Celtes aient envahi l'Empire romain et qu'ils aient pillé Rome.

L'*Edda*, première épopée nordique rédigée vers l'an 1000, raconte que les dieux saxons étaient également à cheval. Il faut surtout citer Odin, sur son destrier le plus fougueux, le cheval Sleipnir qui avait huit pattes. Au nom de tous les autres dieux, la géante Nótt, qui représentait la nuit, et son fils Dag, qui représentait le jour, traversaient tour à tour l'univers pour signaler l'écoulement du temps. Selon les peuples germains, la monture des dieux était invincible.

Ils en vinrent à considérer comme un oracle le moindre des gestes et des réflexes du cheval pour savoir comment se comporter en temps de

Cette pièce de monnaie ancienne, qui représente un cavalier, montre que les chevaux tenaient une place prépondérante chez les Celtes.

Caligula et le cheval-consul

Parmi les bizarreries de l'histoire qui peuvent être attribuées à la folie des tyrans, il faut citer les hauts faits de l'empereur Caius Julius César Germanicus, mieux connu sous le nom de Caligula, qui aspirait à un statut divin et éleva son magnifique cheval Incitatus au rang de consul.

Au cours de ses quatre années de règne (41 à 37 avant J.-C.), Caligula prêta le flanc à toutes les critiques. Sa quête de prestige l'amena à envahir la Palestine où il voulait imposer ses idées, et notamment apposer son image sur le temple de Jérusalem.

Caligula se défia à la fois de ses amis et de ses ennemis, jusqu'à ce qu'un jour il finisse par se faire assassiner par son propre garde du corps. Incitatus, le consul, lui survécut.

La légende de saint Martin de Tours

La légende de saint Martin a donné lieu à une fête destinée aux enfants. Depuis le début du XXᵉ siècle, en Allemagne, dans le Nord de la France et aux Pays-Bas, les rues se parent de lanternes, de lampions et d'images colorées, on y entend résonner des chants et de la musique, pendant qu'un personnage représentant saint Martin déambule sur son cheval à la tête d'un cortège et coupe son manteau en deux pour l'offrir fraternellement et généreusement à un pauvre hère souffrant du froid.

Apparemment, les choses se passèrent ainsi lorsque le légionnaire romain Martin se présenta aux portes d'Amiens, où Jésus se déguisa en mendiant pour le mettre à l'épreuve. Après cette expérience, la vie de ce jeune homme de dix-huit ans se trouva bouleversée. Il cessa de faire la guerre,

se fit baptiser en Gaule et fonda le premier monastère gaulois, où il devint moine et fit vœu de consacrer sa vie aux pauvres.

En l'an 371, il fut nommé évêque à la demande de la population – en réalité contre son gré. Il tenta d'échapper à la légende qui l'entourait en se retirant dans une étable. Mais il fut trahi par les habitantes du lieu, des oies, qui se mirent à caqueter, attirant l'attention sur lui. Depuis, l'oie constitue le menu du repas de la fête de Saint-Martin.

Saint Martin fit l'objet d'un culte soutenu, car il parvint à christianiser la Gaule sans exercer la moindre violence, et, jusqu'à sa mort le 11 novembre 397, il vécut dans la sainteté et l'oubli de soi.

Le saint protecteur de la France est enterré à Tours et sa tombe est un monument national.

---

guerre ou se défendre de leurs ennemis. Au cours de la colonisation de l'Est, entre Lübeck et Kohlberg, lorsque les premières villes hanséatiques commencèrent à fleurir dans le Nord de l'Allemagne, le cheval sacré resta l'objet d'un culte particulier, notamment dans l'île de Rügen où se trouve désormais un musée qui lui est consacré.

Les écrits latins racontent une course de chars qui s'est déroulée, non dans les grandes arènes romaines comme c'était souvent le cas, mais sur un champ de bataille, à la fin d'une guerre. Le cheval placé à droite, dans l'un des attelages qui avait remporté la bataille, était sacrifié au dieu Mars et devenait le « cheval d'octobre », *equus october*. La

tête du cheval était suspendue au-dessus des murs de la ville la plus proche ou au sommet de sa plus haute tour. Le sang qui était tiré de la queue du cheval sacrificiel était séché et brûlé lors de célébration, en hommage à la déesse Palès. Selon la croyance locale, les animaux et les bergers qui étaient capables de traverser les flammes étaient protégés de tout malheur.

Cette pierre gravée, trouvée dans le Jutland, montre Odin sur son cheval Sleipnir, doté de huit pattes. Le nom de Sleipnir signifie « compagnon de route » et désigne celui qui peut traverser les terres, les mers et l'air.

Les grandes effigies grecques

Les Grecs ne s'enthousiasmèrent qu'à regret pour le cheval de guerre, tout en lui reconnaissant des vertus manifestes. Les premiers attelages apparurent vers 1500 avant J.-C. et s'imposèrent lentement dans ce pays montagneux, avant de perdre rapidement de leur importance. La cavalerie ne joua longtemps qu'un rôle subalterne. Les batailles étaient menées à pied, et même l'annonce de la victoire sur les Perses fut portée par un marathonien jusqu'à Athènes, sans le secours du cheval.

Dans la vie quotidienne, en revanche, le cheval jouait pleinement son rôle : diverses courses étaient organisées à l'hippodrome pour distraire le peuple. Les épreuves des Jeux olympiques comportaient une course d'attelage composé de deux, trois ou quatre équidés, et les vainqueurs étaient vénérés comme des demi-dieux. Les chevaux étaient logés et nourris aux frais de l'État. Lors des XXXIIIe olympiades, une attraction spéciale fut proposée : des courses à cru, où les cavaliers nus parcouraient douze fois le grand ovale de 740 mètres du stade olympique. Une partie des chevaux qui avaient été spécialement entraînés pendant un mois avant le début des jeux avaient leurs stalles chez le célèbre écrivain Xénophon (430-355 avant J.-C.) qui vivait non loin du stade. Il se fit le chroniqueur de ces événements sportifs, en bon spécialiste des courses hippiques. La chute de l'Empire grec contribua à faire oublier ses écrits qui furent retrouvés à l'époque de la Renaissance.

Le cheval de Troie
Un leurre est devenu célèbre dans l'histoire : en 1200 avant J.-C., avec l'aide d'une construction en bois, les Grecs purent entrer dans la ville de Troie, alors qu'ils n'avaient jamais réussi à le faire au cours des dix années de guerre qui avaient précédé cette date. Le piège fonctionna uniquement parce que les Troyens n'éprouvaient en général aucune méfiance à l'égard du cheval, et qu'ils emmenèrent l'effigie entre leurs murs, sans se douter que ses flancs dissimulaient une multitude de soldats grecs. Ce qui se passa ensuite est connu : la ville de Troie fut réduite en cendres.

La variante moderne du cheval de Troie est un virus informatique du même nom, qui entre dans le disque dur à l'insu de l'utilisateur, notamment pour espionner les mots de passe ou pour semer la zizanie dans l'ordinateur. Pour se débarrasser de ces virus, il ne reste plus qu'à reformater le disque dur, c'est-à-dire à le « réduire en cendres », comme ce fut le cas pour la ville de Troie.

C'est avec le règne d'Alexandre le Grand (356-323 avant J.-C.) que les Grecs s'initièrent enfin aux vertus d'une armée à cheval, car les vastes campagnes entreprises à seule fin de réunir l'Est et l'Ouest du monde connu nécessitaient ce recours. Alexandre voulait créer un seul vaste empire. Il aimait les chevaux, et tout particulièrement Bucéphale, dont le nom signifie seulement, de manière très prosaïque, « tête de bœuf ». C'était un cadeau de son père, qui n'acceptait qu'Alexandre comme seul cavalier. Le roi avait été le seul, parmi tous ses sujets, à remarquer que le cheval se débattait comme un beau diable à l'instant où on voulait le monter, uniquement parce qu'il avait peur de son ombre. Il se contentait ainsi de placer Bucéphale à contre-jour.

Aujourd'hui, Bucéphale est certainement le cheval le plus célèbre de l'histoire. Cet étalon macédonien blanc porta Alexandre pendant dix-huit ans, par monts et par vaux, de bataille en bataille. Cette légendaire monture devait aussi se plier aux caprices de son cavalier, qui s'adonnait à la

Bucéphale, le cheval d'Alexandre le Grand, est tour à tour décrit comme un étalon ou une jument. Il est dit qu'il accompagnait le roi dans tous ses combats.

Ce fut là qu'il perdit la vie, dans une bataille contre le roi indien Poros après avoir été blessé à plusieurs reprises.

Selon quelques historiens, l'esprit de conquête d'Alexandre se fondait sur l'ambition de créer un royaume dont tous les habitants partageraient les mêmes droits. Juché sur Bucéphale, il vola de victoire en victoire jusqu'à ce que le cheval meure, à l'âge de trente ans, sur les rives du fleuve Hydaspes, sur le champ de bataille où il affrontait le roi Poros. La vie d'Alexandre a certes donné lieu à toutes sortes de légendes. Apparemment, les experts s'accordent sur un point : à l'endroit où mourut Bucéphale, Alexandre fit ériger, à sa mémoire, une ville qu'il nomma Bucéphale, et qui serait aujourd'hui Lahore.

ARION, PÉGASE ET LES CENTAURES

La mythologie grecque regorge de chevaux qui prêtèrent leur concours aux dieux ou qui, eux-mêmes, devinrent des divinités susceptibles d'exercer leur domination sur les humains. Poséidon, le dieu de la mer, emprunta l'apparence d'un étalon et, de son union avec Déméter, déesse de la fécondité, naquit Arion, père de tous les équidés terrestres.

Pégase, le cheval ailé, naquit selon la mythologie grecque, lorsque Persée décapita Méduse. Il vit alors surgir Pégase, nimbé d'une crinière ensanglantée. Pégase, cheval sauvage entre tous, qui était chargé de porter le feu et le tonnerre de Zeus, fut domestiqué par Bellérophon, le héros corinthien. Mû par l'audace, il voulut monter sur l'Olympe, terre des dieux. Cette initiative déplut fort à Zeus, qui envoya un taon piquer le fougueux destrier. L'animal désarçonna Bellérophon, qui retomba sur terre. Pégase monta seul sur l'Olympe.

Pégase prit véritablement son envol lorsqu'il emporta la muse Hippocrène sur le mont Hélikon. Depuis, les écrivains, les penseurs, les musiciens et les artistes célèbrent sa mémoire. Pablo Picasso, très inspiré par les mythes, peignit Pégase sous des traits modernes. Toutefois, dans l'œuvre de Friedrich Schiller, *Pégase sous le joug*, le destrier de la muse finit par tenir compagnie à un bœuf dans un attelage, après avoir été vendu à un paysan par un poète désargenté. Aujourd'hui, tout écrivain rêve, selon un proverbe allemand, de voler avec Pégase.

Inspirés par le point de vue des premiers cavaliers venus de Thrace, les Grecs ont enrichi leur mythologie en créant les centaures. Ceux-ci, avec leur buste humain et leur corps de cheval, symbolisaient la puissance et la sensualité. Ils vivaient dans les forêts où ils dévastaient tout sur leur passage.

Persée monte Pégase, le légendaire cheval ailé, peu après la naissance du fabuleux animal. Selon la légende, Pégase surgit de la dépouille de Méduse à qui Persée avait coupé la tête.

boisson plus que de raison. Ses interminables excès altéraient son humeur et il lui arriva même de tenter de tuer son cheval préféré. Bucéphale supporta sans broncher les caprices d'Alexandre et l'amena jusqu'en Inde.

Pégase et les centaures

Quand Pégase déploie ses ailes dans la Voie lactée, il est certes grand, mais difficile à remarquer. La partie de la constellation qui se repère le plus facilement est celle qui forme à l'angle droit un triangle aux trois côtés égaux, qui figure les pattes avant du cheval, et que l'on prend souvent à tort pour sa tête. Pégase partage ses étoiles situées au nord-est avec la constellation d'Andromède, que l'on aperçoit le plus clairement le 1ᵉʳ septembre à minuit.

Les centaures sont figurés plusieurs fois dans le ciel. La constellation, qui réunit de nombreuses étoiles, est située au sud de l'hydre et connaît son apogée le 6 avril. Dans l'hémisphère Sud, on aperçoit clairement l'étoile du Sud entre les sabots des centaures.

Le Sagittaire, bonne étoile protectrice, est consacré à Chiron, qui aurait inventé l'arc et la flèche, est l'unique centaure sage. Il y a trois mille ans, les Indiens croyaient reconnaître la forme d'un cheval dans la silhouette du Sagittaire.

Cette constellation remarquable se trouve à l'est du Scorpion, au centre de la Voie lactée. Les cultures antiques pensaient que toutes les âmes des morts s'envolaient vers la Voie lactée et passaient devant le Sagittaire, gardien de la porte des morts.

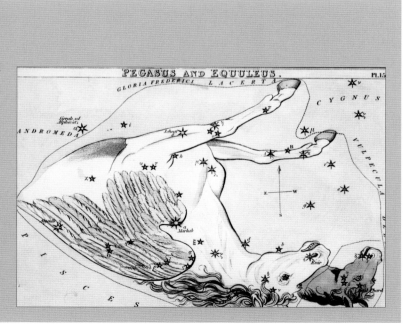

Le pouvoir des femmes

LES AMAZONES, CAVALIÈRES AVANT L'HEURE

Nous ignorons bien sûr si les amazones ont existé, comme le disent certains historiens. En tout état de cause, leur nom est parvenu jusqu'à nous. Aujourd'hui encore, les femmes qui montent le cheval de côté ou en sulky jouent les « amazones ».

Selon les Grecs, il s'agissait d'un peuple de guerrières qui se coupaient ou se faisaient brûler le sein droit pour porter plus aisément leur arc et leur carquois chargé de flèches, les armes des cavaliers nomades. Celles qui n'avaient pas de sein, comme le laisse entendre le nom « a-mazone », n'entraient en contact avec les hommes que pendant les mois du printemps. Après de brèves amours, elles renvoyaient leurs compagnons de lit et retrouvaient leurs semblables. Hérodote, l'historien grec, rapporte que les filles étaient formées à chasser le gibier, juchées sur leur cheval, avec un arc et des flèches. Avant de se marier, elles devaient au moins avoir tué un homme au cours d'un combat singulier. Filles d'Arès, l'insatiable dieu guerrier assoiffé de sang, les amazones étaient considérées comme des hommes en raison de leur courage. Leurs reines Antiope, Hippolyte et Penthésilée ont une place dans d'innombrables épisodes de la mythologie grecque. Vraisemblablement, la figure des amazones tra-

duit une peur masculine des femmes capables de manier les armes et les chevaux. Sans doute y en avait-il déjà quelques-unes à cette époque !

DE LA MEILLEURE MANIÈRE DE S'ASSEOIR

Au Moyen Âge, on ne voyait pratiquement aucune femme en selle. Lorsqu'elles avaient le droit de se jucher sur un cheval, elles n'obtenaient cependant pas celui de diriger leur monture. Il fallait qu'elles se contentent de confier la bride à un homme qui marchait à côté du cheval. Assise de biais sur la croupe de la bête, elles devaient consentir de gros efforts pour garder leur équilibre et n'avaient pour se tenir qu'une lanière qui était passée autour des reins de l'accompagnateur.

Lorsqu'il devint impossible d'empêcher les femmes de monter à cheval, la société exigea d'elles qu'elles se tiennent de manière élégante – mais totalement inconfortable – sur le côté gauche. Le pied gauche était passé dans un étrier, la jambe droite reposait sur un étai en cuir, les jambes étaient artistement cachées sous une longue jupe. Logiquement, les femmes avaient besoin de l'aide des hommes pour monter et pour descendre ! Le travail de guidage assuré par les cuisses devait être remplacé par l'usage d'un long fouet, mais tout de même, les femmes étaient désormais en selle ; elles étaient admises à participer aux chasses à courre et parvenaient même à franchir de petits obstacles.

Jusqu'au XIXᵉ siècle, les femmes durent exclusivement monter en amazone, jusqu'à ce que, enfin, l'habitude de monter comme les hommes s'impose, et qu'elles puissent prouver qu'elles étaient capables des mêmes prouesses techniques. Elles ne s'en privèrent pas, comme le montre aujourd'hui leur niveau dans les compétitions équestres.

Penthésilée

Penthésilée, la fière reine des amazones, mourut jeune sous les coups d'un assassin, au cours de la guerre de Troie. Il semblerait que ce soit Achille qui l'ait tuée. Toutefois, la glorieuse reine garda son pouvoir jusqu'à son dernier souffle, comme le raconte la mythologie grecque. Achille tomba amoureux d'elle à l'instant où il lui porta son coup fatal, et regretta amèrement son geste.

L'auteur allemand Heinrich von Kleist (1777-1811) rapporta cette remarquable légende dans un drame qui fut ensuite adapté pour l'opéra. Cette pièce n'apporta cependant aucune gloire à ce grand écrivain romantique. Le drame de Penthésilée ne fut jamais populaire, même lorsque Johann Wolfgang von Goethe en fit son sujet d'inspiration. Heinrich von Kleist vécut toute sa vie dans le malheur, un peu comme la reine des amazones, et mourut aliéné à trente-quatre ans, âge auquel il se suicida.

Les femmes durent attendre longtemps avant d'être autorisées à monter à cheval. Lorsque cette permission leur fut enfin accordée, elles furent confrontées à un handicap : seule la posture en amazone fut tolérée. Non seulement cette position était inconfortable, mais elle était peu pratique. Les femmes ne pouvaient guider le cheval que d'un côté, à l'aide de leurs cuisses, et ne pouvaient naturellement pas jouer de la répartition de leur poids sur la monture. Toutefois, les cavalières réussirent à participer à de nombreuses chasses et apprirent même à sauter des obstacles.

Les cavalières célèbres

On ne sait pas si Jeanne d'Arc participa vraiment à la bataille d'Orléans à cheval, comme le montrent les tableaux que l'on connaît. Toutefois, il est certain que le roi Charles VII lui accorda l'autorisation de porter des vêtements d'homme et un équipement de soldat pour l'accompagner à la guerre. Quelques années plus tard, elle allait payer sa témérité de sa vie, sur le bûcher. Sans doute son sort tragique a-t-il contribué à la rendre célèbre et à faire d'elle l'une des figures de l'histoire de France.

L'impératrice d'Autriche, la légendaire Sissi, eut un destin non moins pathétique. En 1898, à l'âge de soixante et un ans, elle fut poignardée, au cours d'une promenade, par un anarchiste italien. On sait avec certitude que Sissi était une cavalière émérite qui arpentait la campagne sur les chevaux les plus fougueux. À la cour de Vienne, où son mari l'empereur François-Joseph tremblait régulièrement pour sa vie, elle éclipsait tous les cavaliers les plus doués du royaume.

L'impératrice allemande Augusta Victoria et sa fille, la princesse Cécile, vécurent plus longtemps que Sissi.

Elles participèrent à de nombreuses parades et à diverses manœuvres de l'armée.

Depuis des décennies, les Anglais voient leur reine Elizabeth en selle. Elle a notamment participé à sa parade d'anniversaire juchée sur un cheval. Sa fille Anne et sa petite-fille Zara ont été championnes d'Europe, et Anne a participé aux épreuves d'équitation des Jeux olympiques, avant de devenir présidente de divers clubs internationaux d'équitation.

Jacqueline Kennedy n'avait aucune ambition de briller dans les compétitions, mais elle montait à cheval depuis l'enfance. Elle enseigna également l'équitation à sa fille Caroline. Comme le montre un vieux film d'archive, le président américain John F. Kennedy aimait cajoler ses chevaux. Pour la jeune héritière du milliardaire Onassis, Athina Roussel, la participation aux épreuves du saut d'obstacle aux Jeux olympiques est un rêve à réaliser.

La princesse Haya de Jordanie, sœur du roi Abdallaha II, a déjà atteint ce but. Cavalière de haut niveau, elle a participé aux épreuves des Jeux olympiques de Sydney, en 2000. Ensuite, elle a partagé sa passion avec le prince héritier de Dubai, qui est devenu cheikh après leur mariage. Elle a été élue présidente de la Fédération internationale d'équitation en 2006, devançant notamment la princesse Benedikte de Danemark, cavalière elle aussi.

La reine Elizabeth d'Angleterre, au cours d'une parade.

La princesse Anne d'Angleterre, lors d'une course d'obstacles.

Jeanne d'Arc mène les troupes du roi Charles VII lors de la bataille d'Orléans.

Du passé terne
au présent coloré

Les origines du cheval

Il y a bien longtemps, les chevaux n'étaient pas plus gros que des renards. Les chercheurs datent cette période en se fondant sur les fossiles trouvés en Amérique du Nord, qui remontent à environ soixante millions d'années. L'*eohippus*, ancêtre du cheval, avait alors une taille estimée entre 25 et 45 cm, et trouvait sa nourriture dans les marais. Il avait quatre phalanges ongulées sur les membres antérieurs et trois sur les pattes arrière. Des millions d'années ont passé, et le nombre des doigts de ce mammifère s'est réduit ; l'animal a commencé à se déplacer sur la pointe des sabots. Il a également adapté sa nourriture en fonction de la transformation de son milieu naturel et de ses déplacements vers les steppes. Les dents arrière se sont aplaties pour faciliter la mastication. Au cours de l'évolution de ce mammifère, la croissance de l'animal est justifiée par le fait, d'après les chercheurs, qu'un organisme plus volumineux par rapport au poids du corps nécessite comparativement moins de nourriture, notamment pour réguler la température interne, ce qui permet à l'animal de vivre de manière beaucoup plus économique.

Indépendamment de son espace vital et de ses conditions d'existence, le cheval primitif consommait différents types d'herbage, selon l'endroit du globe où il se trouvait, car on trouve des traces d'équidés entre l'Alaska et la Russie, l'Amérique du Nord et l'Europe, en passant par l'Asie et l'Afrique. Sur le continent africain, les différentes races de chevaux ont poursuivi leur évolution de manière autonome, tandis que, sur le continent américain, ils s'éteignirent inexplicablement pendant environ 9000 ans. Ce sont les conquérants espagnols qui les ramenèrent au XVIᵉ siècle.

Sur le plan zoologique, le zèbre des steppes et le zèbre grévy, l'âne sauvage africain, l'âne et le cheval przewalski appartiennent au genre appelé *equus*, qui vient du latin et signifie simplement « cheval ». S'adaptant à leur cadre de vie, les chevaux à sang froid du Nord de l'Europe et les chevaux à sang chaud du Sud, ainsi que les poneys ont trouvé leur place un peu partout en Europe et en Asie.

Les proches parents du cheval : le rhinocéros et le tapir

Parmi les « proches parents » du cheval, les tapirs et les rhinocéros présentent le même nombre de phalanges ongulées et appartiennent de ce fait à l'ordre des périssodactyles. Leur ancêtre commun s'appelait le condylarthra et vivait il y a environ soixante millions d'années, au paléocène.

Les tapirs qui hantent les marais d'Amérique du Sud et d'Asie n'ont pratiquement pas changé, au fil des millions d'années qui se sont écoulées depuis leur apparition sur le globe. La structure de leur corps et des quatre doigts ongulés qui ornent leurs pattes antérieures nous rappellent toujours le père primitif des chevaux, appelé *echippus*.

L'*echippus*, petit cheval de l'aube, comme on l'appelle parfois, partageait son espace vital en Amérique du Nord avec un certain nombre d'autres tapirs primitifs, qui ont disparu avec lui du continent américain, sans qu'on sache exactement pourquoi. Jusqu'à l'ère glaciaire, les rhinocéros vivaient également en Europe. Aujourd'hui, on ne les trouve plus qu'en Afrique et en Asie. Désormais, ils sont eux aussi menacés d'extinction.

Parmi les types de chevaux qui ont constitué l'histoire des équidés, citons le poney primitif, le tarpan, le cheval ou le poney de la toundra, et le cheval des steppes. Le poney primitif, petit cheval robuste d'une hauteur de 120 à 125 cm, protégé par une épaisse fourrure des rigueurs du

---

Mesohippus

- Oligocène : entre 40 et 25 millions d'années avant notre ère
- Environnement : forêts et paysages de taillis
- Taille : environ 50 cm
- Phalanges : 3 doigts ongulés sur les quatre pattes, poids reposant surtout sur le doigt du milieu.

Eohippus (Hyracotherium)

- Bas éocène : entre 60 et 40 millions d'années avant notre ère
- Environnement : forêts et paysages de taillis
- Taille : entre 25 et 40 cm
- Phalanges : 4 doigts ongulés aux pattes antérieures,
  3 doigts ongulés aux pattes postérieures

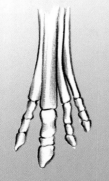

Ces chevaux qui n'en sont pas : hippocampes et hippopotames

Si vous cherchez un animal dont le nom évoque celui d'un cheval, rendez-vous dans un aquarium et sondez les profondeurs des mers du Sud, si possible tropicales. On y trouve un animal nageur qui s'appelle l'hippocampe. Cette créature qui pond des œufs fait partie des poissons vertébrés et présente une tête qui rappelle celle des chevaux, mais au premier regard seulement !

De même, les hippopotames ont dans leur nom la racine latine « hippo » qui caractérise les chevaux. Dans leur allure, ils ne sauraient être plus différents l'un de l'autre, même si on leur attribue le même sulky, comme sur la photo ci-dessous.

Et Dieu créa le cheval

« Quand Dieu créa le cheval… », disent les Bédouins du désert et des steppes du Proche-Orient et d'Afrique du Nord, « … il parla au vent du Sud : – Concentre-toi, je vais créer un animal qui honorera mon esprit et nuira à mes ennemis. Le vent du Sud répondit : – Crée cet animal, Ô Dieu. Alors Dieu prit une poignée de vent du Sud, souffla dessus et créa le cheval. »

climat froid et humide qui règne dans le Nord de l'Europe et dans une partie des pays asiatiques, était proche, par son apparence, du poney exmoor que l'on connaît aujourd'hui. Le poney de la toundra serait l'ancêtre des chevaux à sang froid ; on le trouvait dans les régions septentrionales de l'Europe et de l'Asie. Les tarpans mesuraient 140 à 143 cm au garrot et ressemblaient aux chevaux des fjords que nous connaissons aujourd'hui. Ils habitaient les steppes de l'Asie centrale et se sont aventurés jusqu'à la presqu'île Ibérique. De ce fait, ils sont les ancêtres des chevaux andalous, berbères et sorayas.

Le quatrième type de cheval était un cheval des steppes qui vivait dans les régions désertiques des contreforts de l'Asie, et a été le précurseur des actuels pur-sang. Cet animal, d'une hauteur de 1,20 m, se distinguait par sa vélocité et sa grande résistance.

Depuis plus d'un siècle et demi, les origines du cheval sont interrogées par les paléontologues qui se penchent sur les fossiles existants, qui permettent de reconstituer son parcours de manière quasi continue. Il reste une série de questions sans réponse sur cette évolution qui n'a pas été linéaire, mais émaillée de nombreuses ramifications, et qui s'est compliquée au fil des millions d'années qui se sont écoulées. La seule transformation de l'*eohippus* en *equus caballus* – le cheval actuel – aura nécessité près de 15 millions de générations.

Pliohippus

- Pliocène : 10 à 3 millions d'années avant notre ère
- Environnement : steppes
- Taille : environ 110 cm
- Phalanges : 1 doigt
- Ancêtre évident du cheval

Miohippus

- Miocène : 25 à 10 millions d'années avant notre ère
- Environnement : savane et terrains peu élevés
- Taille : environ 90 cm
- Phalanges : 3 doigts sur toutes les pattes, contact avec le sol assuré seulement par le doigt du milieu.
- Premiers herbivores de l'histoire de l'évolution

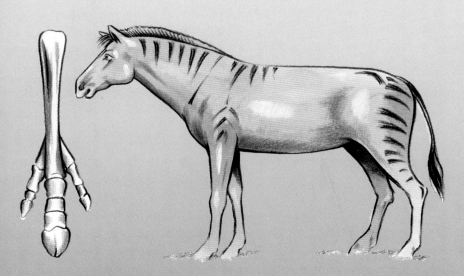

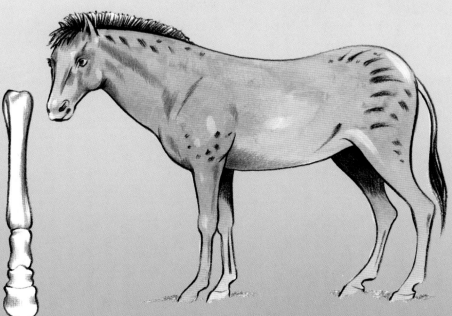

Le wallach brutus porte sa crinière à l'iroquoise. Ce superbe mâle avait une réputation de séducteur à Hortobágy, et créa de nombreux incidents dans le groupe des célibataires ; cela lui valut d'être exilé dans une réserve zoologique. Là, il est seul au milieu de quatre juments et peut se prendre pour un véritable étalon.

Chassez
le naturel...

Sur le plan zoologique, le cheval przewalski est bel et bien un équidé. Le tarpan des steppes et le tarpan des forêts, deux espèces éteintes, faisaient partie du même ordre. Le cheval przewalski est donc le dernier survivant des races de chevaux sauvages. Parmi ses caractéristiques, il faut évoquer la crinière dressée et une queue peu fournie qui est, dans son premier tiers supérieur, de la même couleur que le corps de l'animal.

Ce cheval au nom imprononçable a connu ses derniers jours de vie sauvage dès 1879, lorsque le général russe Nikolaï Michaïlovitch Przewalski, expert de la vie asiatique, l'a découvert en Mongolie. Le crâne qu'il apporta deux ans plus tard au zoologiste russe Poliakov a confirmé ses soupçons. Il avait bel et bien affaire à un cheval sauvage, qui fut appelé *equus ferus przewalskii* en son honneur.

Vers le tournant du siècle, 55 spécimens de ces chevaux sauvages furent importés avec succès en Europe – la plupart grâce aux bons soins de Carl Hagenbeck – et répartis dans les zoos de grandes villes. Presque tous les chevaux przewalski qui vivent aujourd'hui en captivité, et ceux qui sont élevés pour être relâchés dans les étendues sauvages, sont nés de ces individus. Les autres spécimens importés sont morts jeunes ou ne se sont pas reproduits.

Dix-sept poulains sont nés pendant la seule année 2005. La jument hongroise Ashnai est considérée comme la supermaman du zoo de Cologne. En sept ans, elle a mis au monde sept poulains sains.

REMISE EN LIBERTÉ DES CHEVAUX PRZEWALSKI

Le cheval przewalski, qui serait éteint depuis longtemps s'il n'avait été élevé dans les jardins zoologiques d'Europe, a fait l'objet d'une tentative de remise en liberté dans son espace d'origine, la Mongolie et la Chine.

Dans la semi-réserve créée au sein du parc national hongrois de Hortobágy, les chevaux przewalski sont réimplantés depuis 1997, avec la participation active du zoo de Cologne. On peut y admirer soixante-sept chevaux sauvages répartis en sept harems et groupes de célibataires. En 2005, dix-sept poulains sont nés. Tous les chevaux sont identifiés et observés avec attention, et chacun de leurs déplacements est connu des autorités du parc. Les données ainsi glanées sont étudiées et livrent de précieux renseignements sur le comportement des chevaux sauvages.

LES CHEVAUX DES STEPPES

Comme l'œil se réjouit
De voir les chevaux libres et sauvages
Qui caracolent au travers des steppes
Buvant et mangeant à leur gré
Dans les ruisseaux bondissants !
Et dans les près où pointent les herbes folles
Ils croisent leur nuque
Et tendent le dos avec colère
Pour se dégager violemment.
La queue au vent, ils chassent
Et courent en bandes compactes.
Voyez les mêmes chevaux
Que la main rusée de l'homme
a durement placés sous le joug !
Ils apprennent la fausseté et les artifices
Il se détournent adroitement de toute prise,
Ils apprennent à se cabrer et à ruer.
Ils mordent la barrière, en se languissant
Du lointain bonheur des vastes steppes
Là où ils n'ont plus que devoirs, artifices et labeur !

(Tchuang-Tsé, philosophe chinois)

Ci-dessus : les chevaux d'un même troupeau restent ensemble la plupart du temps. Ils ont appris à tolérer la proximité d'autres troupeaux.

Ci-dessous : l'étalon Apor au milieu de ses juments. Apor est le chef du plus grand troupeau de la semi-réserve hongroise.

Sociables, réceptifs et belliqueux

Les chevaux ne sont pas des êtres solitaires : ils aiment vivre en groupe, et cela depuis la nuit des temps. À l'état sauvage, ils forment des troupeaux qui constituent une structure protectrice régie par une hiérarchie très codifiée, au sommet de laquelle se trouve l'étalon dominant. Toutes les juments du troupeau appartiennent à ce mâle. C'est la jument favorite de longue date, et la plus expérimentée, qui conduit le troupeau vers les prés, et qui est chargée de donner l'alerte si un danger se présente. Le troupeau fuit alors, et le chef le guide à partir d'une position arrière. Les jeunes étalons ambitieux s'affrontent par deux, au risque parfois de trouver la mort dans le duel. Les petites échauffourées, qui ne sont pas rares, entre chevaux d'un rang inférieur, se soldent généralement par des menaces, mais sont toujours réglées d'une manière ou d'une autre. En fait, un comportement social que les humains ne manqueront pas de reconnaître !

Des lunettes pour Home Alone

C'est parce qu'un ophtalmologiste n'a pas reculé devant le pari de fabriquer des lunettes pour un cheval, que le cas de Home Alone a pu être résolu. Cet étalon, qui avait une belle brochette de prix internationaux à son actif, s'est soudain mis à rester à la traîne, sans que personne ne comprenne pourquoi. Lorsque l'ophtalmologiste Kurt Anderson a examiné ses yeux, il s'est rendu compte que Home Alone était désespérément myope. Il lui a donc fabriqué des lunettes d'une intensité de 7, les lui a posées sur les yeux, ce qui a permis à Home Alone de courir devant, comme il le faisait auparavant.

L'INSTINCT

Pour les chevaux sauvages, il était vital de prendre conscience du danger à temps, pour le cas où un prédateur aurait rôdé dans les parages. De ce fait, ses sens restent extrêmement développés. La sensibilité des chevaux est devenue légendaire, que ces derniers paissent tranquillement dans un pré clôturé ou qu'ils soient au chaud dans leur stalle protégée.

La vue

Les yeux de l'animal, qui occupent une position latérale, montrent déjà que les caractéristiques de sa vision diffèrent de celles des humains. Nos yeux sont implantés à courte distance l'un de l'autre et nous livrent des images relativement identiques. Les yeux des chevaux, en revanche, ont un angle de vision latérale et sont monoculaires, c'est-à-dire que chaque œil reçoit une image différente. Les points individuels sont donc moins précis, parce que, au fil des millions d'années passées dans les steppes, la vision rapprochée n'était pas essentielle pour le cheval. Il était bien plus important qu'il ait « les yeux partout », et la vision latérale présentait de ce point de vue de substantiels avantages. Il suffisait en effet d'un léger mouvement de la tête pour obtenir une vision à 180°. En comparaison, le champ de vision humain couvre environ 100°, et celui du cheval est trois fois plus développé. Seul ce qui est placé au-dessus de son front et directement au-dessus de sa tête échappe à sa vigilance, et cela n'est d'ailleurs pas sans l'inquiéter. Il est notoire que les chevaux distinguent très bien les couleurs, notam-

Les chevaux mordillent leurs congénères de manière amicale. Ce comportement est également associé aux préliminaires amoureux. L'étalon mordille la jument avant de la couvrir.

M. Ed, le cheval doué de parole

M. Ed était un cheval parlant, du moins à l'écran, dans la série télévisée du même nom. Ses commentaires déplacés entraînaient généralement des conséquences désastreuses pour son propriétaire, Wilbur Post. Car, en dehors de Wilbur, personne n'avait remarqué que M. Ed savait parler. Aux États-Unis, M. Ed a fourni assez de matière à ses créateurs pour alimenter 143 épisodes de la série qui fut diffusée avec succès, le soir, entre 1960 et 1965. Après le tournage, le célèbre quadrupède ne quitta jamais son maître Clarence Tharp. En 1974, ce dernier se résolut à mettre M. Ed à la retraite dans sa ferme en Oklahoma. Cinq ans plus tard, M. Ed, qui avait perdu toutes ses dents, finit par rendre l'âme à l'âge respectable de trente-trois ans.

ment le jaune et les tons de vert. La nuit et au petit matin, ils voient mieux que l'homme, même si leurs yeux s'adaptent lentement aux contrastes de la lumière et de l'ombre.

L'ouïe

Les oreilles du cheval sont grandes et mobiles, et peuvent réagir à toutes les nuances des discours humains. Mais la finesse de son audition est aussi sans pareille car le cheval perçoit toutes sortes de bruits autres que la voix de son cavalier. Évidemment, il préfère la douceur, les sons graves et les tonalités sereines aux accents brutaux, aux sons aigus et aux tonalités hystériques.

Le goût

Les nerfs qui réagissent au goût, dans la bouche du cheval, sont très nombreux et font équipe avec ceux qui se trouvent dans le nez, particulièrement sensible, qui lui permet d'opérer un choix instinctif entre la bonne et la mauvaise nourriture, par exemple les végétaux toxiques. C'est une capacité que les chevaux perdent de plus en plus, en raison de la domestication.

L'odorat

L'odorat est le sens le plus important pour le cheval. Il est bien plus développé que celui des humains ou même que celui des chiens. Le cheval se repère à l'odeur pour savoir à qui il a affaire, pour savoir aussi si sa partenaire est sexuellement disponible (comme l'indiquent les phéromones). Les chevaux réagissent énormément aux odeurs. Son récepteur, l'organe de Jacob, réagit en liaison avec la bouche. Il s'agit d'un petit conduit situé à la base des naseaux.

Le toucher

Le cheval est également sensible au toucher. Il suffit de voir frissonner la surface de sa peau au simple contact d'une mouche qui se pose, pour constater à quel point sa sensibilité est marquée. Les poils du museau, extrêmement délicats, fonctionnent comme de petites antennes. Il ne faut en aucun cas les couper. Ils permettront à l'animal de tâter la nourriture, mais aussi de la trier.

Le combat entre deux étalons sert à établir leur rang hiérarchique au sein du troupeau. Entre les poulains, ces combats sont de l'ordre du jeu. À l'âge adulte, ils peuvent devenir dangereux et se solder par de graves blessures.

Le sixième sens

Les humains et les animaux partagent ce que l'on appelle communément le sixième sens. Des récepteurs de forme étoilée, situés à l'intérieur des muscles, des tendons et des articulations signalent toute modification de la musculature au cerveau. Sans ces informations, relatives par exemple à la position des membres, le cheval ne pourrait pas coordonner ses mouvements, et encore moins les maîtriser.

Le cheval nain guide d'aveugle

Quand l'homme a cherché un guide sûr pour les aveugles, il s'est tourné vers le chien. Cela pourrait prochainement changer, car certains éleveurs américains de chevaux nains prétendent que ceux-ci sont plus intelligents que les canidés.

C'est la conclusion à laquelle est parvenu un couple de Caroline-du-Nord, les Burleson, qui ont vu un cheval s'arrêter instinctivement devant un feu rouge. Ils ont alors lancé un programme de formation intensif pour les chevaux. Depuis, les demandes de chevaux nains guides d'aveugles augmentent de manière régulière. Ces animaux peuvent vivre jusqu'à quarante ans, ce qui multiplie par quatre la durée de leur carrière, par rapport à celle d'un chien. Il est même possible de les garder dans une habitation, si l'on glisse des pantoufles sur ses sabots.

Un animal bien bâti

Les chevaux grandissent en moyenne jusqu'à leur quatrième année. Leur squelette est alors constitué de plus de deux cents os presque tous reliés les uns aux autres par des articulations. Environ 10 % d'entre eux seulement sont fixes.

« À cheval donné, on ne regarde pas la bouche », dit le proverbe.

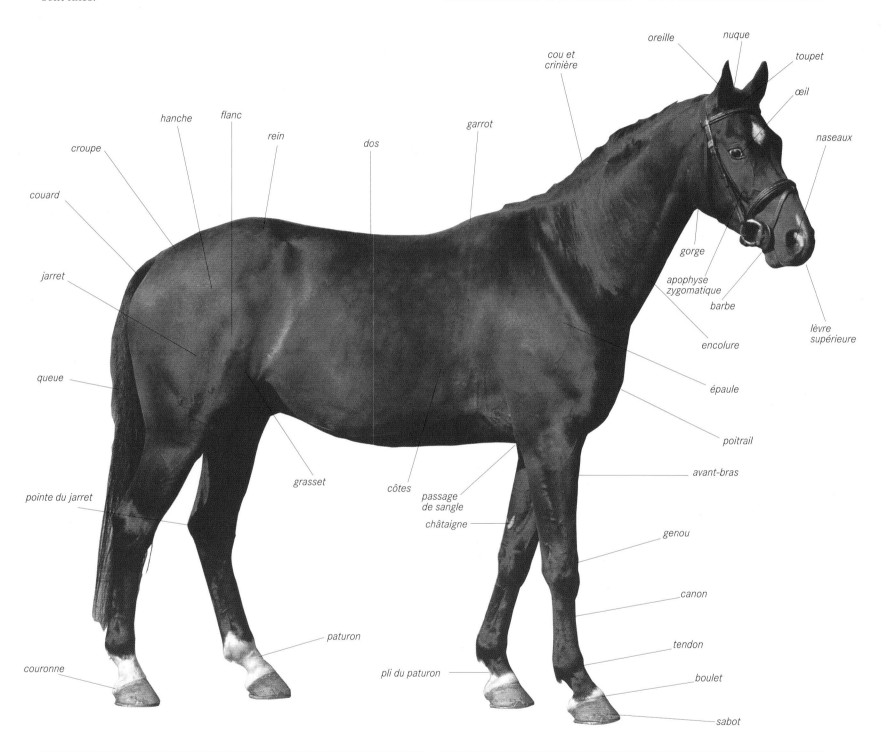

oreille
nuque
cou et crinière
toupet
œil
garrot
naseaux
hanche
flanc
rein
dos
croupe
gorge
couard
apophyse zygomatique
barbe
jarret
lèvre supérieure
encolure
queue
épaule
poitrail
grasset
côtes
avant-bras
pointe du jarret
passage de sangle
châtaigne
genou
canon
paturon
tendon
couronne
pli du paturon
boulet
sabot

« Zeus et le cheval » par G.E. Lessing

Le cheval, animal fier et volontaire, fut un jour mécontent de son image et alla s'incliner devant le trône de Zeus. Il voulait savoir si le dieu des dieux ne pouvait améliorer son apparence. Zeus fit appeler un chameau et déclara : « Voici des pattes plus hautes et plus noueuses, et voici un long cou de cygne… » Puis il demanda au cheval : « Veux-tu que je te transforme de cette manière ? » Le cheval fit non de la tête et décida de tirer des enseignements de cette leçon…

L'allure générale

La « charpente » du cheval désigne aussi son « apparence extérieure » ou sa morphologie, selon l'expression consacrée. Quand on juge l'allure extérieure d'un cheval, on s'appuie sur différents critères visuels indépendants de la race et du sexe. On étudie en particulier la tête, le cou, le garrot, le poitrail, le dos, la croupe, la queue ainsi que les membres antérieurs et postérieurs.

Le maquignon

Il était craint dans toutes les foires aux bestiaux, car il avait plus d'un tour dans son sac. L'acheteur potentiel savait qu'il fallait regarder immédiatement la bouche du cheval, car sa dentition révélait tout. Et puis, au fil du temps, il fut de moins en moins facile de maquiller un cheval. En effet, il y a longtemps que l'on brandit des pedigrees prestigieux, que divers papiers et certificats d'authenticité prouvent l'origine des chevaux. Même l'informatique peut aider à déceler des données fausses.

Le terme « maquignon » a gardé une connotation négative et est employé volontiers, surtout dans les débats politiques allemands. Le politicien bavarois Franz Josef Strauss, un flamboyant orateur, s'est plus d'une fois entendu reprocher d'avoir des manières de maquignon lors des campagnes électorales.

En Allemagne, on affuble également volontiers les faussaires de toutes sortes de ce nom. En France, employé négativement et au sens figuré, le terme « maquignon » désigne un négociateur peu scrupuleux.

Le crin de cheval

On fabrique les objets les plus divers (pulls, ceintures, objets de cuisine ou accessoires de mode à l'aide de crins de cheval. Les Islandais ont perfectionné l'art de récupérer le crin. Ils peignent régulièrement leurs poneys et coupent leurs crins à ras à l'occasion de la nouvelle année, sans oublier de tailler la crinière et la queue. Celui qui ne le fait pas s'expose à être tourmenté par les elfes et les trolls. Autrefois, on renforçait souvent la solidité des tissus à l'aide de crin de cheval, notamment avant d'y tailler des gilets. À la campagne, les coussins étaient souvent garnis d'un mélange de paille et de crin. Aujourd'hui, on apprécie une assise moins dure, les duvets d'oie et les matières synthétiques sont plus en vogue, tant pour les coussins que pour les matelas.

À ce jour toutefois, on exploite la sonorité musicale du crin de cheval. Lorsqu'il est tendu sur l'archet d'un violon, il fait une corde parfaite.

De nombreux propriétaires de chevaux blancs prétendent que leur animal est coquet et adore être bouchonné. Dans les faits, un cheval au pelage immaculé est toujours plus séduisant qu'un cheval négligé, qu'il soit coquet ou non.

L'Homme au cheval blanc de **Theodor Storm**

Le roman intitulé *L'Homme au cheval blanc* se fonde sur une légende originaire du Nord de l'Allemagne. Elle raconte l'histoire du comte Hauke Haien qui chevauchait nuit et jour son cheval schimmel. Un tragique accident le précipita avec sa monture dans une rivière où ils se noyèrent. Pour autant, cavalier et cheval ne trouvèrent pas le repos dans la mort. Le fantôme du cavalier Hauke continue de hanter les environs de la rivière sur son cheval pommelé blanc.

Christian Ahlmann a monté Cöster, un cheval pommelé blanc, pour remporter la coupe d'Europe. D'autres cavaliers émérites se sont illustrés, comme John Whitaker avec Milton ou Conrad Homfeld avec Abdullah.

Ce sont les parents du cheval qui sont responsables de sa robe. Pour dire les choses de manière plus scientifique, tout est affaire de gènes. Jusqu'à présent, il existe pour un cheval trois manières différentes de naître blanc. Dans un premier cas, le poulain vient au monde sous cet aspect. Dans un deuxième cas, sa robe s'éclaircit de plus en plus au fil des années et, dans un troisième cas, le poulain est pommelé, et cette caractéristique ne se modifie plus au cours de sa vie. Ces deux derniers groupes, dotés d'une robe plus foncée au départ, ont une espérance de vie plus longue que celle du cheval né blanc, dont la peau est plus sensible à la lumière.

Si vous découvrez donc quelques poils gris sur la tête d'un poulain de couleur, n'en déduisez pas immédiatement que votre cheval a pris un coup de vieux. Il ne s'agit nullement d'un processus de vieillissement, mais d'un signe de développement de la robe pommelée. Le cheval blanchira de plus en plus et passera par une phase où sa robe présentera des taches claires et des parties plus foncées. En outre, la nature nous offre toute une

La plupart des chevaux blancs naissent avec une robe foncée. Le pommelé, ainsi nommé à cause de la forme arrondie de ses taches claires, finit généralement, à l'âge adulte, par acquérir une robe d'un blanc uni.

Blanc comme neige

Le cheval blanc est en soi un véritable sujet d'émerveillement. Sa taille et sa gracilité suscitent souvent l'admiration et l'animal parvient facilement à la célébrité sur les scènes internationales. Calvaro, le bondissant étalon wallach holstein du Suisse Willi Melliger, était surnommé « le géant blanc » par ses fans. Malgré sa haute stature, il était extrêmement sensible, mais Willi Melliger réussit à lui faire remporter la finale de la coupe du monde 1998. Calvaro acquit la réputation du meilleur cheval blanc du monde. L'étalon Cento a permis à Otto Becker de remporter une médaille d'or olympique, ainsi que le podium du grand prix d'Aix-la-Chapelle.

Tatillon comme un fonctionnaire monté sur un cheval blanc

Il existe en allemand une expression qui signifie littéralement « tatillon comme un fonctionnaire monté sur un cheval schimmel (blanc) ». Un jour, un collecteur d'impôts juché sur un cheval blanc arriva dans une bourgade suisse. Il se rendit de maison en maison et aucun ne put échapper à ses exigences. Le cavalier était soucieux de compter ce que lui devaient les administrés et leur donna du fil à retordre. Au sein de l'administration de l'Autriche impériale, il poursuivit ses activités sourcilleuses et réclama ce qui revenait à l'État. Dans tout l'espace germanophone, il fut bientôt célèbre et on forgea l'expression « tatillon comme un fonctionnaire monté sur un cheval schimmel ». Elle symbolisa la bureaucratie aveugle qui s'en prenait souvent aux petites gens, bien obligées de payer le fonctionnaire et l'entretien de sa monture.

Un cheval « schimmel » pour la voiture des mariés

Le cheval est blanc, le cocher porte des vêtements immaculés, tout comme la mariée : blanche est la couleur de la lumière et de l'innocence. Dans le monde entier, le cocher vêtu de blanc et les chevaux blancs suscitent une véritable fascination, même si ce type de carrosse était autrefois réservé aux plus privilégiés, pour transporter la mariée et son père à l'église, où le marié attendait avec impatience. Aujourd'hui, ce genre de mise en scène digne d'un conte de fées est devenu rare.

Les mariages de ce style, avec chevaux blancs, cocher et luxe effréné présentaient quelques avantages, notamment celui d'être très voyants, et donc de faire circuler la nouvelle dans toute la région. Quelques jours plus tard, la voiture des mariés et les chevaux étaient exposés aux yeux du public, à qui ils étaient censés porter chance. Après la cérémonie religieuse, le couple de jeunes mariés montait dans le carrosse, parfois escorté de cavaliers qui précédaient et suivaient le véhicule. De nombreuses processions de ce genre ont été décrites. Toutefois, les parades nuptiales dignes des opérettes ont souvent été réservées à la monarchie.

palette de motifs et de variantes pour les chevaux schimmel : le blanc moucheté aux petites taches noires réparties sur le corps tout entier, le blanc rosé aux petites taches roses. Citons également les « schimmels » gris, brun et noir, qui alternent les taches brunes et les taches noires.

Lorsque les éleveurs croisent deux chevaux blancs, le rejeton ne leur ressemble pas forcément, mais la probabilité est tout de même de 75 %. On trouve des chevaux blancs parmi les lipizzans, les andalous et les camargues, et aussi souvent chez les pur-sang arabes. En revanche, cela arrive rarement chez les chevaux islandais et les trabern. Les haflinger et les frisons ne sont jamais blancs, et personne ne le leur demande !

Albinos

Les chevaux clairs, couleur crème, sont souvent décrits comme des albinos ou des pseudo-albinos. Aux États-Unis, l'American Albino Horse Club élève l'american cream horse, dont la race est très rigoureusement sélectionnée. Les poulains qui sortent de cet élevage naissent toujours avec des taches claires. Ils descendent de l'étalon Old King qui est né au début du XXᵉ siècle.

Les véritables albinos aux yeux rouges et à la peau rosée ont des poils d'un blanc immaculé et sont dépourvus de toute pigmentation. Toutefois, ils ne vivent pas longtemps.

Ce cheval pommelé, dit blanc rosé, ne se débarrassera jamais des petits points roses qui parsèment sa robe, même s'il rêve d'être un véritable cheval blanc de l'Atlas. Lorsque les points sont noirs, le cheval adulte s'appelle blanc moucheté.

Noir comme la nuit

Jadis, la couleur de la robe et de la crinière des chevaux servait à les dissimuler dans la nature. C'est très vraisemblablement pour cette raison que la nature a créé une majorité de chevaux bruns, et que c'est l'intervention humaine qui a développé l'apparition, rare au départ, des chevaux blancs, toutes les robes claires ou très foncées étant peu répandues.

LES ÉTALONS NOIRS CÉLÈBRES

Black Jack

Au son étouffé des cloches, des tambours et des trompettes qui résonnaient dans les rues de Washington D.C., Black Jack a paradé sous les yeux de millions de spectateurs dans les rues de la capitale américaine, et des téléspectateurs du monde entier, lorsqu'il a suivi le corbillard contenant la dépouille mortelle du président John F. Kennedy. Harnaché, mais non monté, il portait, suspendues à sa selle, une épée en argent et deux bottes d'équitation, dernier hommage au grand homme d'État assassiné. Bien des observateurs se sont demandé si on parviendrait à maintenir Black Jack qui ruait et se cabrait sur les dix kilomètres du parcours. Mais,

Les chevaux noirs à la robe unie ou non, donnent toujours une impression de noblesse imposante. Toutefois, ils ne sont pas d'un noir d'encre toute l'année. Il existe des « chevaux noirs d'été » et des « chevaux noirs d'hiver », dont la robe est parfois, hors saison, d'un brun roux foncé.

Black Jack, le dernier cheval qui fut au service de l'armée américaine, ne se contenta pas d'accompagner le convoi funéraire de Kennedy. Il rendit le même service à d'autres présidents et hommes d'État, et à divers généraux. Les bottes d'équitation attachées aux étriers de ce cheval sans cavalier symbolisent les héros tombés au combat.

une fois parvenu à Arlington, l'étalon est resté très calme, et a baissé la tête en même temps que tous les hommes d'État qui étaient venus se recueillir. Même le vol en rase-mottes de l'avion du président, *Air Force One* ne départit pas le cheval de son calme.

Black Beauty

La vie du cheval britannique Black Beauty, que l'auteur Anna Sewell a décrit dans son livre en 1877, fut marquée par la souffrance et les tortures. Entre les mains d'un impitoyable propriétaire, Black Beauty se vit réserver un traitement qui était souvent infligé aux chevaux de transport au XIXe siècle.

Le cinéma raconta l'histoire du superbe étalon noir d'une manière beaucoup plus romancée, sur le petit et le grand écran. Dans la réalité, il changea plusieurs fois de mains, puis, par des circonstances malheureuses, retrouva son premier propriétaire, et au bout de multiples aventures, plus palpitantes les unes que les autres, redevint l'étalon noir aimé de son maître, avec son étoile blanche au front et ses sabots chaussés de blanc.

Aimé des grands et des petits, Black Beauty a été le héros d'une série télévisée anglaise, diffusée dans de nombreux pays dans les années 1970.

Fury

Le cheval américain présenté sous le nom de « Black Beauty » au grand écran, en 1946, fut le compagnon de Clark Gable, Joan Crawford et Elizabeth Taylor à l'écran. Il se vit même offrir le rôle principal dans le film *Gypsy Colt* qui lui valut le Patsy Award, première distinction cinématographique décernée à un animal.

L'attribution de cet « oscar animal », qui avait été longtemps réservé au border collie Lassie, convainquit les producteurs de télévision d'inventer un personnage à quatre pattes qui remplacerait Lassie pour les enfants. Le 15 octobre 1955, ce fut chose faite : l'ex « Black Beauty » devint « Fury » dans le premier épisode de la série où l'orphelin Joey Clark nouait une amitié hors pair avec son cheval. Quand Joey appelait son meilleur copain, il accourait de tous ses sabots. Joey proposait une promenade et Fury s'agenouillait pour que l'enfant puisse se hisser plus facilement sur son dos. Cette scène émouvante servait d'introduction aux 113 épisodes où Fury, Joey et son père adoptif Jim Newton, ainsi que Pete, son bras droit, vivaient de grandes aventures au ranch Broken Wheel. Fury a occupé une place de choix dans le cœur des enfants du monde.

El Morzillo « Le Noir »

Lorsque le conquistador espagnol Hernando Cortés, lancé dans la conquête de l'Amérique centrale, dut laisser dans un village indien son cheval blessé, El Morzillo, il se demanda avec angoisse s'il reverrait jamais l'animal vivant. Dans son journal, il écrivit : « Le chef de la tribu m'a promis qu'il s'en occuperait, mais j'ignore s'il saura le faire, et comment il s'y prendra. »

Ses soupçons étaient fondés. Les Indiens, qui n'avaient jamais vu de cheval auparavant, étaient certes fascinés par le grand animal noir et firent tout ce qu'ils pouvaient pour qu'il ne manque de rien, mais ils ne savaient pas du tout comment s'en occuper. Comme un dieu, El Morzillo trôna dans le temple, tandis que les Indiens lui apportaient des fruits frais et de la viande, très déçus de voir qu'en dépit de tous leurs soins le cheval finit par mourir. Ils élevèrent une grande statue à son effigie, que Cortés aurait aperçue de loin s'il était revenu chercher son compagnon.

Ce ne fut pas le conquistador, mais les moines franciscains qui revinrent, quelque 172 ans plus tard, pour convertir les Indiens à la foi chrétienne. El Morzillo était devenu le dieu de la foudre et du tonnerre, ce qui déplut fortement aux pères. Ils ne toléraient pas l'idée d'une seconde divinité et détruisirent rapidement la statue. D'El Morzillo, il ne resta rien, sauf cette histoire.

Black

Walter Farley écrivit l'histoire de « Black, l'étalon noir », à l'intention des enfants.

Au cours d'un voyage en bateau entre l'Inde et New York, Alec, un jeune Américain, aperçoit un magnifique cheval à bord. Lors du naufrage du bateau, l'adolescent libère l'animal qui nage avec lui jusqu'à une île où tous deux sont finalement retrouvés sains et saufs. L'histoire se déroule sur quinze volumes qui valent à Walter Farley (et à son fils Steven, qui prit le relais) de figurer dans de nombreuses bibliothèques d'enfants. Entre 1990 et 1993, le superbe étalon galopa dans la série « Black », qui fut diffusée sur les écrans de télévision du monde entier.

> « Ce n'est pas un mauvais cheval »
> signifie que l'on a affaire à une personne
> foncièrement honnête.

Zorro

Sa marque distinctive était un Z qu'il traçait de la pointe de l'épée sur les portes, les troncs d'arbre ou à même la peau de ses ennemis. Son créateur, Johnston McCulley, n'en fit toutefois pas un criminel sans foi ni loi qui sillonnait les routes de la Californie occupée. Il le transforma en vengeur et en justicier, défenseur des pauvres et des victimes des colons. Lorsque Zorro, tout de noir vêtu, nouait un masque sur son visage et enfourchait son cheval couleur d'encre, il repoussait les ténèbres autour de lui et plongeait les dames dans de lourdes rêveries érotiques. Il y avait là matière idéale pour les films de cape et d'épée à la sauce hollywoodienne.

Le premier acteur qui incarna ce héros fut Douglas Fairbanks, en 1920, qui fut à l'écran le protagoniste du film muet, devenu un classique, *Le signe de Zorro*. Au cours des années 1940, ce fut le tour de Tyrone Power puis, en 1975, Alain Delon porta le célèbre masque. Anthony Hopkins joua, dans *Le Masque de Zorro*, l'ardent défenseur des libertés, et Antonio Banderas fut son séduisant successeur. *La Légende de Zorro* sera sans doute le dernier épisode de la série, notamment parce que le célèbre Tornado ne pourrait en supporter davantage.

La légende se perpétue néanmoins : la romancière chilienne Isabel Allende, auteure de nombreux best-sellers, y veille. En 2005, elle a publié sa propre version de *Zorro*. Le combattant des libertés y chevauche toujours un beau destrier noir, même si le mot espagnol « zorro » désigne en réalité un « renard aux reflets irisés ».

La plupart des troupeaux comptent des individus qui présentent des couleurs mélangées. Il faut aussi de la variété chez les chevaux ! À la différence des humains, les chevaux semblent n'avoir aucun problème pour s'entendre avec les individus d'une autre couleur.

Des chevaux de toutes les couleurs

Il est très courant que les chevaux d'un troupeau échappent à toute classification et qu'ils soient « bariolés ». Les catégories classiques de couleurs et de motifs sont précisément établies. Elles sont déterminées dans le document établissant l'origine de chaque cheval, afin d'éviter toute confusion et tromperie.

Dans les descriptions officielles, chaque couleur appelle des associations différentes selon les pays. Ainsi le cheval à la robe marron sans poils noirs est appelé alezan en France, châtaigne (« chestnut ») en Angleterre, alors qu'en Allemagne on considère qu'elle rappelle la couleur du renard (« Fuchs »). L'expert allemand Eduard Meyer s'est montré particulièrement créatif dans ce domaine. Alors que, dans la plupart des langues, les chevaux blancs sont simplement décrits comme des chevaux blancs, il détecte toujours dans la robe un motif pommelé, blanc ou gris, qu'il sait décrire avec précision.

Cet expert n'a jamais accepté de se laisser gagner par l'ennui dans la description des chevaux et, dans les années 1930, il a pris sa mission officielle très au sérieux. À cette époque, il travaillait pour les écuries prussiennes et avait reçu du ministère allemand des sports, à Berlin, la mission de répertorier précisément toutes les couleurs et les motifs des différentes robes, afin d'harmoniser leurs appellations. Même si les associations créatives d'Eduard Meyer n'ont pas réussi à couvrir toutes les possibilités existantes, elles restent largement en vigueur aujourd'hui en Allemagne.

D'où le « tigré » tient-il son nom ?

C'est une bonne question, surtout quand on remarque que ce nom est attribué, en allemand uniquement, à un cheval tacheté qui ne ressemble en rien à un tigre, qui comme chacun le sait, est plutôt agrémenté de rayures.

Ce cheval est-il « tigré », tacheté ou rayé ? Eduard Meyer, grand expert allemand, s'entendait souvent poser la question. Visiblement, il avait décidé de ne pas voir les taches et avait opté pour la référence au tigre. Rien ne put le détourner de cette idée fausse, et aujourd'hui encore, en Allemagne, ce type de cheval porte toujours le nom qu'il lui a attribué, alors que dans les autres pays on le tire plutôt du côté du léopard, en le jugeant ocellé. En Angleterre, on l'appelle simplement « spotted horse » (cheval tacheté), et l'exagération du nom allemand nuit à la clarté de la description.

Bien que les noms des couleurs et des motifs diffèrent dans la plupart des langues, elles décrivent les mêmes animaux. Un cheval à la robe marron dont la crinière n'est pas noire est un alezan (en allemand, un « renard »), tandis qu'un cheval à la robe marron dont la crinière et les pattes sont noires est un cheval bai (en allemand, un « Brauner »).

Les non-initiés peuvent perdre leur latin quand ils sont confrontés aux différences entre les chevaux aubères et isabelle. Dans ce cas, il n'est plus question de couleur de robe, mais seulement de couleur de crinière et de queue. Les deux sont blonds, mais le cheval aubère a une crinière claire, tandis que le cheval isabelle a une crinière noire.

La créativité de la nature ne connaît aucune limite dans les nuances qui qualifient les chevaux « tigrés ». Le « tigré » (tacheté) porte de nombreuses taches de tailles différentes, tandis que le cheval pie porte des taches plus grosses. On différencie les taches noires des taches brunes et alezanes.

En matière de couleurs, l'unité est également possible, notamment chez les éleveurs. Un père et une mère alezans donneront forcément un poulain alezan mais, pour toutes les autres couleurs, il est possible de voir apparaître une autre couleur. Comme le rappelait Johann Wolfgang von Goethe, dans un élevage, un seul principe s'applique : « Il suffit que ça vous plaise pour que ce soit beau. »

Des chevaux bleus, verts et rouges

Franz Marc (1880-1916), cofondateur du mouvement du « chevalier bleu », peignit pendant sa courte existence une grande quantité de tableaux étonnants, représentant divers animaux, et notamment des chevaux qu'il aimait beaucoup.

C'est au cours de son service militaire en 1899 qu'il fit sa première vraie rencontre avec les chevaux et qu'il apprit à les monter. Quelques années plus tard, en 1905, il réalisa ses premières esquisses. Au départ, il s'agissait essentiellement de têtes de chevaux.

Dans ses premiers tableaux, il tâtonna pour trouver son style, mais petit à petit il développa sa palette et adopta des couleurs puissantes. Citons *Cheval rouge dans un paysage coloré* (1910), *Le Cheval vert* (vers 1912) et d'innombrables tableaux peuplés de chevaux bleus. Progressivement, Franz Marc abandonna la précision dans le décor où il plantait ses chevaux multicolores. Il les entoura simplement de taches de couleurs.

Franz Marc n'apprit pas que son art était qualifié de « dégénéré » par le national-socialisme. Il mourut sur le front alors qu'il était coursier à cheval, à la bataille de Verdun.

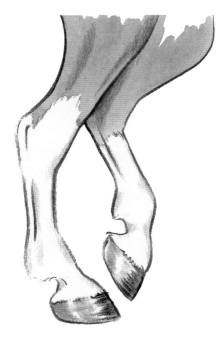

La raie de mulet est un trait sombre qui part de la crinière et zèbre tout le dos du cheval jusqu'à la queue. Elle est surtout visible sur les races de chevaux sauvages ainsi que sur les haflingers, les chevaux d'Islande et les chevaux des fjords.

Les motifs qui apparaissent sur la tête sont strictement classifiés et portent des noms assez fantaisistes comme « boit dans son blanc », « museau herminé », « belle face » ou « petite flamme ».

Ces dénominations ne sont pas de simples caprices ni des inventions de bureaucrates, mais des concepts officiels qui doivent servir de repères pour classifier les chevaux. Les taches blanches sur la tête et les pattes, qui restent inchangés pendant toute la vie du cheval, sont des caractéristiques individuelles permanentes. À l'emplacement de ces poils, la peau est dépigmentée. Par ailleurs, les poils sont orientés différemment de ceux qui constituent le reste de la robe.

Ces traits particuliers servent à reconnaître les chevaux et ils sont signalés dans le certificat d'origine de l'animal. La diversité naturelle est si grande qu'il est très rare de voir deux chevaux présentant exactement les mêmes couleurs et les mêmes motifs.

Conçu pour la vie

À propos des couleurs, les avis sont partagés : certains aiment les robes multicolores, d'autres les préfèrent unies. Un amateur de chevaux qui n'apprécie que les chevaux d'une seule couleur aura du mal à trouver un pelage uni sans la moindre tache. Parfois la nature a le sens de l'harmonie et crée un cheval « botté » qui possède une ou plusieurs pattes blanches. Mais cette description, trop générale, doit être précisée.

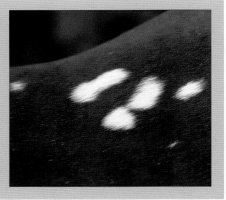

Les faux signes distinctifs
Les taches claires qui apparaissent après une blessure, par exemple dans la zone de contact avec la selle ou aux points d'impact des éperons, ne constituent pas de véritables signes distinctifs. On les appelle de faux signes.

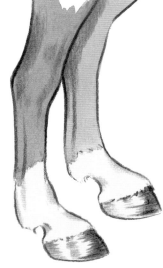

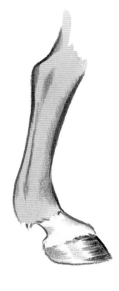

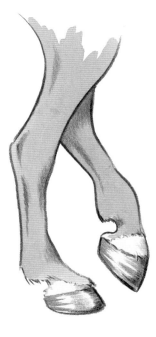

grande balzane haut chaussée   *grande balzane*   *balzane haut chaussée*   *balzane*   *balzane bordée*   *petite balzane*

museau herminé

cheval qui boit dans son blanc

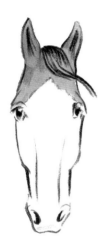
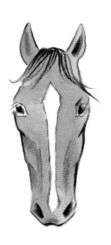
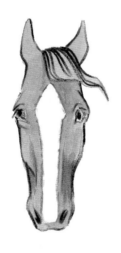

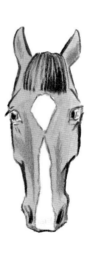

belle face *en tête large* *en tête étroite* *en tête bordée* *étoile en tête, liste interrompue* *fortement en tête, liste déviée*

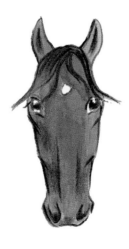

en tête à étoile *étoile* *petite flamme* *pelote* *flocon* *petite flamme virgule*

L'un des haras allemands se trouve à Warendorf, en Rhénanie du Nord-Westphalie. Cet établissement, fondé dès 1889, est aujourd'hui le berceau des meilleurs reproducteurs de la région et il a été classé monument historique.

Les pères de la nation

Il existe des propriétaires de chevaux qui ne savent même pas qu'ils possèdent un cheval, sans parler de leurs connaissances relatives à l'origine ou à la race de l'animal. Mais parce qu'ils paient scrupuleusement leurs impôts, ils contribuent sans le savoir à la vie des haras nationaux. Ces établissements qui élèvent de superbes étalons les tiennent à la disposition des éleveurs et sont financés, dans de nombreux pays européens, par l'argent des impôts sur le revenu.

Ces institutions coûteuses poursuivent plusieurs objectifs : l'État essaie d'exercer un contrôle sur l'élevage et tente de limiter la hausse des prix qui vient de ce que chaque éleveur d'étalons peut fixer lui-même le prix de la saillie. En pratique, cela signifie que les petits éleveurs n'ont pas accès aux étalons les plus prometteurs, dont la progéniture pourrait rapidement se faire un nom, parce que les prix sont trop élevés. Cependant, il est important pour les petits éleveurs de mener une politique de qualité de la race, et cet aspect rejaillit sur tout l'élevage. Ils peuvent se tourner en toute confiance vers un haras national et conduire leurs juments à un

Le National Stud, haras subventionné, est le fleuron de l'élevage anglais d'étalons. Il se trouve à proximité de Newmarket, la « Mecque » des courses de chevaux.

bon étalon, en échange d'une somme modique. Les éleveurs souhaitent également participer au florissant marché des chevaux destinés aux courses. Cette politique est particulièrement gratifiante en Allemagne. Les chevaux de ce pays s'exportent très bien. Des éleveurs et des cavaliers hors pair viennent du monde entier pour acheter leurs chevaux sur place ou y trouver des étalons reproducteurs. Plus personne n'ignore désormais qu'un grand nombre de grands chevaux de course proviennent des haras allemands : le nombre des trophées remportés en compétition est éloquent.

Dans les haras nationaux, on trouve à la fois de remarquables étalons, de superbes juments et leurs poulains, tandis que les haras régionaux se spécialisent dans l'élevage d'étalons reproducteurs hors pair. La plupart de ces reproducteurs sont répartis dans les élevages du pays à la saison propice à la reproduction. Comme l'élevage de chevaux est subventionné par l'État, il « suffit » de payer entre 200 et 1 500 euros pour faire saillir une jument et, au moment de la naissance du poulain, de s'acquitter d'une somme supplémentaire de 100 euros.

Désormais, la saillie naturelle n'est plus la règle. La plupart du temps, le vétérinaire injecte le sperme de l'étalon à la jument en chaleur au moyen d'une seringue. Si le temps de transport n'est pas trop long, le sperme frais peut même être expédié, et il est possible de préserver, sous forme de paillettes congelées, le sperme de certains étalons sur plusieurs générations. Le sperme des étalons hors pair est expédié aux quatre coins du monde. La mondialisation n'épargne pas les chevaux.

Le prix de la saillie

La somme acquittée en échange de la saillie d'un étalon est librement fixée par les éleveurs privés et elle augmente en fonction de la popularité du cheval. Dans les années 1930, une saillie du plus célèbre étalon américain, Man O' War, coûtait 10 000 euros. À l'époque, c'était un prix astronomique. Aujourd'hui, il paraîtrait ridicule au propriétaire d'un pur-sang, car il faut désormais plusieurs centaines de milliers d'euros pour obtenir la contribution d'un étalon de renom.

Bien que les haras ne soient pas subventionnés par l'État américain, l'État fédéral du Kentucky réunit un nombre impressionnant de haras comme celui de Calumet Farm qui élève des chevaux de course.

Le haras national du Pin, imposant établissement français qui se situe en Normandie et réunit 70 étalons de races différentes.

Le quadrille est un élément incontournable de toute parade d'étalons.

Parades

La meilleure publicité des haras nationaux et régionaux est assurée, aujourd'hui comme hier, par les parades d'étalons. Au départ, ces événements devaient donner aux éleveurs l'occasion de faire expertiser, en un après-midi, le comportement des chevaux montés en selle, menés à la longe ou devant une voiture. Au fil du temps, de véritables spectacles ont été orga-nisés, qui s'étalent parfois sur plusieurs jours et suivent un programme précis, de sorte que chacun a la possibilité de mettre en valeur les quali-tés les plus remarquables de ses chevaux. La parade des étalons attire un public nombreux et exerce un véritable attrait sur tous les amateurs et amis des chevaux. Les spectateurs viennent parfois du monde entier pour admirer les « pères de la nation », ou simplement pour apprécier le pro-gramme des festivités qui tournent toutes autour du cheval. Finalement, les éleveurs y trouvent leur compte, tout comme les amateurs de parades.

Le spectacle met en valeur les exercices de dressage propres à la parade d'étalons. Les pur-sang les plus remarquables paradent – ici la diagonale au trot – avec style et élégance.

De même, les tours d'adresse font partie de la parade. Ils démontrent le talent artistique du cavalier, mais aussi le flegme de sa monture dans les situations les plus inhabituelles.

L'arrivée des chars, notamment du quadrige, est toujours impressionnante. Devant cet attelage de quatre chevaux (quadrige), on pense bien évidemment aux courses de chars romains.

L'entrée en scène des carrosses historiques comme le cabriolet (ci-dessous) donne une impression plus sereine. Mais tout calme est aboli lorsque les puissants chevaux de trait font irruption par six et qu'ils parcourent l'arène au galop, soulevant des nuages de poussière et assourdissant les spectateurs (à droite).

Une question de tempérament

Les noms de « sang froid » (cob), « cheval à sang chaud » et « pur-sang » font aussi référence au tempérament de l'animal, à ses tendances psychiques et à son dynamisme. Comme chez les humains, les uns ont du caractère, les autres pas, certains se laissent dompter ou non. Le tempérament et le caractère trahissent l'âme du cheval, sa valeur intrinsèque. Et ces qualités ne diffèrent pas seulement d'une race à une autre.

Les cobs sont robustes et leur calme olympien. On peut d'ailleurs les en remercier : comment pourrait-on arrêter de telles forces de la nature si elles perdaient trop facilement patience ?

Les chevaux à sang chaud sont appréciés sur les terrains de course. Ils aiment le mouvement, ont du caractère, mais ne sont pas nerveux.

LES CHEVAUX À SANG FROID

La formulation quelque peu malheureuse qui a été choisie pour ces chevaux n'a absolument rien à voir avec leur température corporelle. Ce concept s'applique aux lourds chevaux de trait dont l'allure de prédilection est le pas et qui n'ont rien de la girouette. Comme leur appellation est censée l'indiquer, ce sont des animaux placides, tranquilles.

Les cobs ne débordent pas de tempérament, et c'est une chance : comment pourrait-on freiner de tels amas de muscles, lourds de près d'une tonne, s'il leur prenait l'idée saugrenue de s'enfuir au moindre bruit ? Le cavalier serait emporté comme un fétu de paille par sa monture. La légendaire propension des équidés à la peur ne semble pas inclure, pour ce type de cheval, certains objets dangereux comme les pots de fleurs, les flaques d'eau ou la voiture du facteur qui peuvent rendre leurs congénères extrêmement nerveux. Certains bipèdes feraient bien de s'inspirer du comportement des chevaux à sang froid.

La mode de la queue de cheval

Les perruques et les chapeaux ont longtemps évité aux dames de se faire des mises en plis. Ces coiffures n'existaient pas encore au début du XXe siècle et la visite chez les professionnels du peigne relevait encore de l'exception. Les femmes et les jeunes filles préféraient se nouer por-

ter les cheveux en queue de cheval. Parfois, elles tressaient quelques crins d'animaux avec leurs cheveux, en guise d'accessoires décoratifs. La frange fut portée dès l'époque de l'Égypte ancienne. C'est Cléopâtre, dernière reine égyptienne, qui en lança la mode.

LES CHEVAUX À SANG CHAUD

Chez les chevaux sang chaud également, la température du corps oscille entre 37,5 °C et 38 °C, ce qui constitue la norme chez les chevaux. La formule « sang chaud » regroupe les « amateurs de mouvement » en tous genres, c'est-à-dire tous les chevaux qui sont montés en selle ou qui tirent un attelage, et qui ne sont ni des cobs ni des pur-sang.

La plupart des pays possèdent leurs propres races de chevaux à sang chaud. On trouve notamment au catalogue le cheval slovaque, danois ou letton. Le cheval sportif le plus populaire du monde est le cheval allemand d'élevage. Il est le favori sur sa terre natale, mais aussi hors des frontières. En raison de la grande variété des races disponibles, une liste de critères idéaux a été constituée il y a longtemps. Il faut une part de tempérament de pursang pour la vitesse et le dynamisme, un peu du hanovrien pour la puissance de saut, un peu du holstein pour l'énergie motrice. S'il dispose, en son cheval, de ces trois ingrédients, l'amateur pense détenir la perle rare et rêve de participer aux prochains Jeux olympiques. Naturellement, il ne suffit pas de détenir ce cocktail pour être l'heureux propriétaire d'un champion. Qu'arrive-t-il donc à tous les chevaux prometteurs qui ne vont pas jusqu'à l'Olympe ? Il leur reste la possibilité d'une carrière dans les compétitions d'amateurs et de loisir, où le cavalier occasionnel essaiera de leur faire remporter la palme. De ce fait, les éleveurs ont défini un objectif commun qui se résume à la formule « cheval de sport allemand ». Le cheval de sport allemand moyen est un sang chaud qui se caractérise par des mouvements déliés, une silhouette noble et élancée, une stature correcte. Par ailleurs, en raison de son tempérament, de son caractère et de sa sportivité, il convient au cavalier moyen. C'est un bel animal, doué, pas trop nerveux, qui parvient à créer une alchimie avec son cavalier sur les parcours sportifs.

LES PUR-SANG

L'élevage des pur-sang distingue le pur-sang anglais et le pur-sang arabe. Ces deux races se sont taillé une réputation de rapidité, d'endurance et d'élégance, mais elles sont souvent croisées avec d'autres races de poneys, des sangs chauds ou des cobs, car ces animaux sont par nature sensibles et ont un tempérament instable.

Le berceau des pur-sang se trouve sur les hauts plateaux d'Arabie centrale, où les Bédouins ont depuis très longtemps élevé des chevaux de pure race arabe, que l'on appelle pur-sang arabes.

Trois étalons arabes orientaux, le Turc Byerley, l'Arabe Darley et le Barbe Goldophin ont permis de créer, au XVIIe siècle, la race de pur-sang anglais qui n'a été conçue que pour la course.

Un pur-sang est un cheval dont les géniteurs figurent obligatoirement dans le registre appelé « General Studbook », qui existe depuis 1793. Le croisement d'un pur-sang anglais avec un pur-sang arabe donne un cheval anglo-arabe.

LE PONEY

La catégorie des poneys rassemble tous les chevaux adultes dont la taille au garrot ne dépasse pas 148 cm. La plupart de ces vaillants petits compagnons au caractère stable et équilibré conviennent très bien aux enfants et sont normalement plus robustes que leurs congénères plus grands.

Il existe de multiples races de poneys, dont la plupart sont originaires de Grande-Bretagne. Mais les besoins sont grands dans tous les pays, car les « petits » chevaux sont les partenaires idéaux des jeunes cavaliers débutants.

Les pur-sang sont endurants, mais ont généralement un caractère moins facile que les sangs chauds.

Tous les chevaux adultes dont la taille au garrot ne dépasse pas 148 cm appartiennent à la catégorie des poneys.

Les messagers du vent

Race : arabe

Taille au garrot : 148 à 155 cm

Robe : toutes les couleurs de base

Description : cheval de course élégant et robuste

Origine : hauts plateaux d'Arabie centrale

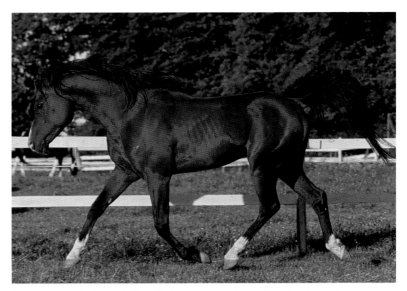

Les mouvements déliés et élégants du pur-sang arabe soulignent sa beauté.

Les goûts et les couleurs ne se discutent guère, mais les initiés comme les non-initiés s'accordent au moins sur un point : les pur-sang arabes sont de beaux chevaux, voire les plus beaux. Même le Coran le dit : « Quand Dieu eut créé le cheval, il s'adressa à lui en ces termes : « Je t'ai donné des traits uniques. Tous les trésors de la terre sont posés entre tes yeux. »

Les yeux du pur-sang arabe sont à proprement parler incomparables. Grands et ardents, ils n'ont d'équivalent dans aucune autre race. Ils trahissent un tempérament de feu. Un cheval arabe ne se contente pas de

La tête noble, aux traits fins, est l'une des caractéristiques du pur-sang arabe. De même, le profil du chanfrein, concave, avec un creux marqué juste au-dessus des naseaux, que l'on appelle le creux arabe.

marcher, ses sabots ne font qu'effleurer le sol et il hume le vent lorsqu'il galope, relevant la tête et faisant vibrer ses naseaux. Souvent, il semble nerveux et donne l'impression d'avoir mauvais caractère, alors qu'il est en fait sociable et plutôt doux.

La tête noble est superbe, ses yeux et ses naseaux attirent particulièrement l'attention. Les oreilles, petites, en forme de croissant, sont très pointues et donnent un caractère particulier à la face. De profil, les naseaux apparaissent typiquement droits et souvent légèrement arqués selon la « ligne arabe ». Il ne s'agit nullement d'un défaut, mais d'un trait recherché, qui ne nuit en rien à la beauté du cheval. Bien au contraire, son élégance en est soulignée, de même que le port fin et long du cou, du dos musclé parfaitement proportionné jusqu'à la croupe harmonieuse. La position haute de sa queue lui permet, au galop, de la laisser flotter au vent, ce qui ajoute à la beauté de ses mouvements.

Les éleveurs ont commencé à croiser des chevaux arabes avec des sangs chauds et des poneys pour anoblir ces derniers, mais cette décision ne se rapportait pas seulement à des considérations esthétiques. Les chevaux arabes sont particulièrement endurants et ont très bon caractère. Ces traits sont génétiquement transmissibles.

Les juments de Mohammed

Une légende bédouine raconte que le prophète Mohammed possédait jadis un grand troupeau de juments qu'il laissa sans eau dans le désert. Au bout de trois jours, il fit ouvrir la porte qui séparait les bêtes du point d'eau, et le troupeau assoiffé se précipita. Toutefois, il sonna simultanément le cor pour appeler toutes les juments au combat. Les juments entendirent l'appel du maître. Mais seules Abbayan, Habdan, Hamdani, Kuhaylan et Saqlawi le suivirent, oubliant leur soif dévorante. Ces cinq juments fidèles furent celles que Mohammed jugea dignes de fonder la race des chevaux arabes. Il les bénit et les marqua de son pouce pour les distinguer des autres. Le petit tourbillon de poils qui désigne cet emplacement est devenu célèbre et aujourd'hui encore, on appelle ce signe distinctif « le pouce du prophète ».

Mohammed aimait ses chevaux par-dessus tout et appelait ses fidèles à leur prodiguer les meilleurs soins. Il aurait même déclaré : « Pour chaque grain de blé que tu donnes à ton cheval, Allah te pardonnera un péché. » Dans les versets sacrés du Coran, le prophète écrivit qu'aucun esprit malin ne pouvait entrer dans une tente qui abritait un cheval arabe. Peut-être est-ce pour cette raison que les Bédouins entretiennent une intimité particulière avec leurs chevaux, n'hésitant pas à les prendre sous leur tente la nuit.

Peu importe de savoir si les qualités idéales ont été transmises par les juments du prophète Mohammed, ou si Baz, la jument apprivoisée d'un petit-fils de Noé, fut l'ancêtre, en 3000 avant J.-C., de cette race extraordinaire. Il est dit que Mohammed éleva des coursiers extrêmement rapides et robustes à l'usage de ses proches, jusqu'à sa mort en 632 après J.-C. Il les destinait à la guerre sainte. Mohammed s'y connaissait bien en chevaux et il se mit en devoir de sélectionner les plus résistants et les plus remarquables. C'est ainsi que les Arabes privilégièrent des animaux qui avaient besoin de très peu d'eau et de fourrage, ce qui ne les empêchait nullement de se battre avec leurs cavaliers, jusqu'à l'épuisement. Les chevaux de race arabe descendent des trois lignées de Kuhaylan, Saqlawi et Muniqi, qui se subdivisent en de nombreuses familles.

Les califes qui succédèrent à Mohammed poursuivirent la guerre sainte et propagèrent les versets du Coran au cours des siècles suivants dans toute l'Afrique du Nord, jusqu'en Europe du Sud-Ouest, sans oublier d'emmener leurs chevaux. De ce fait, le sang arabe coule dans de nombreuses familles de chevaux.

Le cheval du désert de race pure réunit toujours de nombreuses qualités et jouit d'une réputation inégalée. Les chevaux arabes ne sont qualifiés pour les sports de compétition que lorsque leurs caractéristiques sont mises en valeur. Leur faiblesse en saut d'obstacles est prise en compte dans les parcours, et leur pas est un peu trop court pour le dressage, mais, sur les longues distances, ils sont pratiquement imbattables, car ils se trouvent alors dans leur élément.

L'akhal-téké

L'akhal-téké est une race très ancienne qui vit depuis la nuit des temps dans les steppes du Sud de la Russie. Il pourrait aussi porter le nom de « cheval du désert ». Très haut sur pattes pour une taille au garrot de 152 à 155 cm, il est rapide et endurant au galop. Bien que très doué pour le saut, l'Akhal-téké ne paraît pas adapté aux sports de compétition, en raison de son mauvais caractère. De ce fait, il est employé, tout comme les chevaux arabes, pour parcourir de grandes distances.

Cette race de chevaux a fait la preuve de sa robustesse dans des circonstances particulières. En effet, pour attirer l'attention générale sur le sort de cette race en voie de disparition, une délégation de cavaliers a entrepris en 1935 de rallier en 43 jours la ville d'Akhabad et de Moscou, situées à 4 300 km l'une de l'autre. Le gouvernement russe a décidé, sur ces entrefaites, de sauver les nobles chevaux du peuple téké, et a étendu l'élevage des Akhal-tékés aux steppes sèches du Kazakhstan, du Turkménistan, de Kirghizie et d'Ouzbékistan.

Le pur-sang arabe se caractérise par son endurance, sa rapidité et sa frugalité, des qualités essentiels pour un cheval du désert.

Cours d'espagnol avancé

Race : andalouse

Taille au garrot : 155 à 165 cm

Robe : le plus souvent blanc, mais également bai,
noir (moreau) et aubère

Description : cheval de selle très élégant aux genoux
très souples et aux mouvements déliés

Origine : Espagne

L'HISTOIRE DU CHEVAL ESPAGNOL

L'andalou est carré, maniable et doué. Tels sont les adjectifs qui reviennent le plus souvent pour décrire les qualités classiques du cheval espagnol. Carré, parce qu'il est aussi grand que gros, le plus souvent. Maniable, parce qu'il est facile à diriger et confortable pour le cavalier. Et doué, parce qu'il sait bouger avec énormément de grâce et que son caractère égal laisse peu à désirer. Voilà pourquoi il est si apprécié.

Le cavalier qui a monté un andalou comprend vite pourquoi ce cheval détient une place de choix parmi les races équines et pourquoi certains des cavaliers les plus célèbres du monde l'avaient choisi comme leur monture de prédilection. Ce fut le cas du légendaire roi Richard Cœur de Lion, et du roi prussien Frédéric le Grand. Celui qui veut une monture d'exception se procure un cheval andalou, car tous les avis concordent : le cavalier se sent immédiatement à l'aise.

En ce qui concerne l'origine de ce cheval, il existe, comme souvent, plusieurs théories. La plus répandue est celle qui veut que toutes les races espagnoles aient été croisées au VIIIᵉ siècle avec des races arabes, à la suite de l'invasion par les Maures de la péninsule Ibérique. Mais on croit aujourd'hui que les Maures ne sont en réalité pas venus avec des pur-sang dans le pays, mais qu'ils ont emmené des chevaux berbères – bien que sur le plan esthétique cette influence ne se remarque guère dans l'allure des chevaux andalous. Les éleveurs de la *pura raza español* défendent plutôt la théorie selon laquelle l'allure de ces chevaux n'aurait pas substantiellement changé depuis plusieurs siècles, ce qui tendrait à indiquer que les chevaux ibériques avaient des traits spécifiques et puiseraient leurs origines sur la Péninsule. Les illustrations et les tableaux datant du Moyen Âge soulignent les mêmes caractéristiques : tête noble, encolure puissante, épaules basses et croupe musclée. Les influences extérieures semblent n'avoir que peu modifié la morphologie de ce cheval. Depuis 1912, les Espagnols disposent d'un registre spécial tenu par l'armée espagnole.

Les principaux acteurs ayant influencé le pedigree des andalous sont les moines chartreux. Le cheval andalou fut élevé dans trois monastères appartenant aux Chartreux. Ce sont eux qui menèrent toutes les expériences connues. À la demande du roi, des chevaux frisons devaient être croisés à plusieurs races de sang chaud aux XVIIᵉ et XVIIIᵉ siècles, afin d'améliorer la race. Cet ordre a néanmoins ricoché sur les murs du monastère. Des expériences se poursuivent aujourd'hui, mais sans faire l'unanimité. Il semble impossible de transformer ce cheval si particulier en monture moderne. L'andalou lui-même a influencé les autres races de manière positive. Il a contribué à la création du lipizzan, du frederiksborg et du napolitain.

La plus célèbre jument andalouse vit dans la ville de Jerez de la Frontera, connue pour son xérès, entre les murs de la célèbre École royale de cavalerie. Et aux yeux du peuple andalou, ce cheval compte au moins autant que le flamenco !

LA DOMA VAQUERA

Nombreux sont les cow-boys qui ignorent que leur manière de monter les chevaux n'a rien d'américain. La méthode a été inventée en Espagne. La Doma vaquera, méthode d'équitation typique des garçons vachers espagnols, a été exportée par les conquistadors sur le continent américain, puis apprise par les cow-boys qui l'ont légèrement modifiée. Les éléments essentiels de cette méthode, notamment les sauts explosifs, les virages rasants et les arrêts abrupts, étaient déjà l'apanage des troupes de choc de la péninsule Ibérique deux mille ans plus tôt. Les vaqueros ont perfectionné cet art et sont devenus le symbole de l'Espagne, à l'instar des taureaux. Sous l'impulsion du roi espagnol Philippe d'Anjou, la Doma vaquera fut limitée à la corrida dès le XVIIIᵉ siècle. Le roi interdit notamment les combats de

Le cheval typique du vaquero, l'hispano, connaît tous les tours essentiels de la méthode de dressage classique et espagnole, notamment la diagonale gauche au pas.

Degré de raffinement supplémentaire pour le cavalier et sa monture : la diagonale droite est exécutée au galop.

taureaux et de chevaux. Au cours des deux siècles qui suivirent, le torero se retrouva donc seul avec sa cape rouge, en face du taureau furieux, pendant que les cavaliers espagnols continuaient de vénérer la Doma vaquera dans les autres cercles de société. Depuis, cette méthode s'est ancrée dans la culture espagnole. Seuls les chevaux hispanos, c'est-à-dire les chevaux andalous croisés avec des pur-sang anglais ou arabes, sont montés de cette manière.

Les méthodes de travail des vaqueros sont très axées sur le côté pratique et ils visent le plus haut degré d'harmonie entre le cavalier et sa monture, avec une extraordinaire économie de gestes. La complicité entre les deux semble totalement ludique, et plus d'un spectateur non-initié croit à la télépathie entre l'homme et l'animal. Toutefois les apparences sont trompeuses, car la formation du cheval de vaquero s'étale sur de nombreuses années, et il n'y a là aucune magie, mais un dur travail d'entraînement reposant sur les techniques classiques de dressage.

Les hispanos comme les andalous sont des artistes du mouvement. Le pas espagnol est une figure imposée des plus classiques. Il paraît ici facile.

Heureusement, la selle espagnole est très confortable, de sorte que le cavalier peut rester de longues heures sur sa monture pour l'entraîner. Les pieds du vaquero reposent sur des larges étriers qui le protègent d'éventuelles blessures infligées par le taureau. Évidemment, il ne dirige le cheval que d'une main, car il tient de l'autre une longue lance d'environ 3,50 m, qui s'appelle la garrocha et sert à rabattre le troupeau. C'est d'abord en jouant sur son poids que le cavalier dirige le cheval dans ses virages rapides, ses pirouettes, ses arrêts brusques et autres tours, imposés par le dur travail de guidage des troupeaux de bovins. On peut admirer la Doma vaquera tous les jours, dans les campagnes espagnoles, mais aussi au cours des corridas, et désormais dans toute l'Europe, au cours de compétitions sportives.

Le vaquero ne sort jamais de chez lui sans sa garrocha. Cette longue perche lui sert à piquer le troupeau ou à exécuter des figures artistiques.

Le cheval du vaquero doit être rapide, car il risque souvent d'être attaqué par un taureau. Il est capable de se lancer dans un sprint sans avoir à prendre son élan.

Le vaillant combattant des taureaux

Race : lusitano

Taille au garrot : 150 à 165 cm

Robe : toutes les couleurs de base, le plus souvent blanc, bai et aubère

Description : noble cheval de selle et d'attelage, employé dans les corridas

Origine : Portugal

Tout cheval « normalement constitué » prendrait la fuite devant les 600 kg de muscles d'un taureau, et il ne ferait que suivre son instinct. Cet instinct est toutefois différent chez une race particulière, le lusitano, qui est le plus ancien cheval de selle au monde.

Dans son pays natal, le Portugal, tous admirent son courage et sa force exceptionnels, connus de longue date, et qui a donné naissance à de nombreuses légendes. On prétend que le tempérament et l'énergie de ce cheval viennent du fait qu'une goutte de sang de taureau coule dans ses veines. Naturellement, cela ne correspond pas à la vérité, pas davantage que l'idée selon laquelle ces chevaux auraient vécu avant l'ère glaciaire, thèse qu'aurait corroborée la présence de peintures rupestres dans les grottes. Les scientifiques réfutent cette théorie. On est tout de même à peu près certain que cette race équine existe depuis 5 000 ans et qu'elle a été domestiquée depuis presque aussi longtemps.

Comme beaucoup de leurs congénères, les lusitanos ont dû servir leurs cavaliers sur les champs de bataille, jusqu'à ce que leur présence sur le front ne soit plus utile. L'option sportive s'est développée entre le Portugal et l'Espagne voisine, où les combats de taureaux furent interdits au début du XVIIIᵉ siècle. On n'y éleva plus que des chevaux de selle plus légers, alors qu'au Portugal les combats de taureaux restaient autorisés, pour la plus grande joie de la population.

Dans les arènes portugaises consacrées aux combats de taureaux, il n'y a pas de torero qui affronte le taureau à pied, mais un rejoneador assis sur la croupe d'un lusitano. La finalité n'est pas la mort du taureau, mais son épuisement, qui le conduira à reconnaître la supériorité de l'homme. Si le taureau sort vivant de l'arène, il n'en finit pas moins à l'abattoir car il n'est plus d'aucune utilité après sa défaite. Il n'a plus le droit d'entrer dans l'arène, car il connaîtrait alors les parades de son adversaire et pourrait l'encorner à coup sûr.

Le cheval au cœur de combattant, rapide comme l'éclair, est celui qui protège la vie de l'homme. En outre, le couple cheval-cavalier doit maîtriser les figures les plus compliquées pour gérer le combat dans l'arène, car les feintes et les pirouettes en tous genres sont absolument indispensables.

Les lusitanos, chevaux impressionnants entre tous, ont une morphologie solide, mais sont étonnamment lestes et ont le sabot léger. Leur courage dans les arènes des corridas portugaises a laissé croire à certains qu'ils avaient un peu de sang de taureau dans les veines.

Dans la corrida portugaise, le torero est remplacé par le rejoneador qui affronte le taureau sur son cheval lusitano.

Deux lignées importantes, connues pour leurs caractéristiques physiques et leurs qualités, se sont imposées. La lignée velga a été développée par l'éleveur Manuel Velga. Elle réunit de petits chevaux trapus qui ont une taille maximale au garrot de 155 cm, adaptée à la corrida. C'est toutefois la taille minimale des chevaux de la lignée d'astrade, qui peuvent mesurer jusqu'à 165 cm au garrot et que l'on emploie plutôt dans les écoles de dressage. Les Portugais admirent ces deux types de chevaux et s'enthousiasment à l'occasion de toutes leurs sorties. Seuls les étalons sont l'objet de cette vénération. Les juments doivent se consacrer à leurs poulains qui sont généralement blancs à la naissance. L'école de cavalerie portugaise ne tolère cependant que les lusitanos bais.

Dans les sports de compétition, les lusitanos sont également réputés pour le saut d'obstacles, les figures imposées et la course. C'est le Belge Félix Brasseur qui a remporté le plus grand succès en devenant champion du monde sur un lusitano.

Dans l'arène de la corrida portugaise, la réactivité du cheval et son obéissance sont déterminantes pour la vie du rejoneador. Il est donc indispensable que sa monture ait intégré les apprentissages de la haute école de dressage.

L'alter réal

L'alter réal est un proche cousin du lusitano et il en présente toutes les qualités. Si le lusitano est particulièrement doué pour les figures de style imposées par les écoles de dressage, l'alter réal est un prodige en la matière. Ses mouvements sont tout aussi extravagants et il a un talent particulier pour accomplir les figures en diagonale.

Sa grande sensibilité, qui confine parfois à la nervosité, impose toutefois une grande patience lors du dressage. Il est par ailleurs impossible de le confronter aux taureaux, car il manque de flegme.

La lignée existe depuis 1746. À cette date, le haras « Real de Altér » commença à élever des chevaux de cette race dans la province portugaise d'Alentejo, avec 300 juments andalouses.

L'alter réal, au poitrail large et aux nobles traits répondait aux critères de l'ère baroque et était très apprécié comme cheval de selle à la cour royale portugaise.

Ses grandes qualités furent d'ailleurs reconnues par les soldats français de Napoléon qui envahirent le pays, en 1812, et emmenèrent ses plus beaux spécimens en France. Quand le roi Miguel abdiqua, l'élevage fut dispersé, et les écuries royales furent fermées.

Il ne resta dès lors que quelques juments, et la reproduction se poursuivit sans la moindre planification, de sorte que les traits spécifiques de l'alter réal disparurent plus ou moins. Ce n'est que vers la fin du XIXᵉ siècle que la race fut recréée par le croisement de chevaux arabes et anglais, et qu'elle retrouva ses caractéristiques. On croisa également des chevaux de Hanovre avec les juments de l'élevage, mais c'est le croisement avec les andalous qui rendit à la race toute sa splendeur.

En été, les lipizzans ont le droit de paître dans les prés du haras Piber, pour se remettre des tensions liées à la parade.

Des lipizzans bien éduqués

Race : lipizzan

Taille au garrot : 155 à 160 cm

Robe : presque exclusivement blanc, rarement bai ou moreau

Description : cheval de parade aux mouvements spectaculaires

Origine : Slovénie (Lipizza) et Autriche (Piber/Steiermark)

La tradition fait loi à l'École espagnole d'équitation à Vienne, où les cavaliers portent toujours le bicorne ainsi qu'une poche à sucre cousue à l'intérieur de la poche gauche de leur pantalon d'uniforme, afin de pouvoir récompenser immédiatement leur monture après la représentation. Le grand quadrille est le clou de toutes les parades et il est toujours mené par le seul étalon bai de la troupe.

Quand on assiste pour la première fois à une parade à l'École espagnole de Vienne, on en reste généralement sans voix, tant le lieu est impres-

sionnant, et pas seulement par ses dimensions. Le visiteur croit être entré par erreur dans une gigantesque salle de bal longue de 56 mètres, large de 18 mètres et haute de 17 mètres, entourée d'une galerie décorée de 46 piliers, et couverte d'un plafond à caissons couleur ivoire. Sous le portrait de Charles VI en cavalier, seule tache de couleur de cette grande salle blanche, est accroché un panneau de marbre gravé qui dit : « Cette académie royale d'équitation a été créée pour former la jeunesse noble et pour entraîner les chevaux à l'art de la parade comme à celui de la guerre, sur ordre de l'empereur Charles VI, en l'an 1735. »

Cette inscription en dit déjà long sur l'École espagnole d'équitation. Toutefois ses origines sont lointaines et l'on se demande pourquoi tout est si espagnol dans une école d'équitation située à Vienne. C'est en 1752 que l'académie de la cour de Vienne est citée pour la première fois. À cette époque également, les premiers chevaux espagnols ont été envoyés en Autriche et leurs meilleurs étalons sont entrés à l'académie d'équitation de Vienne. Huit ans plus tard, l'archiduc Charles a créé le célèbre haras dans le village de Lipizza, qui est situé en Slovénie. Les fiers chevaux

espagnols n'y sont pas restés longtemps entre eux, mais ont été soumis à diverses influences italiennes et orientales. La richesse des croisements au sein de l'élevage a permis de créer ce cheval de parade classique au corps noble, aux mouvements gracieux et au caractère altier : plein de tempérament, agréable, malléable et endurant. Tel est le lipizzan.

Le lipizzan provient de cinq lignées d'étalons, la plus ancienne reposant sur l'étalon Pluto, un espagnol pure race. Les quatre autres réunissaient les meilleures qualités des chevaux napolitains et des kladrubers. Il s'appelaient Conversano, Maetoso et Favory. Un sixième étalon, Siglavy, était un étalon arabe qui a amélioré l'apparence du lipizzan, avec sa petite tête et sa longue encolure. Ces magnifiques destriers ont été les héros de l'académie royale et les favoris des jeunes nobles. Aujourd'hui, les propriétaires de leurs descendants leur rendent hommage dans leurs noms, par exemple Conversano Banja.

En 1735, Joseph Emmanuel Fischer von Erlach créa l'académie d'hiver, nouveau bijou de la petite ville de Lipizza, lieu d'un luxe effréné qui attira toutes les personnalités en vue du moment. L'impératrice Maria Theresia en personne mena un quadrille d'apparat qui n'était constitué que d'amazones issues de la noblesse. En 1814, les lipizzan exécutèrent leurs figures au milieu des membres du congrès de Vienne et de monarques du mode entier. Leurs spectacles faisaient la joie du Congrès et attirait la visite des rois. L'académie devint non seulement le lieu de grands débats politiques mais aussi de magnifiques concerts, et Beethoven y dirigea 700 musiciens.

La grande hache de l'Histoire menaça deux fois l'académie. Après la Première Guerre mondiale, Lipizza fut séparée de l'Autriche, et le haras de Piber dans la province de Styrie dut reprendre l'élevage des chevaux. Après l'occupation et la neutralisation de l'Autriche, au terme de la Seconde Guerre mondiale, l'académie dut s'exiler pendant dix ans à Wells. Puis elle regagna le 1, Michaelerplatz à Vienne, et le charme de « l'île de l'intemporalité », comme on la surnomme, put enfin revivre.

Les lipizzans font la joie des spectateurs, grâce à leur élégance et à la précision de leurs mouvements, et parce qu'il faut beaucoup de temps pour amener un cheval à l'apogée de ses possibilités. Leur formation dure six ans. Il faut bien plus de temps à leurs cavaliers pour se former. Un élève débutant – âgé au minimum de quinze ans – peut, au terme de cinq ans d'apprentissage s'inscrire comme aspirant-formateur et former lui-même un étalon. Quand il réussit à terminer la formation d'un étalon de sorte que ce dernier puisse participer à une parade, il devient formateur. Seuls quelques candidats réussissent à devenir formateur en chef.

Vienne

« Rêve de Vienne… ». Les poètes, les compositeurs, les chanteurs comme les historiens ont décrit à différentes époques la vieille cité située sur les bords du beau Danube bleu. Presque aucune ville n'a été autant révérée au fil des siècles. Vienne a traversé quelques périodes noires, et elle en a gardé une sorte de charme mélancolique, tandis que ses habitants développaient un humour qui leur est propre, le célèbre *Wiener Schmäh*.

Vienne est une métropole animée et moderne, dont la réputation est fortement marquée par de nombreuses légendes du passé. Le comte Metternich a jadis défendu l'idée selon laquelle les Balkans commençaient à Vienne, s'appuyant sur les deux invasions turques, de 1529 et 1683. Sur le plan architectonique, les colonnes et les minarets de l'église Saint-Charles-Borromée (Karlskirche) sont là pour le prouver, tout comme la *Marche turque*, inspirée à Beethoven par la ville de Vienne.

Avec Mozart et Haydn, Beethoven fait partie des trois musiciens classiques vénérés à Vienne, comme le soulignent les ouvrages de musicologie, et depuis 1867, le monde entier danse les valses de Vienne sur les trois temps inventés par Johann Strauss. Aujourd'hui encore, les touristes peuvent suivre les traces de ce passé et se replonger dans les fastes d'antan, notamment aux châteaux Belvédère et de Schönbrunn, qui ont gardé tout leur lustre.

Dans la ville elle-même, d'autres monuments, dont la cathédrale Saint-Étienne (Stefansdom), la colonne de la Peste ou l'église Saint-Pierre, attendent les visiteurs.

On ne saurait par ailleurs prétendre connaître véritablement Vienne sans effectuer un périple en fiacre dans la vieille ville et en profiter pour découvrir la célèbre École espagnole d'équitation.

Parmi les figures de la « haute école », citons la levade (à gauche) et la ballotade (à droite). Dans la levade, le cheval se dresse de manière contrôlée sur ses pattes de derrière, tandis que les pattes avant, pliées, restent suspendues en l'air. La ballotade est un saut avec les pattes avant et arrière placées dans des positions précises.

Les subventions consenties par l'État ont fini par devenir trop lourdes. En 2001, l'École espagnole d'équitation a été privatisée. Depuis, les lipizzans sont les garants des salaires de leurs cavaliers, et il est devenu rare de croiser ces bêtes exceptionnelles à l'intérieur de leurs murs. Ils sont souvent en tournée, et n'hésitent pas à franchir les frontières de l'Europe, se produisant notamment aux États-Unis.

Au cours du quadrille, huit à dix étalons lipizzans exécutent diverses figures, tous ensemble ou les uns après les autres, en suivant le rythme d'une musique. La chorégraphie est fixée dans les moindres détails. Elle exige une haute concentration, à la fois de la part du cheval et de son cavalier.

Les perles noires

Race : frison

Taille au garrot : 155 à 165 cm

Couleur : exclusivement moreau

Description : élégant, puissant et très expressif

Origine : Hollande (Frise occidentale)

Au fil du temps, le frison a gagné en noblesse, grâce à des croisements prolongés avec des chevaux espagnols. Mais sa ressemblance avec certains cobs ne peut être mise en doute.

Les éleveurs de frisons voient tout en noir, et ce n'est pas là un trait dépressif de leur caractère. Ils reconnaissent du premier coup d'œil, à la naissance d'un poulain, s'ils ont fait le nécessaire, car il est désormais interdit d'élever des frisons bais et blancs. Les vrais frisons sont noirs comme la nuit et, à la lumière du jour, leur robe semble laquée. Leur longue crinière frisée vient compléter la beauté sombre de leur silhouette. Le frison n'est pas un cheval de parade, mais il sait se mouvoir avec grâce. Il n'est pas longiligne, mais flexible, et on voit à ses articulations que ce beau destrier moreau est un cob.

Le véritable amateur des frisons balaie d'un revers de main tous les arguments qui mettent en doute le caractère sportif de son animal favori, en le désignant comme un cheval classique. En fait, le frison appartient à la catégorie des chevaux baroques, comme les andalous, les lusitanos et les lipizzans. À l'époque baroque (1600-1750), les chevaux avaient le droit d'être plus lourds et massifs, à condition qu'ils ne manquent pas de dynamisme et de grâce. Que ce soit dans l'art ou la mode, cet idéal de beauté était demandé partout, et ces chevaux de race incarneraient la perfection. Les nobles pensaient mettre leur statut en valeur lorsqu'ils mon-

taient de telles bêtes ou qu'ils les attelaient devant leur carrosse. Les frisons d'un noir de geai, qui paradaient avec élégance devant les voitures étaient le nec plus ultra de l'élégance.

Les mouvements déliés et nerveux du puissant frison noir étonnent toujours.

Cela ne veut pas dire que le frison n'ait connu que des époques heureuses. Il s'agit certes de l'une des plus anciennes races européennes de chevaux à sang chaud, mais cette race a failli s'éteindre à deux reprises. Le frison est apparu aux Pays-Bas et dans le Nord de l'Allemagne, et a des origines germaniques. Au départ, il s'agissait d'un lourd cheval de trait et, au Moyen Âge, d'une puissante monture pour les chevaliers. Ce n'est qu'aux XVIᵉ et XVIIᵉ siècles qu'il a acquis les traits baroques qu'on lui connaît aujourd'hui, grâce au croisement avec des chevaux espagnols. À partir de ce moment, le frison a eu sa place dans les cours royales et a imposé son allure classique, tout en restant le compagnon des paysans qui en avaient besoin pour leurs travaux des champs. Cette particularité a permis de le sauver, car lorsque la noblesse a décliné, la beauté et la finesse de ce cheval ont été moins en vogue. S'il n'avait pas été capable de labourer la terre, cet animal aurait tout simplement disparu.

En 1879, on a certes créé une catégorie officielle pour le frison dans le « Het Friesch Paarden-Stamboek », et on a inscrit dans ce registre les noms de tous les étalons et de toutes les juments de cette race, toutefois leur nombre a continué de décroître. En 1913, les trois derniers frisons du monde, Prins, Alva et Friso, vivaient dans leur pays, la Frise occidentale. L'extinction de cette belle race de chevaux utiles semblait programmée. Toutefois, ses défenseurs et ses plus grands fans, les paysans hollandais, ont réussi à se mobiliser à temps pour les sauver et ont recommencé l'élevage. Depuis, les frisons font partie du patrimoine hollandais et sont aussi reconnus comme chevaux de loisirs et de parade. La reine Juliana a autorisé que l'adjectif « royal » soit ajouté dans leur appellation d'origine.

Si on leur accorde un peu de patience, les frisons sont même capables d'apprendre des parades analogues à celles où l'on voit généralement des lipizzans, de l'École espagnole d'équitation de Vienne. Non seulement ils effectuent toutes les figures « au sol » avec brio, parvenant à se déplacer en diagonale, mais ils savent aussi exécuter les figu-

Qui se ressemble s'assemble ! Cette cavalière en costume traditionnel ne fait que souligner la prestance du frison.

On pourrait assez facilement penser que plus d'un frison est conscient de sa beauté. Ces chevaux savent parfaitement poser devant l'objectif, même lorsque leur crinière est mal peignée.

res « aériennes », notamment la levade sur les pattes arrière, la pirouette, la cabriole, où ils « décollent » littéralement du sol, à l'aide de leurs quatre pattes et restent suspendus en l'air pendant quelques instants. Les frisons aiment ces figures, disent fièrement leurs propriétaires, car ce sont des chevaux un peu cabotins.

Il y a longtemps que leur popularité dépasse les frontières des Pays-Bas, et on trouve des frisons dans le monde entier, de l'Australie jusqu'en Afrique du Sud.

Le tatouage des frisons

Parmi les signes de reconnaissance d'un cheval, on peut compter les taches blanches sur la tête et les pattes. Toutefois, chez les frisons, ces signes doivent être absents, et l'animal doit être uniformément noir.

Pour pouvoir reconnaître leurs chevaux sans difficulté, les éleveurs hollandais de frisons ont mis au point un système particulier. En plus de la marque du fer du côté gauche du cou, chaque poulain frison reçoit, un numéro d'identification permanent qui est tatoué sous sa langue. Ce tatouage n'existe que pour la race frisonne. Généralement, il est prati-

qué sur les petits animaux comme les chiens et les chats, qui se voient attribuer, sous anesthésie générale, un numéro tatoué dans l'oreille ou à l'intérieur de la cuisse. L'application du tatouage s'effectue sans anesthésie chez le frison ; c'est pourquoi elle est contestée par les défenseurs des animaux.

En outre, au bout de quelques années, le tatouage sous la langue perd de sa lisibilité. Pour cette raison, de plus en plus d'éleveurs ont cessé de le pratiquer et préfèrent placer une puce sous la peau du cheval. L'association allemande des éleveurs de frisons, par exemple, a adopté cette pratique depuis 1991.

Les chevaux de Camargue doivent trouver une partie de leur nourriture sous l'eau. Ils se sont adaptés à leur environnement et sont capables de fermer leurs naseaux pour paître.

Le camargue

Race : camargue

Taille au garrot : 135 à 150 cm

Robe : blanc exclusivement

Description : puissant et robuste

Origine : France (Camargue)

Les camargues pourraient porter de nombreux surnoms, notamment celui de « plongeurs ». Pourquoi ? Parce que dans le monde entier, il n'existe qu'une seule race de chevaux capable de paître avec la tête sous l'eau. Vous pourriez croire à une blague ou à une légende, mais les faits sont là : les « crins blancs » ne peuvent pas se targuer de vivre dans des conditions de confort extraordinaire sur leur terre natale. La description de « cheval robuste » leur convient parfaitement. Ces chevaux vivent en troupeaux à demi-sauvages, voisinant parfois avec des taureaux. Pendant toute leur vie, ils ne voient jamais l'écurie, et seuls quelques-uns d'entre eux ont l'habitude de la selle et du harnais. Le reste écluse littéralement les marais de la Camargue. Dans cette partie du delta du Rhône, il est rare que le camargue dispose d'un sol ferme sous ses sabots et les prés sont peu nombreux. La Camargue est une

région de marais. C'est pourquoi ce cheval malin est capable de fermer ses naseaux sous l'eau pour aller cueillir les brins d'herbe et avoir quelque chose à mâcher. Ajoutez à cela qu'il est très bon nageur.

Les camargues méritent assurément l'étiquette de « rois de la survie ». Les autres chevaux du monde ne supporteraient jamais l'eau et l'herbe salées, sans parler du climat de la région : l'été, il fait jusqu'à 35°, voire plus, et il n'y a guère d'ombre dans ce paysage. L'hiver, le vent glacial peut faire descendre les températures à dix degrés en dessous de zéro, auquel cas l'eau gèle par endroits.

L'État français ne s'est pas toujours préoccupé de cette race qui remonte sans équivoque au cheval préhistorique de Solutré. Sous Louis XIV, l'armée se servait comme elle voulait dans les troupeaux et a tenté quelques croisements peu judicieux avec d'autres races. Napoléon renoua avec cette pratique et le nombre de chevaux décrut dangereusement. Lorsque la cavalerie prit conscience de ses responsabilités, cette tradition de ponction sauvage disparut. Mais la place du cheval camarguais et l'espace qui lui était dévolu ne cessèrent de se réduire.

Seuls les manadiers, les éleveurs de la région, ont accordé l'attention nécessaire aux « crins blancs ». Les gardians, qui surveillent les troupeaux de bovins, ont également découvert les grandes qualités de ces vaillants petits chevaux blancs et en ont fait leurs partenaires. Toutefois, les haras nationaux continuent de les ignorer.

La race des chevaux de Camargue n'a été officiellement reconnue qu'en 1972, et un registre des juments a été créé. Soudain, les politiciens ont également commencé à s'intéresser à eux. Quand la progéniture des dix-neuf étalons sélectionnés pour l'élevage vint au monde, il y eut un arrêté

La Camargue

Quand le mistral souffle sur cette région, certains paysans n'hésitent pas à clouer des planches sur leurs fenêtres. En effet, au printemps et en hiver, les tempêtes ne sont pas rares dans le delta du Rhône. Mais ni les taureaux sauvages ni les robustes chevaux camarguais ne craignent les caprices de la nature. Ce n'est pas le cas des graciles flamands roses qui vivent également dans les marais.

Aujourd'hui comme hier, les touristes sont fascinés par l'aspect pittoresque de la Provence. En 1309, l'un de ses premiers visiteurs, le pape Clément V, a fait d'Avignon le siège de la résidence des papes en exil. En sa qualité de chef de l'Église, il traversa à cheval toute la région de la Provence et de la Camargue pour édicter divers règlements qui, en son honneur, ont été appelés « bulles clémentines ».

La Camargue n'offre aucun luxe particulier, ni à ses habitants ni à ses hôtes de passage, et elle n'est en rien comparable avec la Côte d'Azur et ses villes plus « sophistiquées » de Cannes, Nice ou Saint-Tropez. Dans cette région, on sait vivre heureux dans la simplicité.

Le lieu le plus connu, les Saintes-Maries-de-la-Mer, sert de point de ralliement. L'église de ce bourg, avec sa haute tour, est visible à dix kilomètres à la ronde. Tous les ans, du 24 au 26 mai, sont organisés un pèlerinage et une fête. Les Gitans commencent par célébrer Sarah, la patronne de ce peuple nomade. Le lendemain sont honorées les saintes Marie-Jacobé et Marie-Salomé et une journée est consacrée à la mémoire du marquis Folco de Baroncelli qui consacra sa vie à la Camargue. Il fut le fondateur de l'association des gardians et assura, par son engagement, l'existence des troupeaux de taureaux et des chevaux de Camargue.

Les gardians participent à toutes les processions du pèlerinage, mais brillent particulièrement lors de la fête qui se déroule dans l'arène, où ils peuvent faire montre de leur courage et de leur habileté. Tout d'abord, les taureaux sont amenés dans le village pour l'*abrivado*. Leurs guides forment une colonne en V qui défile dans les rues étroites où se sont assemblés un grand nombre de spectateurs. Ceux-ci jouent souvent à effrayer les chevaux pour que les taureaux échappent à leur surveillance. Mais se mobiliser pour sauver la vie des taureaux est dans ce cas inutile, car ces fiers animaux ne sont pas mis à mort dans l'arène. Le but de la « course libre » est d'arracher une cocarde placée entre les cornes de l'animal. Dans le meilleur des cas, personne n'est blessé.

Finalement, les taureaux sont ramenés sur l'asphalte, pour une course appelée *bandido*. Ils retrouvent ensuite leurs prés idylliques en Camargue, où ils vivent parfois jusqu'à l'âge de vingt ans.

ministériel pour confirmer le nouvel espace qui lui était dévolu, ainsi que la publication d'une stricte définition de la race. Désormais, seuls les chevaux « nés au berceau » peuvent être appelés camargues. Les chevaux qui naissent « hors berceau », c'est-à-dire hors de la région, doivent au moins avoir un père camarguais et seront dans ce cas enregistrés sous l'appellation « camargue hors berceau ». Les Français découvrent ainsi très tard, mais fortement, leur fierté de cette race particulière.

Les chevaux de Camargue vivent en état de semi-liberté et sont de véritables artistes de la survie. Sobres et robustes, ils paissent dans les marais et s'adaptent à toutes les rigueurs climatiques de leur région.

Chevaux américains

Le quarter horse le plus rapide du monde

Le plus rapide de tous les quarter horses parcourut 409,26 m en 20,8 secondes le 5 février 1945 à Mexico. Il répondait au nom de Big Racket, et sa vitesse moyenne était de 69,62 km/h. Par comparaison, un homme est capable de courir à 43 km/h et le guépard le plus rapide atteint une vitesse de pointe de 120 km/h sur de petits parcours.

L'APPALOOSA

Les chevaux ont des cousins dans le monde entier. Lors des voyages qui les ont menés hors des frontières de leur pays d'origine, à l'occasion de diverses guerres de conquête, des chevaux inconnus sont arrivés aux États-Unis et se sont mêlés aux autochtones. Lorsque les Espagnols voulurent prendre possession du continent sud-américain au XVIe siècle, leurs chevaux durent supporter le long voyage maritime qui leur fit faire la moitié d'un tour du monde. Lorsqu'ils eurent de nouveau la terre ferme sous leurs sabots, quelques étalons tachetés se sentirent inspirés à la vue des belles juments mustang. Leur progéniture n'a toutefois pas enthousiasmé l'homme blanc, car celui-ci devait s'accoutumer à leur apparence. Les Indiens Nez-Percé qui vivaient dans la vallée de Palouse, voyaient les choses autrement. Ils étaient très versés dans l'élevage des chevaux et adoptèrent cette race tachetée. En opérant une habile sélection des étalons et des juments, ils parvinrent à créer un cheval répondant à leurs goûts et à leurs besoins. Il n'était pas très grand, bon marcheur, extrêmement endurant au galop et joliment tacheté. Quand le colon blanc avança jusqu'en Idaho et entra dans la vallée de Palouse, il vit les premiers spécimens issus de ces croisements et les appela « palouse horses ». C'est ainsi qu'apparut le nom d'appaloosas.

L'une des races américaines les plus amicales, les plus douces venait d'être créée. Les véritable fans des appaloosas ne s'embarrassent pas de savoir si les hanches de l'animal sont tigrées ou tachetées.

LE QUARTER HORSE

La plupart des amateurs de quarter horses s'offusqueraient de la diversité des couleurs des appaloosas. Au sein de la plus grande association équestre du monde, l'American Quarter Horse dont le siège se trouve à Amarillo, au Texas, seuls les chevaux unis sont tolérés. La race la plus ancienne des États-Unis possède pourtant du sang espagnol, tout comme

les appaloosas. Elle en est venue à exister lorsque les premiers Anglais accostèrent au XVIIe siècle sur la côte Est de l'Amérique du Nord. Comme les Espagnols avant eux, ils apportèrent des chevaux qui étaient conformes aux critères des pur-sang, même si ces critères n'étaient encore nullement fixés par écrit à cette époque. Une nouvelle race naquit en Virginie, qui présentait de nombreuses caractéristiques fonctionnelles. Les chevaux étaient calmes, aptes à l'apprentissage et adaptables aux dures conditions de vie des pionniers. Ce qui les distinguait avant tout, c'était leur apparence et leur vitesse. Le quarter horse est une véritable force de la nature, au poitrail large, au dos puissant et à la musculature énorme sur l'arrière-train. C'est d'ailleurs cette dernière caractéristique qui constitue son principal statut et, très souvent, les quarter horses sont photographiés de derrière, pour que leur croupe soit bien mise en valeur.

Les capacités physiques de ce cheval lui ont également valu son nom, attribué par les Anglais. Ils avaient amené les pur-sang sur le continent américain et y introduisirent rapidement leur amour des courses hippiques. Comme il n'existait pas encore de terrains de courses à proprement parler, on créa un « quarter mile », c'est-à-dire que l'on bloquait une

Ci-dessous, un appaloosa à la robe « blue roan » (rouan bleue) avec quelques crins blancs sur un pelage à fond noir. Les blue roans éclaircissent généralement avec l'âge.

Les quarter horses sont puissants, rapides, et calmes. Leur caractère fait d'eux d'excellents partenaires pour les loisirs.

« Oncle Alfred » était-il un appaloosa ?

À moins qu'il ne s'agisse d'un dalmate. En tout cas, c'est le drôle de cheval tacheté de blanc de Fifi Brindacier, la petite fille la plus forte du monde. Fifi soulevait son cheval par-dessus la balustrade de la véranda pour le faire passer dans le jardin. Certains trouvèrent l'effet spécial un peu trop voyant, car on apercevait une ligne bleue irréelle autour de la silhouette du cheval ainsi transporté. De même, ils trouvaient artificiels les « pois » blancs de taille égale et bien répartis sur le pelage de l'animal. Il est possible que le réalisateur ait quelque peu aidé la nature, mais celle-ci était indéniablement de son côté car il existe depuis 1812, au Danemark, des chevaux blancs dont la robe est parsemée de nombreuses taches noires. Ce sont des knabstrupper et non des appaloosas.

furent prolongées sur de plus grandes distances. Les petits sprinters cessèrent alors de remporter la palme.

Le quarter horse commença par la suite une seconde carrière de gardien de troupeau. Le « cowpony » facilitait le travail du cow-boy, car il faisait montre d'un instinct sûr pour diriger les vaches. En effet, le quarter horse possède un instinct protecteur et il est capable d'anticiper les mouvements des bovins. Pour ramener au troupeau un individu qui s'est éloigné du troupeau ou pour isoler celui qui est agressé par ses congénères, par exemple, le quarter horse a un véritable « sixième sens » qui lui permet de deviner les mouvements des bêtes, et il réagit par réflexe en s'arrêtant brusquement ou en prenant des raccourcis qui les désarçonnent.

LE PAINT HORSE

Les paint horses (« chevaux peints ») font aussi partie des chevaux de l'Ouest. Ils portent ce nom parce qu'ils sont exclusivement tachetés, dans la version overo (pelage foncé, dont la dominante apparaît sur le dos, avec de grandes taches blanches) ou tobiano (robe blanche aux taches sombres sur le dos du cheval). Il existe aussi des paint horses unis ou peu tachetés, que l'on appelle breeding stock, et qui possèdent leur propre catalogue.

Les paint horses ne constituent pas une race à proprement parler, ce sont en fait des quarter horses tachetés ; mais ils ont leur propre association de fans.

Les paint horses sont à la fois robustes et dociles. Leur pelage réjouit les amateurs de westerns.

Les grands Allemands

Bonfire, un oldenbourg (photo du haut) et Gigolo, un hanovrien (photo du bas), font partie des meilleurs chevaux de haute école de tous les temps. Ils ont toujours été de sérieux concurrents à abattre dans les compétitions internationales. Parfois c'était l'un qui gagnait, parfois c'était l'autre.

Race : hanovrien

Taille au garrot : 162 à 175 cm

Robe : couleurs de base, la plupart du temps bai et alezan

Description : cheval de selle, excellent en saut d'obstacles, nerveux

Origine : Allemagne

Race : holstein

Taille au garrot : 160 à 170 cm

Robe : surtout bai et blanc, plus rarement alezan et moreau

Description : cheval noble, possédant visiblement certaines caractéristiques des pur-sang. Cheval sportif excellent en saut

Origine : Allemagne

Race : oldenbourg

Taille au garrot : 168 à 175 cm

Robe : surtout bai et alezan, plus rarement blanc et moreau

Description : cheval sportif moderne aux mouvements harmonieux et dynamiques

Origine : Allemagne

Race : westphalien

Taille au garrot : 165 à 175 cm

Robe : toutes les couleurs de base, surtout alezan

Description : cheval sportif excellent en saut

Origine : Allemagne

Les plus grands chevaux allemands ont porté le nom de Gigolo, Meteor, Bonfire et Rembrandt. Ce sont les hanovriens, holstein, oldenbourg et westphaliens. Plusieurs régions d'Allemagne ont donné des champions qui ont permis à leurs cavaliers de grimper les marches des podiums des plus prestigieux concours.

Les autres pays ont certes leurs étalons et leurs juments, mais ce sont les chevaux allemands qui dominent le marché et sont exportés dans le monde entier. La marque « Made in Germany » est très demandée, et plus encore depuis les Jeux olympiques 2004 où cent soixante-quinze chevaux étaient engagés dans les différentes épreuves de saut d'obstacles, dans les figures imposées et diverses disciplines athlétiques. Soixante et onze d'entre eux provenaient d'élevages allemands. La deuxième plus grande fédération équestre, la fédération hollandaise, suivit à une distance respectueuse, avec vingt-six chevaux seulement.

Sur les quarante-six chevaux engagés dans les épreuves finales de saut d'obstacles, quatorze étaient originaires d'Allemagne. Parmi eux, neuf venaient du Holstein, deux d'Oldenbourg, et trois de Hanovre, de Westphalie et de Bavière. L'équipe nationale allemande de saut d'obstacles, qui a remporté une médaille d'or aux jeux de Sydney et une médaille de bronze à Athènes, était presque exclusivement composée de chevaux allemands. Le holstein était représenté par l'étalon Cento, monté par Otto Becker, et Christian Ahlmann cornaquait le Wallach Cöster. Ludger Beerbaum était la tête d'un étalon de Hanovre, Goldfever. Le quatrième cavalier allemand, Marco Kutscher, jouait les outsiders, puisqu'il menait un étalon hollandais, Motender.

Pour le dressage, les chevaux allemands sont encore plus demandés. Aux derniers Jeux, 55 % des bêtes qualifiées pour cette spécialité avaient des origines allemandes. Sur les quinze inscrits à la finale, il y avait sept hanovriens, un oldenbourg, un cheval du Bade-Wurtemberg, et un bavarois. L'équipe nationale a brillé de tous ses feux, grâce à trois chevaux de Hanovre : Bonaparte, monté par Heike Kemmer, Weltall mené par Martin Schaudt et Wansuela Suerte, monté par Hubertus Schmidt. Ulla Salzgeber, pour sa part, chevauchait Rusty, un letton. La Néerlandaise Anky van Grunsven a réitéré son exploit en remportant une deuxième coupe après sa victoire à Sydney avec Bonfire, qui venait d'Oldenbourg. Cette fois, c'est Salinero, une monture originaire de Hanovre, qui l'a accompagnée. Seven Up, frère de sang de Salinero a fait ses débuts dans l'équipe coréenne de saut d'obstacles.

Farbenfroh, un cheval alezan tacheté monté par Nadine Capellmann, est originaire de Westphalie. Sa carrière a été marquée par deux points forts : la Coupe du Monde en individuel et une médaille d'or olympique par équipe.

LE HANOVRIEN

Les chiffres montrent clairement que les hanovriens sont les plus nombreux dans les courses d'obstacles et de haute école. Leur dressage relève d'une longue tradition. Le roi George II d'Angleterre, qui était également électeur de Hanovre, fonda en 1735 le haras régional de Celle, « pour les meilleurs de nos sujets et pour l'entretien du meilleur élevage de chevaux de notre pays d'Allemagne », écrivit-il dans son décret. Avec treize étalons de race holstein ou napolitaine, l'élevage a commencé par des croisements avec des chevaux andalous pour la création d'une race un peu trop légère pour les besoins des paysans locaux, mais tout à fait adaptée à la cavalerie. Après la Seconde Guerre mondiale, ce type de besoin avait disparu, et la demande se portait sur des chevaux sportifs légers. Les éleveurs du Hanovre ont réagi relativement vite à ce changement et ont su s'y adapter avec succès.

LE HOLSTEIN

Une évolution du même genre s'est imposée aux chevaux du Holstein. Ces chevaux, qui avaient toujours été de gros calibres, avaient toutefois été montés dès le Moyen Âge.

Les éleveurs ont fait appel aux pur-sang et ont ainsi réussi à maintenir un commerce florissant. Les holstein sont toujours exportés avec succès et, aux États-Unis, ils possèdent même leur propre registre depuis 1892. En saut d'obstacles, ce sont les champions.

L'OLDENBOURG

Les éleveurs de chevaux oldenbourg n'en étaient certainement pas là à la fin de la Seconde Guerre mondiale, car cette race comptait les individus les plus grands et les plus lourds d'Allemagne. Mais ils ont rapidement fait appel aux pur-sang, afin que l'oldenbourg tout en muscles – élevé pour la première fois par le comte d'Oldenbourg comme cheval de calèche – soit moins facilement confondu avec le frison. L'avenir de l'oldenbourg passe également par l'utilisation de rênes plus légères, afin qu'il participe mieux aux compétitions sportives et qu'il devienne un cheval de loisir.

Pendant de nombreuses années, Otto Becker a collectionné les succès avec le holstein blanc Cento dans les grandes compétitions internationales de saut d'obstacles, écartant toute concurrence jusqu'à la retraite de son étalon, après la dernière compétition du CHIO à Aix-la-Chapelle, en 2006.

LE WESTPHALIEN

En Westphalie, l'élevage des chevaux s'est longtemps cherché une identité. Cette région réclamait avant tout des animaux pour l'agriculture, et chaque éleveur suivait la politique de sélection qui lui paraissait conforme à ses propres intérêts. La création d'un haras régional à Warendorf en 1826 a été la première mesure visant à rationaliser l'élevage local. Toutefois, les éleveurs continuèrent à mener diverses expériences en croisant des pur-sang, des trakehners, les hanovriens et d'autres races. En 1920, les membres du registre de Westphalie décidèrent de s'imposer des limites et de rationaliser l'élevage sur la base des hanovriens. C'était la bonne décision à prendre, s'avéra-t-il, car aujourd'hui les chevaux de Westphalie font partie des plus demandés en Allemagne comme à l'extérieur des frontières de ce pays. La coopération avec la Rhénanie voisine s'est révélée précieuse pour la constitution d'un registre élargi à la région du Rhin.

Puissance et classe – grands chevaux

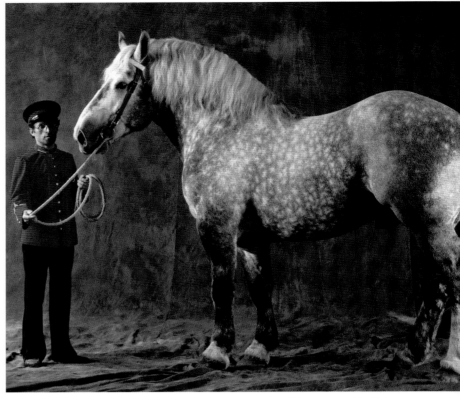

La stature imposante du percheron français s'allie à une évidente élégance, ce qui le désigne comme l'un des chevaux de prédilection dans la catégorie des gros calibres.

Race : percheron

Taille au garrot : 160 à 170 cm

Robe : blanc pommelé et moreau

Description : superbe cheval de trait

Origine : France

Race : shire

Taille au garrot : 175 à 200 cm

Robe : surtout moreau, mais aussi blanc pommelé et bai

Description : puissant cheval de trait

Origine : Angleterre

Race : noriker

Taille au garrot : 155 à 170 cm

Robe : bai, alezan, moreau, tacheté, gris pommelé,

cap de Maure (rouan à tête très sombre)

Description : puissant cheval de trait, de selle et d'attelage

Origine : Autriche

Race : brabant

Taille au garrot : 165 - 175 cm

Robe : toutes les couleurs de base

Description : superbe cheval de trait

Origine : Belgique

LE PERCHERON

C'est l'une des races de chevaux de gros calibre qui compte parmi les plus appréciées et les plus connues. Malgré leur lourd volume – ils pèsent plus de 600 kg –, ils ont gardé toute la classe que l'on retrouve chez les pur-sang arabes. De ce fait, les percherons savent mouvoir leur pesante carcasse avec élégance et ils sont très éclectiques. Les images des percherons qui tiraient les omnibus parisiens en 1826 à Paris ont fait le tour du monde. Ils ont même été exportés aux États-Unis et jusqu'en Argentine. Les Français aiment les chevaux de gros calibre, et certains gourmets ne dédaignent pas leur viande.

Les shire sont les plus grands chevaux du monde. La taille au garrot des étalons peut atteindre 2 mètres.

Il en va des chevaux comme des humains : les individus maigres ou minces sont facilement nerveux et instables, tandis que les plus lourds sont souvent placides, solides et décontractés. Les chevaux de gros calibre, que l'on appelle aussi des cobs (sang froid), ne font pas mentir cette règle. Ce sont de vrais travailleurs, modestes et appliqués.

Depuis de longs siècles, ces chevaux se sont mis au service de l'homme, qui les a utilisés pour se déplacer et pour exécuter les travaux des champs jusqu'à la fin du XXe siècle où personne n'a plus paru avoir besoin d'eux. Leur race a alors commencé à s'éteindre. Depuis, les chevaux de gros calibre constituent une minorité à la fois protégée et menacée par l'homme. Au XXIe siècle, les cobs sont encore utilisés dans les travaux forestiers, dans les expositions et ils sont parfois appréciés pour leur viande. En dépit de leur lourde morphologie, ils ne sont aucunement gras s'ils ont l'occasion de se mouvoir suffisamment.

LE SHIRE

Quand on veut grimper sur le dos d'un shire adulte, il vaut mieux prévoir une échelle et se préparer à quelques difficultés, car l'étalon peut avoir une taille au garrot de près de deux mètres. Il s'agit de la plus grande race de chevaux du monde, et cette suprématie se solde naturellement par quelques grammes supplémentaires sur la balance. Le shire porte une tonne de chair sans problème et il n'a pas à en rougir.

Mais si vous croyez avoir affaire à un cheval maladroit, détrompez-vous. Les shire sont des chevaux extrêmement bien proportionnés, aux mouvements déliés et à la force étonnante. On dit qu'un couple de shire est capable de tirer sans difficulté une voiture de 18,5 tonnes sur des pavés mouillés ; et, dans les tournants, un seul des chevaux maîtrise cette charge.

Le shire a connu son heure de gloire au Moyen Âge, à l'époque où il emmenait les chevaliers lourdement équipés jusqu'aux lieux de leurs combats. Presque rien ne pouvait lui faire perdre son calme légendaire. Au cours des siècles qui suivirent, ce géant fut un peu moins apprécié et on le sollicita moins pour les travaux des champs. Ces grands animaux placides et doux furent redécouverts par les Anglais qui en firent des bêtes de concours agricoles et de spectacle sur leur terre natale. Aujourd'hui, les Américains comme les Australiens s'intéressent également aux plus grands chevaux du monde.

LE NORIKER

Le noriker fait également partie de la noblesse des chevaux à sang froid (cobs). Dans la province romaine de Noricum, aujourd'hui devenue la province autrichienne de Carinthie, on élevait un grand cheval placide, le noriker.

Son aspect extérieur peu élégant ne dérangeait guère les chevaliers en armes de la fin du Moyen Âge. En effet, la grosse tête de l'animal, posée sur une encolure courte, disparaissait complètement sous le harnachement de protection. Et la monture ne manquait pas d'allant.

Au XVIIIe siècle, les paysans utilisaient de préférence les norikers aux tâches agricoles et aux travaux de force. Sous l'impulsion des archevêques de Salzbourg, une race un peu moins lourde fut créée grâce au croisement avec des chevaux espagnols et napolitains. Les norikers gardèrent leur robe typiquement tachetée.

Le cob du Rhin ressemble beaucoup au brabant, aussi bien dans son allure que dans son caractère.

Les capacités physiques de cette race assurent sa pérennité. En Autriche et en Bavière, où les norikers hissent traditionnellement les stères de bois le long des pentes des Alpes, leurs qualités de chevaux d'attelage et de trait ont été récemment redécouvertes.

LE BRABANT

Le brabant se compare, en termes de poids, avec le puissant shire, et flirte facilement avec la tonne, voire davantage, mais il est d'un tout autre calibre et doit être considéré comme un cheval « rondouillard ».

En effet, il ne fait pas partie des plus grands. Haut de 1,70 m, il a une petite tête et un cou assez court. Sa silhouette évoque fatalement celle d'un tonneau. Quand huit brabants tirent une charrette pleine de tonneaux de bière, on ne peut que féliciter de leur choix les propriétaires de la brasserie.

Dans son pays natal, le brabant jouit d'une grande popularité. Aux États-Unis, on l'appelle « le Belge américain », et il exerce une grande influence sur le cob du Rhin, né d'un croisement avec lui, qui a aujourd'hui de nombreux fans.

Le sol tremble sous le galop du lourd noriker, dont on aperçoit ici deux spécimens dits « cap de Maure » (cheval rouan à tête très sombre).

Que signifie le mot « calibre » ? « C'est un gros calibre, un petit calibre », dit-on facilement en langage familier quand on veut parler de l'autorité ou de l'intelligence de quelqu'un. Toutefois, le mot désigne surtout la taille.

C'est évidemment de cela qu'il s'agit quand on évoque les chevaux. Précisément, les éleveurs décrivent ainsi un certain rapport entre la taille et le poids. Les chevaux arabes sont de petits calibres, les chevaux à sang froid sont donc de gros calibres.

Les haflingers sont de robustes marcheurs. En raison de leur tempérament, ils peuvent devenir de superbes chevaux de loisirs.

Un beau blond

Race : haflinger

Taille au garrot : 135 à 145 cm

Robe : alezan à crinière claire

Description : robuste cheval de trait et d'attelage

Origine : Italie

Ces chevaux alezans à crinière blonde portent le nom de leur région d'origine, située dans le Sud du Tyrol. En raison de leur taille, ils sont classés parmi les poneys. Leurs pattes et leurs sabots solides foulent facilement les pistes qui grimpent dans les Alpes. Ils comptent parmi leurs ancêtres les poneys de montagne qui étaient montés, vers 555 après J.-C., par les Ostrogoths du Tyrol. C'est après un croisement avec des étalons orientaux que sont nés les haflingers modernes, d'allure plus sportive. Malgré leur anoblissement, ces petits chevaux sont tranquilles et extrêmement résistants. De ce fait, ils peuvent aussi devenir d'excellents compagnons pour les travaux des champs.

Si vous pensez que le haflinger n'avance guère et qu'il n'est pas adapté aux activités sportives, vous vous trompez lourdement. Les « hafis » ne parviennent sans doute pas aux derniers raffinements de la haute école, mais ils se hissent sans grande difficulté au niveau moyen et sont capables de donner des leçons de mobilité à plus d'un grand cheval. Dans les rodéos, ces chevaux assez lourds se débrouillent très bien et participent aux disciplines de « trail and cutting ». Aux États-Unis, on les surnomme, mi-ironiquement, mi-tendrement, les « alps quarters ». Ce que préfèrent ces beaux chevaux blonds, c'est la balade. Il existe plusieurs fédérations internationales de haflingers.

Le lait de jument

Dès l'Antiquité, on signale que les peuples de cavaliers trayaient leurs juments pour se nourrir des produits dérivés de leur lait, supposé posséder de nombreuses vertus propices à la santé et à la longévité.

Les légendes allaient bon train, mais il est tout à fait vraisemblable que ces dires avaient un fond de vérité. Aujourd'hui, le lait de jument fait partie des produits très appréciés en diététique.

Toutefois, très peu de juments sont spécialisées dans la production de lait.

Le lait de jument ressemble beaucoup au lait humain. Il est nourrissant, fortifiant et excellent pour la circulation du sang. De nombreux médecins le recommandent en cas d'épuisement ou de longue convalescence, car il restaure les forces. On trouve du lait de jument frais qui doit être consommé dans les deux jours après la traite,

ainsi que du lait longue conservation. L'un des produits dérivés les plus appréciés est le kumiss, boisson légèrement alcoolisée qui est fabriquée à partir du lait de jument, et qui possède des vertus rafraîchissantes.

La race des juments blondes haflingers est extrêmement adaptée à la production de lait, parce que leur temps de lactation est particulièrement long, et parce qu'elles se laissent facilement traire.

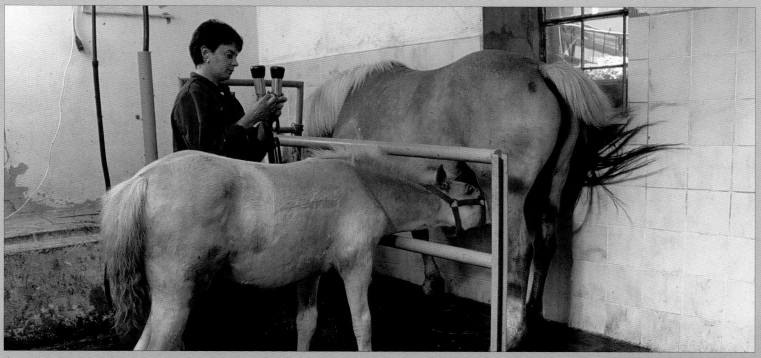

À la différence des vaches, les juments ne donnent du lait que pendant l'allaitement. De ce fait, le poulain n'est jamais loin quand il est question de traire la mère.

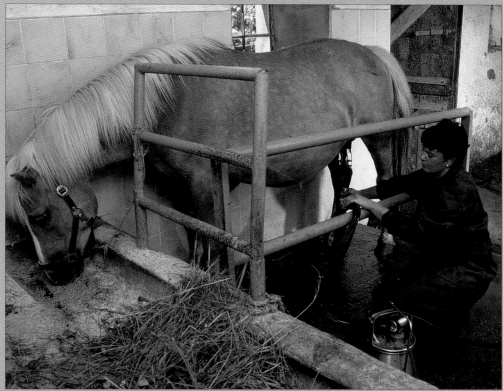

Le lait est recueilli par des trayeuses spécialement adaptées à la morphologie des juments. La traite suppose de véritables compétences professionnelles et doit intervenir en douceur, mais quand tout est fait dans les règles de l'art, c'est un moment de détente pour l'animal.

Après la traite, le lait est filtré, mesuré et conditionné dans des récipients spéciaux. S'il n'est pas pasteurisé, il doit être immédiatement consommé.

Un pas de plus

Race : islandais

Taille au garrot : 125 à 145 cm

Robe : toutes les couleurs de base, et même tacheté

Description : cheval robuste, volontaire et endurant
au caractère agréable, charmant, qui pratique toutes
les allures connues, mais aussi l'amble et le tölt

Origine : Islande

À la fin du IXᵉ siècle, quand les Vikings se sont approchés avec leurs drakkars des rives de l'île de feu et de glace, ils n'avaient que leur meilleurs animaux à bord. Parmi eux se trouvaient des poneys allemands élevés en Norvège et quelques poneys celtes qu'ils avaient ramenés du Nord de l'Écosse. Croisés avec des irlandais, ces chevaux constituaient un véritable mélange de races qui a fini par définir leur profil insulaire. Cet animal robuste et peu exigeant avait de quoi plaire aux paysans qui décidèrent à l'unanimité, dès 1930, de ne plus importer d'autres chevaux sur

Le tölt est proche du pas, mais plus rapide et il ne passe par aucun mouvement de suspens. De ce fait, il est très confortable pour le cavalier.

Pour se mettre en jambes

Outre le pas, le trot et le galop, les allures des chevaux peuvent inclure deux ou trois fantaisies. Le tölt, allure très régulière et confortable, est pratiqué par quarante races de chevaux comme le paso fino, le mangalarga marchadores, l'aegidienberg, le tennessee walking horse et le töltiberer. Le plus célèbre de ces chevaux est le poney d'Islande que l'on qualifie encore de tölter naturel, et qui propose souvent de lui-même cette allure particulière. Le cavalier doit se tenir droit, car la position la plus confortable est celle qui évite tout mouvement de suspens, et celle qui donne le plus d'élan. Le tölt est proche du pas, mais un peu plus rapide, décomposé en quatre temps et exempt de toute secousse. Les chevaux qui le maîtrisent ont un rythme classique décomposé en cinq mouvements. Ils sont recherchés sur l'île et coûtent cher.

Le tölt fascine tous les cavaliers qui sentent à quelle incroyable vitesse se déplacent les pattes du cheval alors qu'ils restent tranquillement assis sur leur selle et qu'ils maîtrisent le mouvement. Les courses de tölt, qui se déroulent sur des parcours de 250 mètres, font l'objet de records. Le wallach Gammur fra Kritholi a mis 21,73 secondes pour remporter la course à Dahlenburg en septembre 2000, et il a pris le départ sans élan.

l'île. Cette interdiction tacite fut finalement couchée par écrit en 1939, alors que plus d'un millénaire avait consacré la domination de la race insulaire.

Les Islandais étaient très attachés à leurs chevaux et le sont restés. Ces poneys sont imbattables pour parcourir les glaciers, les environs des geysers, les éboulis, les étendues désertes et les champs de lave. Les sage-femmes, les médecins et les prêtres ne pouvaient se déplacer qu'avec leur aide. Ce cheval robuste transportait toutes les denrées possibles et imaginables, et finissait par tirer les cercueils de ses maîtres. Il n'était pas

Ci-dessus : le poney insulaire est le flambeau de l'Islande. Au fil du temps, cette île a développé l'une des races de poneys les plus aimées dans le monde. Désormais, elle est élevée aux quatre coins de la planète.

Ci-dessous : les poneys islandais sont des animaux robustes et classiques, extrêmement tempérants, opiniâtres et peu exigeants. Sur leur terre natale, ils vivent souvent dans un état semi-sauvage, car ils résistent très bien aux intempéries.

rare que ce partenaire accompagne son propriétaire dans la mort. Une légende celte et germanique disait que l'homme avait besoin de son cheval harnaché et sellé pour lui montrer le chemin du royaume des morts. Les chevaux étaient un « don des dieux », qui bénéficiait de leurs faveurs et les transmettait aux humains. Les descendants des Vikings vivent encore dans la fidélité à ce principe. Ils ont construit à proximité de leur capitale Reykjavik un gigantesque village équestre pour plus de mille chevaux qui vivent entre leurs stalles, les chemins de promenade et les prés.

Les caractéristiques des chevaux d'Islande sont également connues de longue date dans les autres pays. Au début des années 1970, ils ont été exportés en grand nombre vers l'Allemagne, et pas seulement parce que les jeunes adolescentes teutonnes regardaient à la télévision une série dont l'héroïne à quatre pattes s'appelait Isis. Les propriétaires et les cavaliers apprécient le dynamisme de ce cheval qui se comporte avec la même simplicité dans la relation individuelle ou en groupe, et ont découvert toutes ses qualités sportives.

Tous les deux ans, une coupe du monde est mise en jeu pour découvrir quel sera le meilleur cheval islandais pratiquant le tölt et l'amble (où le cheval déplace tour à tour les bipèdes latéraux). Curieusement, ce concours n'est jamais autorisé à se tenir en Islande, car il est toujours interdit d'y faire entrer des chevaux, même de manière temporaire.

La formation du maître de haras, selon Isi

« Permettez-moi de vous présenter vos nouveaux collaborateurs. »

C'est ainsi que le patron d'une écurie fait connaissance avec son troupeau de poneys insulaires.

Toutefois, chacun saura quelle est la place qui lui revient quand le cheval et le patron se regarderont les yeux dans les yeux dans l'espace fermé du Picadero. Ici, aucun problème ne doit être jugé insurmontable. Le chef doit réussir à convaincre l'animal d'accourir vers lui, de le suivre ou de garder ses distances. Bref, il doit faire la preuve de ses qualités de meneur.

Voilà qui est plus vite dit que fait, car nos amis à quatre pattes ne réagissent bien que s'ils reçoivent les signaux adéquats. Ils sentent tout à fait nettement si le langage du corps est en harmonie avec l'expression de leur interlocuteur, remarquent la moindre hésitation et donnent des réponses immédiates. Le cheval reflète immanquablement l'épanouisse-ment et l'assurance des personnes qui le dirigent.

Les chevaux insulaires sont d'excellents partenaires d'entraînement parce qu'ils vivent indépendamment des humains, qui en l'espace de plus d'un millénaire, n'ont pratiquement pas cherché à modifier les caractéristiques de leur race. Ces animaux grandissent au milieu de troupeaux de chevaux sauvages dont l'organisation sociale est finalement assez proche de celle des hommes. Dès leur plus jeune âge, ils apprennent à se plier à certaines règles sociales et acquièrent le sens de la hiérarchie. Leur grande proximité avec leurs congénères les rend autonomes mais aussi ouverts aux comportements humains.

Avant la fin de la première séance d'exercice, les participants peuvent étudier leurs propres réactions sur des films vidéo, et juger de leur capacités de direction. Très souvent, ces personnes sont étonnées de voir tout ce que le cheval leur a appris sur elles-mêmes et sur les autres.

Le shetland appartient à la plus petite race de poneys, mais c'est la plus aimée de toutes. Ce poney est considéré comme le partenaire de loisirs des tout-petits et malgré l'entêtement qui le caractérise, comme tous ses congénères, il est endurant et digne de confiance.

Petits,
mais étonnants !

Il y a des poneys de tous les formats, de toutes les couleurs et de toutes les nuances, et ils restent des poneys tant qu'ils ne dépassent pas une taille au garrot de 148 cm. Cependant, la catégorie « poney » ne constitue pas une race à part entière. Ce n'est qu'une limite de taille au-delà de laquelle on a affaire à des races de grands chevaux.

Les enfants adorent les poneys, qui leur paraissent moins menaçants que les sangs chauds adultes. Pour cette raison, le poney est le partenaire idéal des moins de dix ans, notamment s'ils désirent apprendre l'art de l'équitation. Par ailleurs, le poney se différencie très peu du cheval dans son comportement et ses traits de caractère, à cela près qu'il est généralement plus robuste. Les plus petits, qui ont un très gros ventre, sont à peine plus hauts qu'un berger allemand. Néanmoins, le catalogue des poneys offre une très grande variété, qu'il s'agisse de l'achetta ou du hackney nain.

Les achettas sont originaires de la Sardaigne et y vivent sans doute depuis au moins deux mille ans. Ils ne dépassent pas 120 à 130 cm de hauteur, sont très peu exigeants et peuvent rendre toutes sortes de services. Malheureusement, ils n'ont pratiquement pas réussi à se faire connaître en dehors de leur île natale.

Les cavaliers adultes peuvent très bien trouver leur bonheur en adoptant un egydienberg. Ce poney est une création très particulière, pour laquelle l'éleveur allemand Walter Feldmann n'a rien laissé au hasard. Il s'est en effet donné pour tâche de concevoir une race de poneys marcheurs plus grande et plus élégante que celle du poney islandais. Il a donc croi-

Le poney anglais des Highlands jouit d'une popularité de plus en plus grande. Il est robuste, solide et présente une taille au garrot d'environ 145 cm. Il se caractérise par une crinière particulièrement longue et épaisse.

Un record de force

Le cheval le plus fort du monde est un poney. En comparaison de leur taille, les plus petits d'entre eux peuvent tirer des poids considérables. Les habitants des îles Shetland ne l'ignoraient pas, car ils se servaient de leurs poneys comme animaux de trait pour transporter la tourbe à travers les landes et les terres marécageuses proches de la côte. Malheureusement, les poneys durent aussi trimer dans les galeries des mines de charbon anglaises, ce qui constitue vraisemblablement un chapitre assez sombre de leur histoire !

sé des islandais avec des paso peruanos pour parvenir au résultat désiré. Avec une taille au garrot de 140 à 150 cm, le « berger de l'égide » ne manque ni de tempérament ni d'expressivité. Il pratique le tölt tout en étant particulièrement solide et rapide sur ses pattes. Le egydienberg porte le nom du haras de Rhénanie-Westphalie où il a été élevé.

Le fell-pony (« poney à fourrure ») n'est pas à la hauteur des promesses de son nom. Son pelage n'est pas très doux, même si cela n'empêche pas les enfants de le caresser. Mais ce n'est en rien la faute de ces poneys qui ressemblent à des mini-frisons et qui viennent au monde avec une robe à poil court. Ils sont nés dans les montagnes du Nord-Ouest de l'Angleterre, non loin de l'Écosse, et portent le nom de leur région natale. Ils disposent d'une force non négligeable qui fut exploitée au XIXe siècle, lorsqu'ils tiraient de lourdes corbeilles chargées de plomb ou d'ardoise, du fond de leurs montagnes jusqu'aux ports de la mer d'Iroise. Aujourd'hui, ils jouissent d'une vie un peu plus facile, en tout cas en Angleterre.

Les îles Britanniques abritent en effet plusieurs races intéressantes de poneys, notamment l'exmoor, le dartmoor, le poney des Highlands et le poney de Cornouailles. Le poney hackney nain est de plus en plus apprécié pour les activités sportives. Ce dernier est né des amours d'un cheval d'attelage anglais, un étalon hackney, avec une jument poney de race indéterminée dont la progéniture ne dépassa pas 130 cm au garrot.

Les enfants apprécient le poney shetland qui a sans doute pour ancêtre le cheval de la Toundra. Celui que l'on surnomme affectueusement « shetty » est, avec ses 87 à 106 cm au garrot, le compagnon de jeux idéal pour les enfants. Pour les plus petits encore, il existe un poney shetland nain qui mesure moins de 87 cm. Les poneys shetland, nains ou pas, sont endurants et résistants. En comparaison de leur taille, ils sont extrêmement forts, et ils ont été employés jadis comme animaux de trait dans les mines.

Les poneys exmoor viennent du Sud-Ouest de l'Angleterre, où ils vivent depuis plusieurs milliers d'années. D'une taille au garrot de 110 à 120 cm, ils sont relativement petits, mais extrêmement flexibles.

Le lewitzer correspond aux normes d'élevage définies pour le « poney allemand ». C'est une race relativement jeune qui a été créée en Allemagne de l'Est, dans le haras de Lewitz, au cours des années 1970. Ce haras appartient aujourd'hui à Paul Schockemöhle. Le lewitzer se caractérise par sa couleur, car tous les poneys de cette race sont tachetés.

En Irlande, dans le comté de Connaught, on trouve la seule race irlandaise, celle des poneys du Connemara. Ils existent sans doute depuis l'ère glaciaire et font partie des poneys celtiques qui ont longtemps vécu à l'état semi-sauvage dans les landes, en luttant pour leur survie. Plus tard, ils ont été des bêtes de somme et ont servi au transport de toutes sortes de denrées. La qualité de ces chevaux hauts de 140 à 150 cm s'est largement améliorée grâce à leur croisement avec des chevaux andalous au XVIe siècle. Le connemara est devenu un vrai cheval sportif, et après son croisement avec des pur-sang, il a acquis de remarquables qualités pour le saut d'obstacles.

Le besoin croissant de chevaux de loisirs pour les enfants a convaincu les éleveurs allemands de se pencher sur cette question. En 1965, la fédération des éleveurs de poneys a décidé de constituer le poney allemand de selle en race distincte. Le poney anglais a servi de modèle. De nombreux poneys de Cornouailles ont été importés pour compléter les élevages allemands. Ils ont été croisés avec des chevaux arabes, anglo-arabes et divers pur-sang. C'est ainsi que s'est perpétué le modèle type du poney, doté d'une petite tête et de petites oreilles. Toutefois, le croisement avec divers chevaux à sang chaud comme les trakehners et les hanovriens lui ont fait perdre certains traits de caractère. Dans les disciplines du saut d'obstacles, du dressage et d'autres activités, les petits chevaux savent briller comme les grands et participent tous les week-ends à divers tournois.

Le poney, partenaire idéal des activités des enfants, moins lourd que ses comparses, est présent partout dans le monde. Outre ceux qui ont été mentionnés dans ce chapitre, citons le poney australien, le poney de Bali et de Chine, le galiceno du Mexique, le cheval des fjords norvégiens et le sykros, dont la terre natale est la Grèce. Le poney est petit, mais étonnant.

Les poulains mâles, capturés dans l'année de leur naissance, sont relâchés pour demeurer une année supplémentaire auprès de leur mère en liberté. Quelques rebelles doivent toutefois être repoussés vers le troupeau qu'ils ne veulent pas regagner.

Les poulains ne peuvent échapper à la capture, mais ils ne facilitent pas la tâche de ceux qui les attrapent. Chacun se défend selon ses moyens.

Capture des chevaux sauvages de Dülmen

Race : cheval sauvage de Dülmen
Taille au garrot : 125 à 135 cm
Robe : toutes les couleurs, sans motifs distinctifs
Description : poney de selle et d'attelage, très éclectique
Origine : Allemagne

Pour isoler les jeunes étalons d'un an de leur troupeau, il faut d'abord rassembler tous les chevaux.

Depuis 1907, le dernier samedi du mois de mai, la ville de Dülmen, dans la région de Münster, organise une grande course de chevaux sauvages. Tous les chevaux du parc national de la faille de Merfeld sont poussés vers une arène et les jeunes étalons d'un an, les yearlings, sont séparés du reste du troupeau. Cette mesure est nécessaire, car l'espace vital des chevaux est restreint. Livrés à eux-mêmes, les étalons s'affronteraient sans merci pour s'arroger les faveurs des juments parvenues à maturité sexuelle, et ces combats entraîneraient souvent la mort. Lorsque les jeunes mâles ont été séparés des autres chevaux, le reste du troupeau est libéré, et les yearlings sont marqués au fer rouge, sur place.

Il faut souvent plusieurs hommes pour maîtriser les jeunes étalons et les séparer du troupeau, afin de les conduire à l'endroit qui leur a été réservé.

Les chevaux sauvages de Dülmen vivent depuis plusieurs siècles dans la faille de Merfeld. Leur nombre a été officiellement estimé à 1316.

Certains étalons extrêmement prometteurs sont réservés au duc de Croy, propriétaire de la faille de Merfeld, et intégrés à son élevage. La plupart des chevaux sont immédiatement mis aux enchères et emportés le jour même par leur propriétaire. Ils perdent certes la liberté mais sont promis à des conditions de vie infiniment meilleures que celles qu'ils trouvent dans la nature, même s'ils n'ont guère le loisir d'établir des comparaisons.

Avant que les étalons ne soient vendus aux enchères, ils doivent être marqués au fer rouge sur la patte arrière gauche. La marque indique la race à laquelle ils appartiennent.

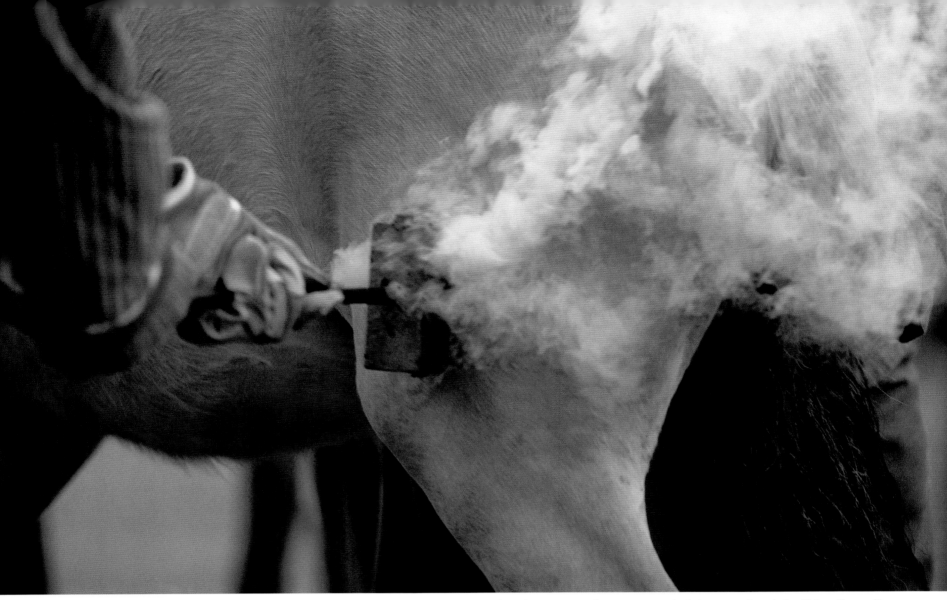

Lors du marquage au fer rouge, une sorte de tampon en fer est chauffé jusqu'à ce qu'il rougeoie, et il est appliqué pendant quelques secondes sur la peau, généralement sur la patte arrière gauche du cheval. La cicatrice que laisse la brûlure sera visible pendant toute la vie de l'animal.

Les signes distinctifs

Lorsque les Égyptiens commencèrent à pratiquer le marquage au fer rouge sur le cheptel bovin, dès l'an 3000 avant J.-C., il ne s'agissait certainement pas pour eux de jouer avec le feu. À cette époque déjà, ils se souciaient de différencier leurs biens pour pouvoir dire clairement : « ceci m'appartient, et cela t'appartient ».

À partir du VIIIe siècle après J.-C., on pratiqua le marquage au fer rouge sur les chevaux en Allemagne et en Angleterre, bien avant que cette pratique ne soit adaptée dans le grand Ouest américain, où l'on craignait encore les vols de bétail et de chevaux au XIXe siècle. C'est à cette époque seulement que l'on commença à y appliquer le marquage à grande échelle. Dans les cas extrêmes, on n'hésitait pas, aux États-Unis, à marquer quatre fois les chevaux, pour indiquer le nom de l'éleveur, l'année de naissance ainsi que les noms du père et de la mère.

Le marquage au fer rouge était et reste douloureux. Ce n'est guère étonnant, puisque le tampon reste plusieurs secondes en contact avec le pelage, brûlant profondément les crins et la peau, au point que les cicatrices resteront visibles à vie. Le fer occasionne une brûlure au troisième degré, et c'est la condition pour que la marque soit lisible.

Les marquages trop faibles étaient ravivés au XVIIe siècle par les alchimistes qui appliquaient une solution dans laquelle ils mélangeaient du

Les alternatives au marquage au fer rouge

Il existe des méthodes beaucoup plus sûres que le marquage au fer rouge sans toucher un seul crin du pelage. La description des signes distinctifs du cheval livre 99,8 % des informations qui permettent de reconnaître un animal. C'est donc l'alternative au marquage, qu'il soit effectué à chaud ou à froid. Les haras de pur-sang utilisent cette méthode et ont cessé de brûler leurs bêtes.

L'analyse des crins est la seconde méthode employée pour reconnaître les chevaux, et dans ce cas, il suffit d'un seul poil pour les identifier. Jusqu'à présent, elle est peu appliquée en raison des coûts importants qu'elle occasionne, de la même manière que l'analyse de l'ADN, qui doit être réalisée en laboratoire.

À l'avenir, il sera sans doute possible de reconnaître les chevaux par l'examen de l'iris, ce qui constituera une alternative intéressante et utile.

vert-de-gris, du mercure en poudre et de la mort-aux-rats de couleur jaune. Cette solution devait être appliquée trois fois par jour à l'endroit du marquage, préalablement rasé. La méthode employée est assez proche de celle qui remplace aujourd'hui le marquage au fer rouge, devenu rare. Le tampon est trempé dans un produit chimique qui marque la peau et les poils.

Le troisième moyen de marquer la peau est la brûlure à froid, pratiquée depuis les années 1970. Le tampon est appliqué 15 à 90 secondes sur la peau du cheval, après avoir été porté à une température de moins 70 °C par le biais de glace sèche ou d'alcool, ou à une température de moins 196 °C par le biais d'azote liquide. Le temps de pose élevé est particulièrement nécessaire pour les chevaux blancs, parce que la marque

Avant le marquage sur la peau du cheval, le tampon doit être longuement chauffé jusqu'à ce qu'il rougeoie.

Les micropuces

On les trouve dans les fours à micro-ondes, dans les appareils photo et dans les téléviseurs : désormais, les bovins et les chevaux en sont également équipés. Il s'agit de supports de données minuscules, d'une taille de 12 x 2 mm, qui sont glissés sans douleur sous la crinière des chevaux, et qui restent lisibles pendant toute leur vie à l'aide d'un lecteur spécial qui enregistre les 15 chiffres d'identification. Après le premier essai mené aux États-Unis en 1985, la fédération équestre italienne n'a attendu que deux ans pour faire marquer électroniquement ses poulains, afin de contrer les intrigues de la mafia italienne sur les champs de course de la péninsule. C'est ainsi que l'on s'est rendu compte que nombre de courses avaient été truquées à la suite d'échange de che-vaux sur les pistes de course. Depuis, toutes les fédérations internationa-les pratiquent la pose de puces électroniques, indiquant le sexe, la couleur, les signes distinctifs. Un test sanguin est pratiqué pour compléter l'enregistrement.

La plupart des chevaux de selle espagnols sont équipés de micro-puces, et les éleveurs de frisons hol-landais viennent de se convertir à cette pratique, alors qu'ils se contentaient jusqu'alors de tatouer leurs chevaux sous la langue. Deux mesures valent mieux qu'une, d'autant que le tatoua-ge tend à s'effacer avec le temps.

Le placement de la puce électro-nique à l'aide d'une seringue spé-ciale est un acte médical qui est réali-sé sous anesthésie locale, et il est relativement indolore. Il est question de faire breveter un système uni-versel qui imposerait la pose de puces électroniques sur tous les ani-maux domestiques.

ne peut être lisible que si les poils de la zone sont complète-ment détruits. Si la marque n'est pas apposée assez longtemps, les racines du poil restent intactes et les poils repoussent, même s'ils restent blancs. De ce fait, la marque est lisible sur une robe sombre, mais pas sur une robe claire ou blanche.

Divers études ont été menées pour mesurer le degré de stress ressenti par le cheval au moment du marquage. Il s'avère que le marquage à froid est moins douloureux que la brûlure, mais le processus de guérison de la blessure est plus long. Le temps nécessaire et la dépense sont accrus. En conséquence, ce pro-cessus n'a pas été adopté à grande échelle, et on continue de marquer davantage les chevaux au fer rouge dans les grands élevages. En Allemagne, environ 50 000 poulains sont marqués au fer rouge lorsqu'ils sont âgés de 3 à 6 semaines, et 20 000 che-vaux supplémentaires, plus âgés, le sont également lorsqu'ils doivent participer à des compétitions sportives.

Pour de nombreux propriétaires, la marque n'est qu'un signe de reconnaissance indiquant l'origine du cheval, mais la renommée de certains élevages a rendu célèbres certains symboles. Chacun aime montrer ce qu'il possède !

Chaque race de chevaux a sa propre marque. Ici, la marque distinctive des chevaux sauvages de Dülmen.

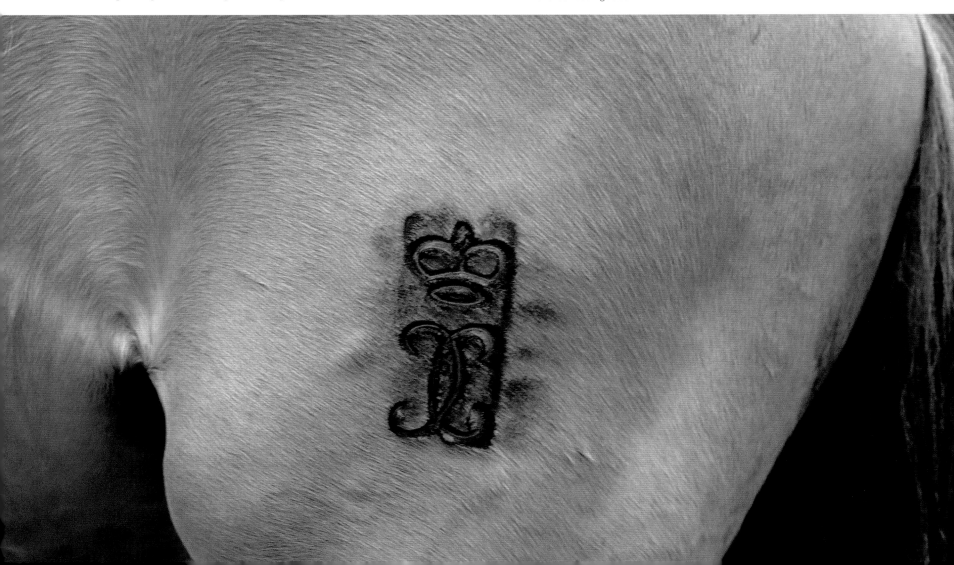

La force du cheval au quotidien

Dans la grotte de Lascaux, on aperçoit cette peinture rupestre représentant un cheval. Il est impossible de la dater précisément, mais sans doute a-t-elle été réalisée entre 20 000 et 15000 ans avant J.-C.

Les aléas d'une relation

Les premières rencontres entre le cheval et l'homme n'ont sûrement pas été idylliques, pour le cheval en tout cas. L'animal finissait dans une marmite, ou dans ce qui en tenait lieu. En revanche, l'homme était sans doute heureux de pouvoir puiser des forces dans la consommation de cette excellente viande. Il n'est donc pas essentiel, du point de vue historique, de déterminer si les premiers chevaux ont été montés en selle ou attelés à une voiture. Il est bien plus important de savoir à quel moment l'homme a cessé de considérer seulement le cheval comme une denrée consommable et quand il a commencé à le chasser pour le capturer.

Les représentations de chevaux dans la grotte d'Altamira au Nord de l'Espagne ou de Lascaux dans le Sud de la France constituent les premiers témoignages d'une relation entre homme et cheval. Il est possible qu'il s'agisse là de figurations religieuses. Les peintures de la grotte de Lascaux ont été réalisées entre 20 000 et 15 000 ans avant J.-C., et elles constituent à n'en pas douter l'un des plus merveilleux héritages de l'âge de pierre.

Marcellino de Sautuola découvrit en 1879 les premières peintures rupestres de la grotte d'Altamira. Bien que leur origine préhistorique ait été longtemps ignorée, ces représentations ont ensuite été analysées avec soin par les paléontologues et les scientifiques. Au fil des années, d'autres recherches effectuées en Europe ont permis de découvrir plus de 4 000 œuvres d'art.

« On a vu des chevaux et des cavaliers
parfaitement d'accord : c'était assez souvent
des chevaux de bois. »

(Robert Dieudonné)

La consommation de viande de cheval

Autrefois, nombre de villes européennes avaient leur boucherie chevaline et il existait même des restaurants spécialisés dans la préparation de cette viande. L'histoire montre que les peuples nomades asiatiques attendrissaient la viande de cheval sous la selle de leurs destriers avant de la faire cuire.

Mais tout cela appartient au passé. Aujourd'hui, la consommation de la viande de cheval est rare, et elle éveille toutes sortes de préventions. Les chevaux font partie de notre culture, ils entretiennent un lien particulier avec les humains et sont devenus des partenaires de nos loisirs et de nos activités sportives, ce qui les éloigne beaucoup de notre assiette.

Combien d'enfants se sont effondrés en larmes en découvrant que le rôti du dimanche était constitué de viande de cheval ? Comment pourrait-on comprendre que de vaillants chevaux comme Black Beauty et Fury, que l'on a vus sur tous les écrans de télévision, finissent par échouer sur la table familiale ? Pour tous les enfants du monde, les vacances estivales aux côtés d'un poney fidèle sont une sorte de rêve, et beaucoup d'adultes ne l'ont pas oublié pour leur propre compte. De ce fait, ils refusent de considérer ces amis à quatre pattes comme de vulgaires denrées consommables. Personne n'aurait l'idée non plus de faire griller Flipper le dauphin.

Pourtant, les boucheries chevalines n'ont pas disparu. Le chiffre d'affaires de ces commerçants a cependant fondu comme neige au soleil, et il n'est pas rare que leur boutique ne soit ouverte que quelques jours par semaine, et qu'ils passent leur temps à transbahuter leur stand de marché en marché. Toutefois, il se peut que ce commerce retrouve bientôt quelques couleurs. Par ces temps de vache folle, de peste porcine et de grippe aviaire, les boucheries chevalines retrouveront peut-être la faveur du public. Les consommateurs d'aujourd'hui expliquent que cette viande présente de nombreuses qualités, qu'elle ne contient que 2,7 % de graisse, et qu'elle est donc très maigre.

Par comparaison, la viande de bœuf la plus maigre renferme encore 7,2 % de matières grasses, et la viande de bœuf « normale » en contient 22,1 %. Le taux de protéines de la viande chevaline peut se mesurer avantageusement avec celui des autres viandes. Le goût de cette viande d'un rouge sombre oscille entre celui de la viande de bœuf et du gibier. Il est possible d'en faire des saucisses, mais aussi des steaks grillés ou des rôtis.

Jusqu'au moment où il prend le chemin de l'abattoir, le cheval jouit d'une

meilleure vie que celle d'un bovin, d'un cochon ou d'une volaille, car tout est fait pour qu'il reste en bonne santé, qu'il puisse se mouvoir et qu'il bénéficie d'une bonne nourriture et d'attention. Cependant, la consommation de viande de cheval reste une pratique très controversée, les arguments défendus par certains au XIXe siècle n'étant plus valides. Si, en Europe, l'hippophagie est peu importante, elle l'est beaucoup plus dans certains pays comme l'Argentine, par exemple.

Dans la grotte préhistorique de Tito Bustillo apparaissent également des représentations de chevaux qui datent de l'âge de pierre. Elles ont été réalisées environ 15 000 ans avant J.-C.

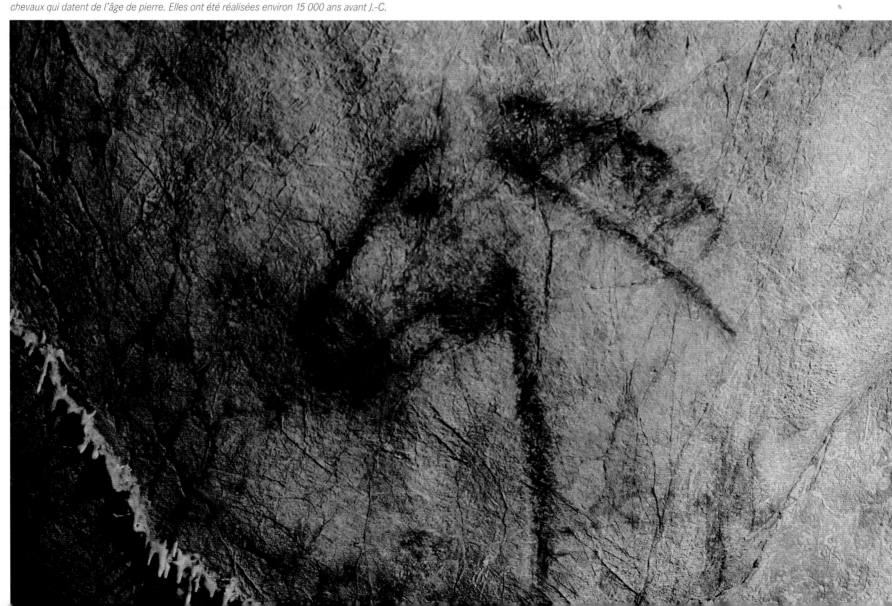

Une question de confiance

La transformation du cheval sauvage en animal domestique n'a certainement pas résulté d'une philosophie guidée par l'amour du prochain, mais elle a répondu à un instinct de survie chez l'homme. Les troupeaux des chevaux des steppes avaient beaucoup diminué en volume, et les réserves de viande fraîche menaçaient de se tarir. Les chasseurs qui avaient suffisamment étudié les habitudes de fuite et le comportement des troupeaux disposaient d'une expérience assez grande pour capturer les chevaux vivants. Le processus de la domestication avait commencé.

Les premiers animaux mirent longtemps à se laisser domestiquer. Mais la proximité spatiale avec les humains leur permit de développer une certaine confiance et de ne plus voir seulement les chasseurs en eux. Toutefois, le pas qui sépare la capture de la véritable domestication n'a pu être franchi qu'après plusieurs générations. Le processus de domestication est individuel et ne concerne pas une race entière. Les chevaux étaient

> « La plus noble conquête que l'homme ait jamais faite est celle de ce fier animal qui partage avec lui les fatigues de la guerre et la gloire des combats. »
>
> (Extrait de l'*Histoire Naturelle* du comte de Buffon, naturaliste, 1707-1788)

habitués à vivre au milieu d'autres animaux, par exemple des zèbres, des antilopes ou des autruches. Par nature, ils n'auraient jamais osé s'approcher des humains.

La plupart des spécialistes s'accordent à penser que les premiers essais de domestication du cheval sont intervenus vers 6000 avant J.-C. et qu'ils ont eu lieu en Ukraine. En se livrant à une sélection judicieuse d'étalons et de juments domestiqués, les hommes ont réussi, petit à petit, à modifier le patrimoine génétique des animaux sauvages pour en faire des animaux

domestiques. C'est ainsi que l'existence des chevaux s'est trouvée assurée.

L'homme s'est ainsi offert un cadeau en cessant de considérer le cheval uniquement comme nourriture. Le cheval domestique vivant lui a ouvert

Le chevalier de l'apocalypse
L'image d'un cavalier lancé au galop sur un destrier échevelé symbolise la guerre, la peste, la famine et la mort. C'est la personnification d'un cauchemar qui semblait se concrétiser au XVe siècle. Dans de nombreux pays d'Europe, les épidémies se multiplièrent et une ambiance de fin du monde se répandit, en même temps qu'une rumeur selon laquelle la catastrophe finale interviendrait en 1500. À Nuremberg, en 1498, se déclara une épidémie de peste noire, au moment où le peintre allemand Dürer réalisa sa célèbre série de gravures de *L'Apocalypse*.

de nouveaux horizons et, sans lui, beaucoup de choses auraient été différentes. Car le cheval a emmené les hommes à la chasse et leur a permis d'étendre son pouvoir sur de nombreux animaux. Il leur a permis de couvrir rapidement des distances importantes, afin d'apporter des nouvelles essentielles, ou juste de se déplacer. Et quand il fallait tirer de lourdes charges, le cheval était encore là. Par ailleurs, il pouvait aider les paysans dans les travaux des champs, tirant la charrue et la herse. En imposant toutes sortes de nouvelles tâches à ces animaux, leurs propriétaires ne se souciaient guère des pertes : les chevaux devaient également l'accompagner à la guerre. L'homme avait réussi à réprimer les instincts agressifs des animaux mais, avec l'aide des chevaux, il n'a fait qu'encourager les siens.

Les Indiens ont montré de manière très convaincante à quel point leurs chevaux étaient utiles pour la chasse. Lorsqu'ils traquaient le buffle, leur monture était irremplaçable.

Le légendaire roi Arthur et ses chevaliers de la table ronde font partie des cavaliers les plus célèbres de tous les temps. Son histoire a inspiré d'innombrables livres et de nombreux films.

Les chevaux des chevaliers du Moyen Âge ne devaient pas seulement porter leur cavalier équipé. Ils étaient caparaçonnés eux-mêmes pour échapper aux blessures.

LES CHEVAUX DE BATAILLE DES CHEVALIERS ROUILLÉS

Les chevaux des chevaliers d'antan devaient supporter d'énormes efforts, car les chevaliers qui étaient les nobles guerriers du début du Moyen Âge, étaient lourdement équipés. Pendant leurs combats, les chevaux risquaient d'être grièvement blessés, et plus d'un laissa la vie sur les champs de bataille. Lorsque deux cavaliers s'affrontaient, il était interdit de piquer le cheval de l'adversaire, mais en temps de guerre, les troupes d'infanterie venaient à la rescousse et ils pouvaient mettre hors d'état de nuire les chevaux les plus cuirassés. Leurs pattes restaient naturellement sans défense, et il était facile de les blesser en ces parties non protégées.

Le merveilleux cheval Bayard

Nombreux sont les chevaux qui, en période de guerre, ont sauvé leur cavalier. Si l'on s'en réfère à certains livres d'histoire, le cheval Bayard aurait sauvé quatre vies en même temps.

Le duc d'Aymon avait quatre fils qui, tous, avaient été sacrés chevaliers par Charlemagne. Renaud, l'aîné reçut le noble étalon Bayard des mains de l'empereur. Lorsqu'il tua le neveu de l'empereur en duel, il dut fuir avec ses frères pour ne pas être livré à la vengeance.

Quand les frères de Renaud virent leurs chevaux s'écrouler, épuisés, ils s'élancèrent sur le dos de Bayard qui eut encore suffisamment de force pour les transporter en lieu sûr, sautant par-dessus les plus hauts sapins de la forêt ardennaise.

« A horse ! A horse ! My kingdom for a horse ! »

Quel cavalier n'aime à citer cette phrase de Shakespeare : « Un cheval ! Un cheval ! Mon royaume pour un cheval ! » ?

Toutefois ces mots enthousiastes du célèbre poète et dramaturge restent en travers de la gorge quand on sait que c'est le personnage de Richard III qui les a prononcés. Car ce roi anglais n'était pas seulement un cavalier émérite, il était aussi un assassin. Shakespeare s'était saisi de cette histoire tragique et sanglante pour montrer l'ascension et la chute d'un roi qui n'était nullement prêt à sacrifier son royaume, et surtout pas pour un cheval ! Il n'hésita pas à faire mourir ses pro-

ches et ses amis, jusqu'à ce qu'il soit battu et tué lors de la bataille de Bosworth en 1452.

La tragédie de Richard III fut adaptée de manière avant-gardiste sur le grand écran par le réalisateur et acteur Sir Laurence Olivier, qui accéda par ce film à la célébrité mondiale.

En temps de paix, les fatigues étaient moins dangereuses, mais tout aussi réelles. Les tournois furent longtemps à la mode. On s'y livrait de nombreux exercices guerriers, sans intention cette fois de donner la mort. Dans les cours européennes, les grands de ce monde s'amusaient et se divertissaient de l'audace des courageux chevaliers qui étaient prêts à risquer leur santé pour gagner le cœur de leur dame. Lorsque celle-ci leur remettait leur trophée, leurs efforts étaient couronnés de succès. Si de surcroît la gente dame rougissait ou leur accordait l'ombre d'un sourire, ils ne se tenaient plus de joie.

Pour limiter les blessures au cours de ces tournois, les cavaliers comme leur monture n'hésitaient pas à se caparaçonner. Le cheval était protégé par une armure. Sa protection cachait presque tout son corps, et on posait par-dessus une lourde chape de métal qui protégeait le poitrail, les flancs et la croupe. Même les rênes étaient recouvertes de plaques de métal, afin qu'il soit impossible de les trancher. Alourdi, le cavalier avait beaucoup moins de contrôle sur le cheval qui devait aussi porter un demi-quintal de métal sur sa selle. Pour atteindre le ventre du cheval, le cavalier tout équipé devait disposer d'éperons beaucoup plus longs, mais ces éperons n'étaient accordés qu'aux chevaliers nobles. C'était en devenant chevalier que le cavalier les méritait.

Le combat de lances consiste dans l'affrontement de deux cavaliers qui cherchent mutuellement à se déstabiliser. Cet exercice fait partie, comme jadis, des activités favorites dans les tournois.

Les chevaliers modernes et leurs jeux

Profession : cascadeur. On peut à bon droit décrire ainsi les chevaux qui participent aux distractions modernes de la chevalerie. Les animaux comme les humains n'épargnent pas leurs efforts : ils mettent toute leur énergie mentale et physique dans leurs exercices. Si l'on n'est pas suffisamment entraîné, on risque quelques belles contusions. Dans les tournois de chevalerie du Moyen Âge, les chevaliers étaient prêts à risquer leur vie. Ils ne prêtaient guère attention à eux-mêmes ni à la vie de leur cheval. Aujourd'hui, les joutes ne sont pas moins spectaculaires, mais elles sont moins dangereuses.

Dans les coulisses, on se sert largement dans le coffre aux accessoires et aux trucs, et chacun affûte sa lance. Les armes en bois ne se cassent plus seulement sous le choc avec l'adversaire, elles sont sciées d'avance pour se briser plus facilement. Tout doit avoir l'air vrai, à condition que le sang ne coule pas, ce qui risquerait de gâcher le spectacle.

Les chevaux de combat modernes et leurs cavaliers ne s'affrontent que s'ils sont tous bien rembourrés, mais ils ont renoncé aux lourds équipements

Qu'est-ce que la chevalerie ?
La chevalerie de l'Europe médiévale a été créée par plusieurs instances de noblesse. Les chevaux étaient très prisés et ils allaient à la guerre avec de lourds équipements. L'enseignement de la chevalerie mêlait des principes anciens mâtinés de croyances chrétiennes. Les chevaliers devaient rester fidèles à leur idéal, se battre pour le défendre et s'engager pour la justice. Ils devaient aussi apprendre à lâcher prise au bon moment, ce qui signifiait qu'ils devaient renoncer à tout esprit de vengeance.

À Rome, les chevaliers professionnels bénéficiaient d'avantages administratifs et officiels, mais aussi de passe-droits. En Allemagne, tous les sujets qui vivaient sur les terres des chevaliers étaient leurs serfs. Le baron Heinrich von Stein fut le premier à changer cet état de fait. Le titre de « chevalier » pouvait être transmis par héritage en Autriche et en Allemagne, jusqu'en 1945.

Aujourd'hui, être chevalier signifie savoir préserver son idéal, se comporter avec courtoisie envers les dames et prendre soin des déshérités de la société.

Saint Georges

De nombreuses légendes sont associées à la vie de saint Georges, patron des cavaliers et des chevaux, né selon la légende en Cappadoce vers l'an 280 avant J.-C.

Son combat le plus célèbre est celui qui l'aurait opposé à un dragon. Le monstre vivait dans un lac et tyrannisait la ville de Silène en la noyant sous son souffle pestilentiel. Ce devait être une haleine absolument épouvantable, puisque les habitants lui offraient quotidiennement des agneaux, jusqu'à finalement lui sacrifier la fille du roi, jusqu'au moment où, par bonheur, saint Georges surgit sur son cheval et les débarrassa de cette calamité.

Ce récit comme bien d'autres ont été illustrés au XIIe siècle, notamment en Angleterre, où saint Georges est devenu le symbole de la chevalerie.

Ce saint fut choisi pour protéger Richard Cœur de Lion qui finit par placer tout son royaume sous son égide. La fête du saint a été fixée au 23 avril, et elle est généralement célébrée par des tournois et des spectacles équestres. Par ailleurs, la Saint-Georges était un jour important dans les campagnes. Les serviteurs pouvaient changer de patron et les fermiers devaient payer la redevance.

moyenâgeux où le cavalier était quasiment immobilisé sur sa monture. Le casque et le heaume font partie des équipements nécessaires, comme jadis, mais le reste de l'équipement peut être plus léger, du moment qu'il a l'air ancien. On ne voit pas grand chose du cheval, ni de sa race ni de sa couleur. Il disparaît complètement sous l'épaisse couverture qui le recouvre, et qui est rembourrée aux endroits sensibles comme le poitrail et les flancs. De ce fait, il est beaucoup plus mobile que ses prédécesseurs du Moyen Âge.

Le cheval de tournoi moderne participe au combat et quand l'adversaire s'approche, il ne craint pas de sauter par-dessus des flammes et ne perd jamais patience lorsque son cavalier l'éperonne. Naturellement, la mise en scène n'est parfaite que si le public se plonge totalement dans l'atmosphère de l'époque. Pour compléter le tableau, il y a donc une tribune où siègent le maire et sa femme avec toute leur suite dans leur loge. Tout autour de la scène du combat, des marchands et des bateleurs appellent les badauds. Le combat de chevalerie suscite tout un univers.

Les chevaliers modernes, accompagnés de leur monture, se livrent devant le public à tous les tours qu'ils connaissent. Bien souvent, ils jouent avec le feu, pour montrer à quel point leurs chevaux sont audacieux et courageux. De même, les courses-poursuite sont très appréciées. Le vainqueur est récompensé comme l'étaient les chevaliers d'autrefois.

Certains exercices sont incontournables dans les tournois de chevalerie. Ici, le cavalier a fait galoper son cheval et tente de passer sa lance dans un anneau suspendu à un poteau.

Le petit arpent
du bon Dieu

« Ce n'est pas un cheval de course, mais il a du cœur à l'ouvrage : en un mot, c'est un cheval de labour. » Faut-il voir du mépris dans ce jugement ? On pourrait le croire au premier abord. Bien évidemment, les chevaux des champs ne prétendent pas briller aux concours de beauté, et malgré leurs muscles, ils ne jouent pas davantage aux mannequins culturistes parmi les autres chevaux. Un vrai cheval de labour est toujours un peu lourd et pataud. Mais il a ses qualités, et pas seulement des qualités de cœur. Tout d'abord, les chevaux qui sont employés aux travaux des champs

> « Il n'y a là qu'un homme qui écrase les mottes de terre à pas lents et silencieux, avec son vieux cheval qui trébuche et hoche la tête. Tous deux marchent comme en rêve. »
>
> (Thomas Hardy, écrivain anglais)

sont peu exigeants et ils ne tergiversent pas pour accomplir leur tâche. Ils tracent avec entêtement leur sillon dans la terre. On les équipait jadis d'œillères pour qu'ils aillent plus vite. Une comparaison directe a permis d'établir que les chevaux offraient une productivité deux fois supérieure à celle des bœufs et qu'ils acceptaient sans rechigner de faire des heures supplémentaires. Alors que le bœuf est épuisé et qu'il se couche dans son étable, le cheval continue de labourer son champ pendant deux bonnes heures. C'est alors que l'on vérifie la justesse du proverbe, et que l'on comprend ce que signifie « travailler comme un cheval ».

Les poneys des mines
L'exploitation des enfants dans les mines anglaises est l'un des chapitres les plus sombres de l'histoire de l'industrialisation. En 1847, enfin, le travail des enfants a été interdit. Et de plus en plus, les poneys du Shetland ont pris leur place.

Quand nous parlons aujourd'hui des animaux de somme, nous pensons peu à ces petits chevaux qui vivaient si longtemps dans l'obscurité des mines et des houillères qu'ils finissaient par devenir aveugles.

Et cela, alors que le dernier poney anglais des mines n'a pris sa retraite qu'en 1994.

Cette comparaison doit-elle à elle seule justifier le rôle essentiel que tenait le cheval dans l'agriculture ? Pas du tout. Il suffit de réfléchir un peu pour se rendre compte que le cheval apporte beaucoup à l'homme et que le paysage s'enrichit de sa présence. Quand il a été établi que le cheval était bien trop précieux pour qu'on le mange, on a seulement commencé à mesurer tous les services qu'il pouvait rendre.

Entre le VIᵉ et le XIᵉ siècle, toutes les formes de main-d'œuvre aux travaux des champs furent jugées utiles. Lorsque les premières villes furent érigées, il fallut produire davantage de nourriture pour alimenter la partie de la population qui ne travaillait pas aux champs et ne pouvait subvenir elle-même à ses besoins. Il s'avéra possible de produire davantage, non plus en maniant les cordes et le bâton, mais avec une charrue, plus moderne, ou une herse. Les équipements de labour devinrent de plus en plus lourds et volumineux, tout comme les chevaux. Vers 1890, on testa une

À l'époque où il n'y avait encore aucune machine agricole, les chevaux de trait représentaient un bien inestimable pour les paysans. Leur travail était considérablement facilité par ces animaux dociles aux muscles impressionnants.

Race : alezan de la Forêt Noire

Taille au garrot : 145 à 152 cm

Robe : alezan foncé à la crinière claire

Description : cheval fougueux, robuste et endurant

Origine : Allemagne

De nombreuses brasseries continuent d'employer des cobs pour tirer des chars lourdement décorés à l'occasion des fêtes. Lors de ces événements, les chevaux montrent qu'ils sont tout à fait adaptés à leurs tâches d'animaux de trait.

sant preuve d'une grande flexibilité, ils ont réussi à survivre comme chevaux d'attelage, en se mettant notamment au service de brasseries qui les utilisent pour tirer des chars lourdement décorés. Dans les pays en voie de développement, le cheval de labour vit toujours de sa réputation et de ses légendes, mais aussi de sa coopération quotidienne avec les paysans. En Pennsylvanie, on trouve encore des chevaux devant des socs de charrue, parce que les Amish installés ici refusent toute mécanisation du travail.

Les alezans de la Forêt Noire sont tout à fait adaptés aux travaux forestiers dans les conditions les plus difficiles et servent aussi de chevaux d'attelage dans leur région d'origine.

Le cheval de trait

Là où il passe, l'herbe ne repousse pas ! C'est ce qui vient à l'esprit quand on regarde travailler un cob dont la tâche revient à tirer des troncs d'arbres lourds de 600 kg dans un sous-bois. Mais cette pensée ne saurait être plus fausse, car les chevaux sont de véritables protecteurs de la nature, car leur passage n'aplanit pas le sol de la même manière qu'une machine. L'espace vital des micro-organismes n'est pas altéré, et de fait, l'herbe peut parfaitement repousser sans la moindre difficulté.

travailler les animaux lourds d'une tonne de muscles, dotés pourtant d'une grande volonté de bien faire.

La prise de conscience des intérêts écologiques a quelque peu remis le cheval de trait au goût du jour ces dernières années, et on l'a vu reparaître dans les forêts, tirant sa charge en contournant tous les obstacles et sans jamais abîmer les jeunes arbres. Pour les forestiers soucieux de la nature, le cheval de trait reste incontournable au moment de la coupe et du transport du bois.

Toutefois, le travail d'équipe de l'homme et du cheval a disparu au tournant du xxᵉ siècle. Comme les tracteurs et les autres machines agricoles paraissaient plus efficaces, on cessa soudain de faire

moissonneuse-batteuse de 12 mètres de large, qui pesait 15 tonnes. Pour la déplacer, il fallait 42 chevaux. C'étaient les mêmes qui transportaient sans dommage les paysans jusqu'au marché de la ville.

Les chevaux de trait typiques comme le brabant, l'alezan de la Forêt-Noire et le shire ont fini par être remplacés par les tracteurs. Toutefois, fai-

re expéditive et impitoyable, et finissaient pendus à la plus grosse branche d'un arbre. Les bandits de toutes sortes abondaient. Ils s'attaquaient aux malles-postes et parfois même aux voitures de chemin de fer.

Dans les lieux où les colons cherchaient à s'établir vivaient les Indiens qui s'étaient établis là depuis longtemps. Leur style de vie naturel et leurs manières amicales de traiter les chevaux étonnaient beaucoup les Américains. Ils n'utilisaient pas de lourdes selles et se faisaient rarement mordre, ils se contentaient bien souvent de monter à cru et passaient une simple ficelle autour du cou de l'animal. Il fut impossible de trouver une cohabitation paisible entre les envahisseurs et les Indiens,

Le cow-boy le plus emblématique de la bande dessinée reste Lucky Luke, qui tire plus vite que son ombre et dont le principal objectif dans la vie reste la chasse aux Dalton. À la fin de toutes ses aventures, Lucky Luke s'éloigne en chantant dans le soleil couchant, sur le dos de son cheval Jolly Jumper.

Lors de la bataille de Little Big Horn, livrée le 25 juin 1876, le régiment de cavalerie du général Cluster fut neutralisé par les combattants d'une tribu indienne dirigés par leurs chefs Sitting Bull et Crazy Horse. Le sanglant triomphe des Indiens entra dans l'histoire.

L'Ouest sauvage

La conquête de l'Ouest américain a inspiré des films, des romans, des légendes, des histoires vraies ou inventées. Toutes évoquent le colon blanc et les Indiens pourchassés, la guerre, la justice expéditive et la ruée vers l'or, les shérifs et les bandits. Après l'acquisition de l'indépendance en 1783, les pionniers colonisèrent le pays peu à peu jusqu'à l'océan Pacifique. Hommes et femmes seuls, familles entières s'engagèrent dans un périlleux voyage pour aller s'approprier des terres vierges. Les chevaux et les mules emportaient sur cette route dangereuse, dans des chariots bâchés, les équipements et les outils. Tous se frayèrent lentement leur chemin vers l'Ouest, flanqués de cavaliers armés qui devaient assurer leur protection. Posséder des chevaux était un signe de grande richesse. Les voleurs de bétail sévissaient en grand nombre, mais lorsqu'ils étaient attrapés, ils étaient bien souvent jugés de maniè-

car la cavalerie chassait impitoyablement ces derniers de leurs terres. Les Indiens, qui résistèrent en vain, remportèrent toutefois quelques grandes batailles. L'armée américaine subit son pire revers face à la fédération des tribus indiennes en juin 1876. Sous l'égide du chef indien Tataka Yotanka (« Sitting Bull »), les Sioux Hunkpapa et les Sioux Téton, les Arapahoes et les Cheyennes s'unirent pour résister à l'envahisseur. Sitting Bull travailla avec un second chef de guerre expérimenté, Tashunta Witko, connu sous le surnom de « Crazy Horse », et mit au point une tactique qui finit par porter ses fruits. Lors de la célèbre et dévastatrice bataille de Little Big Horn, près de la rivière du même nom, les Indiens réussirent à encercler le général George Armstrong Custer et son 7e régiment de cavalerie. Le général s'était montré léger dans ses décisions. La totalité des 225 soldats et leurs chevaux trouvèrent la mort, à une exception près. Le seul survivant du côté américain fut le cheval Comanche, qui resta, gravement blessé, aux côtés de son cavalier pendant plusieurs jours. Des soldats venus en renfort parvinrent à le sauver et Comanche obtint un statut de héros. Il fut libéré du service militaire et ne se montra plus que lors de parades. C'est à Fort Riley qu'il coula ses derniers jours, en se promenant librement.

LES HÉROS DE L'OUEST

Les romans de l'écrivain allemand Karl May se déroulent au milieu des Indiens et des colons. C'est lui qui créa la figure héroïque de Winnetou et de Old Shatterhand. Au cours de leurs premières rencontres, le fier Apache et l'arpenteur allemand sont ennemis, mais plus tard ils deviendront frères de sang. Sur leurs chevaux moreau Iltschi (le vent) et Hatatitla (le tonnerre), ils sillonnent le pays et luttent pour imposer la justice.

Aucun héros n'a connu autant de couchers de soleil que Lucky Luke, toujours accompagné de son ami le plus fidèle, Jolly Jumper. Cet équidé est une fine mouche qui a su tirer son cow-boy de bien des mauvais pas. Il est vrai que Lucky Luke tirait plus vite que son ombre, mais cela ne pouvait lui assurer la vie sauve en toutes circonstances, et sans Jolly Jumper il n'aurait certainement pas fait de vieux os. Le cheval blanc à la silhouette efflanquée ne s'est jamais laissé impressionner par les méchants frères Dalton et leur mère hystérique, ni par les belles dames élégantes qui cherchaient à faire les yeux doux à son propriétaire. À la fin de chaque aventure, Lucky Luke finissait toujours par entonner, du haut de sa selle « Je suis un pauvre cow-boy solitaire, qui erre loin de chez lui ».

Lucky Luke est un héros de bande dessinée, mais c'est sur le grand écran que John Wayne, lui, a fait ses preuves. Il y avait déjà dix ans qu'il tournait des films quand on a découvert son talent naturel à incarner des rôles dans les westerns. Personne mieux que lui, à Hollywood, ne savait arquer les jambes avec plus de décontraction. Lui seul mettait un tel charme à faire tourner son whisky dans son verre et à parler aux chevaux comme il parlait aux dames.

Sitting Bull était chef de tribu et sorcier d'une tribu sioux. Il prit une part essentielle à la victoire des Indiens contre la cavalerie américaine à Little Big Horn. Peu de temps après, il dut fuir devant l'armée et se réfugier avec son peuple au Canada, où il vécut plusieurs années en exil. Par la suite, il réintégra une réserve américaine et participa de temps en temps à la revue de Buffalo Bill.

Le cow-boy Marlboro

Pendant des années, le cow-boy Marlboro nous a tourmentés en cherchant à noyer notre univers dans un nuage de fumée blanche, en nous donnant à croire que les volutes bleues de ses cigarettes étaient les seules garantes de liberté et d'aventures.

Dans de nombreux pays, la publicité pour les cigarettes a été interdite à la télévision, et le cow-boy a dû se contenter des grands écrans des cinémas où on l'a vu tourner sa cuillère dans son bol de soupe, au coin d'un feu de camp. Aux États-Unis, un sort plus cruel l'attendait. Alors qu'à une époque, sa silhouette nonchalante ornait des panneaux publicitaires larges de 25 mètres trônant sur Sunset Boulevard à Los Angeles, c'est toute l'industrie du tabac qui s'est écroulée. Les plaintes se sont multipliées, accusant l'industrie d'avoir provoqué nombre de cancers du poumon, et des millions de dollars de dommages et intérêts furent versés. Le cow-boy Marlboro a dû disparaître et faire place aux campagnes anti-tabac.

Il était difficile de passer du rang de figure héroïque à celui de *persona non grata*. Près d'Hollywood, un cow-boy solitaire doit regarder pensivement les flammes de son feu de camp, avec un patch de nicotine collé derrière l'oreille…

WESTERN HEADQUARTERS
PONY EXPRESS

"HERE AT 2:45 A.M ON APRIL 4,1860, SAM HAMILTON DEPARTED WITH THE FIRST EASTBOUND MAIL. THE COURAGEOUS RIDERS OF THE PONY EXPRESS AND THEIR GALLANT STEEDS REDUCED MORE THAN HALF THE TIME OF COMMUNICATION BETWEEN WEST AND EAST. AND SAVED CALIFORNIA FOR THE UNION. ON THIS SPOT. AN HEROIC STATUE OF RIDER AND HORSE WILL BE ERECTED."

TAX DEDUCTIBLE CONTRIBUTIONS FOR THE STATUE CAN BE MADE TO SACRAMENTO SAVINGS AND LOAN ASSOCIATION P.O. BOX 872 , SACRAMENTO , CALIFORNIA . 95804

THOMAS HOLLAND . SCULPTOR

La première navette du Pony Express fut mise en place le 4 avril 1860 à Sacramento (Californie). On peut y admirer cette plaque commémorative qui évoque la mémoire des cavaliers messagers ainsi que leurs hauts faits.

La malle-poste au galop

Avant l'invention du télégraphe en 1837, il n'existait aucun moyen rapide de faire parvenir les nouvelles en dehors du courrier à cheval. La mise en place du Pony Express fut l'entreprise la plus onéreuse de tous les temps.

Les cavaliers de la paix

Dans les prés où fut bâtie la halle de Münster paissaient les chevaux des délégations qui avaient signé la paix de Westphalie, en 1648, au terme de trente ans de guerre. Pendant plusieurs années, des négociations furent menées à Osnabrück et Münster. Les offres de pourparlers et enfin le traité de paix lui-même furent confiés à des « cavaliers de la paix », qui reliaient les deux villes pour remettre les documents officiels aux souverains.

Les heureux messagers furent partout accueillis avec effusion, de sorte que beaucoup d'entre eux furent considérés comme des héros, comme le rapportèrent les chroniques de l'époque.

Son initiateur, William H. Russel, envoya le 4 avril 1860 le premier courrier sur les 3164 kilomètres qui séparaient Saint-Joseph, dans le Missouri, de Sacramento, en Californie. Les cavaliers devaient avoir moins de dix-huit ans et ne pas peser plus de soixante kilos. Ils devaient être prêts à parcourir 300 miles avant d'être relayés. Les poneys rapides qui portaient dix kilos de courrier sur les côtés de leur selle, étaient changés tous les

Une médaille a été frappée en hommage au célèbre Pony Express. On y voit un messager postal lancé sur un cheval au galop.

24 kilomètres le long d'un parcours qui comptait 165 relais. Les cavaliers disposaient de deux minutes et demie pour changer de monture, car il fallait que la totalité du parcours soit achevée en 9 à 10 jours.

William Cody, qui était alors âgé de quinze ans, et qui fut plus tard connu sous le nom de Buffalo Bill, eut un jour une tâche surhumaine à accomplir. Il dut parcourir 322 miles parce que deux équipiers manquaient pour assurer le relais au moment où il arriva aux lieux d'étape. Il fit le trajet en 24 heures et 40 minutes, ce qui correspondait à une moyenne de 21,4 km/h.

Les 400 poneys du Pony Express furent bientôt au fait de leur tâche et du chemin à parcourir. Il arrivait souvent, en ces temps troublés, que le cavalier ou sa monture reçoivent une balle ou une flèche perdue. Les coursiers et leur destrier poursuivaient imperturbablement leur route jusqu'au but fixé. Au cours des dix-huit mois qui suivirent la mise en route du Pony Express, une seule lettre fut perdue. Puis le service fut interrompu, car le chemin de fer et les malles-poste allaient plus vite, et pouvaient de surcroît transporter des passagers.

Il y avait longtemps qu'en Angleterre, le développement des techniques dépassait celui qui était progressivement mis en place sur le continent américain. Dès 1784, John Palmer avait fondé le Royal Mail, soit près de quatre-vingts ans avant la création du Pony Express. Toutefois, la plupart des coursiers, mal équipés, furent rapidement remplacés par des postillons.

En France, les coursiers à cheval chaussaient littéralement des « bottes de sept lieues » qui ont fini par laisser une trace dans la langue. Ils n'allaient pas particulièrement vite, mais méritaient cette formule parce qu'ils s'arrêtaient toutes les sept lieues pour changer de monture.

Buffalo Bill

À quoi ressemblait le légendaire Buffalo Bill ? Pour les enfants qui rêvent de combats entre les cowboys et les Indiens, il surgit en habits de trappeur, tout de cuir vêtu, chaussé de grandes bottes à franges, avec un chapeau vissé sur le crâne. C'est un *desperado* sans domicile fixe, qui n'est pas vraiment l'ami des Indiens et ne sait rien faire d'autre que viser juste et se vendre sous le nom de Buffalo Bill.

Une grande partie de ces images sont justes. Buffalo Bill, l'une des figures-cultes du grand Ouest sauvage, a bel et bien vécu. Né le 26 février 1846 dans le county de Scott (Iowa), il fut baptisé William Frederick Cody. À l'âge de vingt-deux ans, il devint officier de cavalerie et se battit pendant plusieurs années contre les Indiens. Plus tard, il travailla au Pony Express, fut saisi par l'esprit des pionniers et devint un célèbre éclaireur. Après la construction du chemin de fer transcontinental, en 1867-1868, il fut nommé directeur de l'approvisionnement. Les ouvriers qui travaillaient dur dépendaient de lui pour se nourrir, et il leur fournissait une nourriture solide à base de viande de bison, steaks et côtelettes, sans oublier le rôti de bison… En effet, William Cody semblait disposer facilement de ce genre de ravitaillement. D'après certains témoignages, il abattit lui-même 4 280 bisons en l'espace de dix-huit mois et décrocha ainsi le surnom de Buffalo Bill.

Sur la photo ci-contre, prise au tournant du siècle, il ne pose pas du tout en aventurier boucané par les intempéries, mais en gentleman soigné, en costume trois-pièces, avec col blanc et manchettes, sans oublier le chapeau clair et la barbe bien taillée.

Buffalo Bill était marié et, devenant père de quatre enfants, il choisit une vie moins précaire. Dès lors, il se mit à vendre sa propre légende. Il sillonna les routes des États-Unis et de l'Europe avec son « Wild West Show ». Le public s'y pressait nombreux, notamment parce que Cody se mettait en scène lui-même et qu'il était entouré de personnages prestigieux. C'est ainsi qu'il collabora plusieurs années avec le chef indien Sitting Bull. Près de trente ans plus tard, le nombre des spectateurs se mit à décliner de manière spectaculaire et Buffalo Bill mit un terme à son spectacle. William Cody mourut dans la pauvreté à Denver (Colorado) en 1917.

Priorité au cheval

« Je crois au cheval. L'automobile n'est
qu'un phénomène transitoire ! »

(Empereur Guillaume II)

Le cocher connaît le chemin !

Plus d'un passager a dû se consoler des fatigues de plusieurs semaines de voyage au travers du continent américain. Le voyage en diligence, que l'on appelait « stage coach » en Amérique, était tout sauf confortable, car on finissait par être rompu de courbatures, même dans les voitures les mieux suspendues. La première diligence mise en place par le Butterfield Overland Mail Service s'engagea le 17 septembre 1858 sur la route poussiéreuse qui menait de Tipton, dans le Missouri, à San Francisco, en Californie. Lorsque la diligence parvint à destination, au bout de 24 jours de route, elle avait parcouru 4500 kilomètres. Ce faisant, elle s'était arrêtée 165 fois afin de changer de chevaux et de postillon. Seuls les voyageurs étaient restés inchangés et se sentaient extrêmement fatigués.

Les voitures à cheval et les diligences peuplaient les rues des grandes villes au XIXe siècle. Le cheval était préposé au transport des personnes et des marchandises, et il constituait le moyen le plus agréable de se déplacer. Il tirait la voiture du laitier, celle des pompiers, le taxi, le corbillard ou – comme aujourd'hui encore en Allemagne – la charrette du brasseur. Par ailleurs, le tramway et les omnibus furent tractés par des chevaux jusqu'à l'électrification des lignes et l'invention de l'automobile. Toutefois,

Le halage

Bien avant l'invention du bateau à moteur ou à vapeur, les chevaux tiraient de lourdes charges, à contre-courant des fleuves, comme le montrent des fresques murales de l'Égypte ancienne. Les bateaux étaient traînés, à partir des rives du Nil, à l'aide de cordes solides, et les Romains apportèrent du matériel et des pierres le long du Rhin en vue de la construction de routes. Cette méthode fut appelée pour la première fois « halage » en 1180.

Il fallait une belle constance pour tirer les bateaux. On attelait dix hommes ou un cheval pour traîner dix tonnes de chargement, et on faisait parfois appel à des attelages de plus de douze chevaux qui luttaient pour se frayer un chemin sur les rives. Bien souvent, le voyage devait se poursuivre au milieu de marécages, lorsque le mauvais états des chemins de halage ralentissait la progression des chevaux.

Aujourd'hui, le halage se poursuit, mais il s'agit plus souvent de bateaux de tourisme.

l'apparente idylle entre les chevaux et les transports en commun n'existait guère. Bien souvent, les chevaux qui tiraient les bus et les diligences mouraient au bout de quatre ans de vie.

Les grandes villes comme New York et Londres, où vivaient plus de 200 000 chevaux vers 1885, étaient confrontées à de gros problèmes pour évacuer toutes les déjections de ces animaux, qui avoisinaient les 1630 tonnes journalières. Les chaudes journées d'été étaient particulièrement désagréables, lorsqu'une épaisse couche de crottin et de poussière recouvrait toutes les rues noyées dans une atmosphère moite. Après les fortes pluies, les rues non goudronnées exhalaient une terrible odeur, renforcée par celle de l'urine des chevaux. Malgré ces problèmes, il fallut attendre la première grande vague de motorisation pour chasser les chevaux des rues.

Jusqu'à l'invention des véhicules à moteur, les chevaux étaient indispensables aux transports en commun. Ils tiraient tout ce qui était monté sur roues, de la voiture de pompiers aux tramways.

Vers la fin de la Seconde Guerre mondiale, une terrible tragédie illustra à Berlin le choix déchirant qui se posait entre le cheval et la voiture. Nikolaï Bersarin, général de corps d'armée soviétique, avait été nommé premier commandant de la ville de Berlin du fait de sa conduite méritoire. Le général avait sillonné à cheval les routes de Russie, de Pologne et d'Allemagne de l'Est. Le 16 juin 1945, le général Bersarin, officiellement désigné comme « héros de l'union Soviétique », monta dans le véhicule de service, une automobile allemande, qui avait été mis à sa disposition pour s'acquitter de ses fonctions. Ce fut sa première et la dernière sortie en voiture. Le général fonça à pleine vitesse sur un camion et mourut sur le coup. Staline fut certes éprouvé par la nouvelle, mais le généralissime moscovite n'en fut pas étonné outre mesure. D'après un officier supérieur, Staline pensait que « le conducteur d'une automobile se transforme toujours en apache. Il perd tout sens de la discipline. Les chevaux ont

Jusqu'à l'installation du réseau ferré, les malles-poste ne se contentaient pas de distribuer le courrier. Elles transportaient aussi des passagers.

davantage de jugeote. » Staline se refusait à prendre la moindre disposition particulière pour ce « héros de l'Union soviétique ». L'administration politique fit toutefois en sorte que le corps soit rapatrié à Moscou et que le général soit enterré dans un cimetière de renom.

> « Ça ne se trouve pas sous le sabot d'un cheval »,
> dit la sagesse populaire, pour exprimer la difficulté
> à se procurer certains objets.
> « Monter sur ses grands chevaux », c'est se mettre
> en colère et parler avec autorité et prétention.

Le fiacre

L'image du taxi à cheval a marqué le paysage viennois dès 1693, mais c'est à Paris qu'on vit, trente ans plus tôt, la première voiture collective hippomobile, sur la place Saint-Fiacre. Le moine irlandais qui était révéré comme patron des chevaux depuis le VIIe siècle, fut désigné comme le parrain de ce nouveau mode de transport. Le modèle français donna lieu à une variante viennoise, puisque dans cette ville, le fiacre était tiré par deux chevaux et que le cocher assumait davantage de fonctions. Il ne se contentait pas de conduire les chevaux, mais renseignait les voyageurs étrangers, et à ses meilleurs moments, il chantait et sifflait pour les divertir. À cette époque, il y avait exactement 1 000 fiacres dans les rues de Vienne. On les célébrait dans les

chants de fiacre et Richard Strauss immortalisa la « Fiakermilli » en « postillonne » dans son opéra Arabella.

Aujourd'hui, les conducteurs de fiacre qui restent continuent de bichonner leurs deux « canassaucissons » comme ils les nomment affectueusement, mais ils doivent aussi faire face à divers tracas administratifs, car depuis 1998, ils doivent disposer d'une permission en bonne et due forme pour avoir le droit de se déplacer dans une ville. Parmi les certificats exigés, ils doivent fournir des renseignements sur les spécificités de leur voiture, sa maniabilité, la manière dont ils veillent à l'entretien des chevaux, leurs connaissances des parcours en ville et la solidité de l'attelage. Lorsque leur permis n'est pas conforme, ils ont le droit de jurer comme des charretiers. Entre

deux courses, le conducteur avale aussi une spécialité viennoise appelée fiacre, et qui est un simple verre de café

noir. La variante alcoolisée, avec du rhum, ne leur est autorisée que lorsque les chevaux sont dans leur stalle.

L'actuelle reine d'Angleterre dans son luxueux carrosse, tiré par les chevaux blancs de Windsor.

Transport familial

BEN HUR

Héros d'un grand roman historique, le téméraire conducteur de char a acquis la célébrité grâce à une typique mise en scène américaine à grand spectacle qui a donné un film culte de renommée mondiale. Lewis Wallace, écrivain originaire de l'état d'Indiana, a signé l'ouvrage où Ben Hur vit ses aventures, à l'époque de Jésus, sur mer, dans le désert, ainsi que dans les villes de Rome et Jérusalem.

Le moment crucial du film coïncide avec la course où Ben Hur conduit un attelage de quatre chevaux blancs, en lice avec cinq autres attelages d'alezans. Ben Hur cherche à se venger de la traîtrise de Messala, mais il y a aussi beaucoup d'argent en jeu dans la course. Le public se ronge les sangs jusqu'à ce que Ben Hur réduise son adversaire Messala à l'impuissance, et qu'il remporte la compétition sur les autres concurrents.

Les spectateurs cinéphiles se souviennent non seulement de Ben Hur, mais aussi des vingt-quatre chevaux qui durent fournir de gros efforts pendant le tournage pour entretenir le suspense en dépit des nombreuses raisons de céder à la panique.

LE CARROSSE DE DRACULA

Le comte Dracula et ses vampires noctambules voyagent de préférence dans un carrosse noir tiré par des chevaux moreaux. Lorsque le sanglant aristocrate reçoit des invités dans son château, il envoie sa voiture à leur rencontre, et les chevaux retrouvent seuls le chemin de sa demeure. Naturellement, ces destriers sont fidèles à leur maître et l'emmènent toujours dans les endroits où il trouvera à se désaltérer. Ils sont toujours prêts à le ramener en sécurité avant le lever du jour.

QUEEN MUM ET LA REINE ELIZABETH

À l'occasion de l'un de ses anniversaires, Queen Mum a emprunté le Concorde, parce que c'était l'un de ses vœux les plus chers. Néanmoins, cette reine alerte préférait traverser Londres en calèche. En 1940, elle refusa de quitter la capitale, en dépit de la menace des bombardements,

Le quadrige de Ben Hur fait partie des attelages les plus célèbres de l'histoire du cinéma. Le film reçut le prix spécial de la mise en scène du Golden Globe en 1960.

Queen Mum resta toute sa vie une adepte des calèches et elle fit de nombreuses promenades dans la ville de Londres, pour la plus grande joie des badauds.

contre l'avis du gouvernement de Churchill et celui de son mari le roi George VI. Les Londoniens ne l'ont jamais oublié. Jusqu'à sa mort en 2002, ils l'ont acclamée à chacun des anniversaires de sa fille Elizabeth, à l'occasion desquels elle traversait la capitale en calèche. La reine Elizabeth possède naturellement son propre carrosse, tiré par des chevaux blancs dits de Windsor, ce qui est un privilège dû au monarque en exercice.

LE QUADRIGE

Gottfried Shadow sculpta en 1794 la déesse de la paix, l'installa dans un quadrige qu'il plaça au sommet de la porte de Brandebourg. Le roi de Prusse Frédéric Guillaume II en avait décidé ainsi, mais lorsque Napoléon s'empara de la ville et de la moitié de l'Europe, il fit descendre le quadrige de la porte de Brandebourg et le fit transporter à Paris en 1814, à titre de trophée de guerre. Les Prussiens ne récupérèrent l'œuvre d'art qu'en 1814, lors de la défaite de Napoléon. Le quadrige put regagner Berlin.

La déesse de la paix reçut alors le nom de « Victoria », en souvenir de la déesse romaine de la victoire. En outre, l'antique couronne de lauriers qu'elle tenait à la main fut remplacée par une lance surmontée d'une croix de fer et de l'aigle impérial qui était le symbole de la Prusse. À cette occasion, l'orientation du quadrige fut également modifiée. L'attelage ne devait

plus regarder l'Ouest, d'où l'envahisseur français était venu. Elle fut tournée vers l'Est, parce que la magnifique avenue « Unter den Linden » s'étendait à ses pieds, vers l'Est elle aussi.

Le monument fut très abîmé à la fin de la Seconde Guerre mondiale. Ensuite, il fut restauré mais, dans la confusion qui régna au moment de la chute du mur de Berlin en 1989, il fut de nouveau endommagé. Cette fois, il fallut descendre le quadrige pour le remettre en état. Désormais, il a retrouvé sa place et peut être admiré de tous côtés.

Depuis 1794, un quadrige orne la porte de Brandebourg à Berlin. Cet attelage a connu des périodes fastes et néfastes, a été abîmé à de nombreuses reprises et a dû être restauré plusieurs fois.

> « Ma sœur, l'enfant de ma sœur, moi-même
> et trois autres enfants : la calèche est pleine ;
> il faudra donc que tu galopes derrière nous. »
>
> (William Cowper, avocat et écrivain anglais)

Les pacifistes
sur le front

Personne ne s'aventure à croire qu'en l'absence des chevaux sur les champs de bataille, les affrontements auraient été plus humains. Mais il n'est jamais venu à l'idée des hommes de laisser leurs chevaux en dehors de leurs affaires guerrières. Les maîtres des attaques à cheval furent les Mongols, qui au XIIe siècle fondaient sur leurs adversaires et avaient disparu avant que ceux-ci ne comprennent ce qui leur était arrivé.

Trois cents ans plus tard, les hussards, troupe d'élite hongroise, renouvelèrent ce genre d'exploits. Ils recrutaient de force leurs cavaliers dans les villages, en forçant un homme sur vingt à les suivre. Leur nom reflète cette pratique : *húsz* signifie vingt. Comme il y avait en Hongrie plus de chevaux que de cavaliers, les hussards ne se tenaient pas sur le dos d'un seul destrier mais de deux, et il n'était pas rare qu'ils tirent un troisième cheval derrière eux. Aujourd'hui, cette méthode équestre est illustrée dans des spectacles sous le nom de « monte hongroise ».

Au XVIe siècle, les chevaux de guerre se mirent à tracter de lourds équipements. Il en fallait six pour traîner les canons lorsque Frédéric II de Prusse envoyait son artillerie sur les champs de bataille. En outre, la cavalerie était indispensable car elle ouvrait la voie des troupes d'infanterie.

LA BATAILLE DE WATERLOO
Napoléon Bonaparte avait bien dormi et bien déjeuné, dit-on, lorsqu'il prit, de très bonne humeur, les rênes de son cheval le 18 juin 1815. Pour se rendre sur le champ de bataille de la petite ville belge de Waterloo, il

L'exercice que l'on appelle aujourd'hui « monte hongroise » dans les spectacles équestres fut longtemps pratiqué à des fins utiles : les hussards, cavaliers d'élite en Hongrie, ne se contentaient pas d'un cheval. Ils se tenaient souvent debout sur le dos de deux chevaux !

avait choisi de monter sa jument blanche Désirée, qui devait être plus tard relayée par l'étalon blanc Marengo. Il échafaudait des plans complexes et calculait ses chances de succès. Il disposait de 72 000 hommes et de 246 canons, alors que son adversaire, le duc anglais de Wellington, n'avait que 68 000 soldats et 156 canons. Pour la plus grande joie de

La bataille de Waterloo, livrée en Belgique en 1815, fut la dernière grande bataille de cavalerie de l'histoire. Ce fut aussi la dernière bataille de Napoléon Bonaparte. Après sa défaite, il dut renoncer à ses ambitions et s'enfuir en exil.

Napoléon, les Prussiens semblaient loin. Il venait de les décimer à Ligny. Le duc Arthur Wellington qui chevauchait sa meilleure monture, le petit étalon Copenhagen, s'était plaint de ne pas disposer de leur aide : « Je souhaitais le retour de la nuit et des Prussiens », raconta-t-il.

La première percée des Français, qui aurait dû être une simple manœuvre, se termina en massacre, au point que Napoléon se décida à donner l'ordre de l'assaut général. Les troupes du maréchal Michel Ney étaient bien groupées : 2000 chasseurs à cheval à l'avant, précédant 100 lanciers et 40 cuirassiers d'escadron. L'assaut général fut ordonné et 9000 chevaux étaient mêlés à la bataille. Le maréchal Ney eut quatre chevaux tués sous lui, et il s'attendit au pire lorsqu'il vit arriver les Prussiens avec leur « Maréchal en avant », comme aimait à se nommer Gebhard Leberecht Blücher.

La dernière grande bataille de l'histoire qui fit intervenir la cavalerie se solda par une sanglante défaite pour Napoléon et par de terribles pertes pour les deux camps. Les Français avaient perdu 25 000 hommes, Wellington 15 000 et Blücher 7000. Le nombre de chevaux morts est aujourd'hui estimé à plus de 20 000.

Au Musée national des soldats de plomb, à Omme aux Pays-Bas, la bataille de Waterloo a été reconstituée à l'aide de figurines peintes. Il est même possible de reconnaître les généraux. Ici, on aperçoit Napoléon.

Copenhagen, le cheval du duc de Wellington, qui avait porté son maître pendant dix-huit heures de suite, survécut. Pour le remercier de sa fidélité, Wellington lui fit quitter la cavalerie après la bataille et le mit en retraite dans le domaine qu'il possédait dans le Hampshire. L'étalon pur-sang vécut encore dix ans mais se mit à tourner le dos à tous ceux qui l'approchaient. Même quand Wellington venait le voir, Copenhagen lui témoignait peu de respect. Il fut toutefois honoré par de nombreux Anglais qui voulurent lui rendre visite. Lorsque Copenhagen mourut à l'âge de vingt-huit ans, Wellington fit écrire sur sa tombe : « Sans doute y avait-il des chevaux plus fougueux, et sûrement de plus beaux, mais aucun ne savait mieux que lui tourner le dos aux visiteurs et témoigner autant d'endurance. »

Les chevaux de Napoléon

Napoléon Bonaparte avait plus de 130 montures à sa disposition. Mais il n'était pas un véritable amoureux des chevaux, puisqu'il aurait « usé » plus de dix-neuf étalons blancs lors de soixante grandes batailles. En une seule occasion, il remercia Dieu et son cheval, lorsqu'il réussit à faire plier la résistance autrichienne en 1800, lors de sa victoire décisive dans la ville italienne de Marengo. À cette occasion, son cheval fut rebaptisé Marengo et devint sa monture fétiche, aux côtés de Vizir, qui était jusque-là son favori. Lorsque Napoléon était bien accompagné, rien ne pouvait l'arrêter. Il domina l'Europe, remporta la bataille d'Austerlitz sur l'empereur François d'Autriche et le tsar Alexandre Ier de Russie, et se rendit jusqu'à Moscou avant d'en revenir dans les conditions que l'on sait. Les souffrances de ses soldats et de ses chevaux lui importaient peu. « Cette nuit, plus de 10 000 chevaux ont crevé, écrivit-il sèchement. Nos chevaux normands n'ont pas tenu beaucoup plus longtemps que les bêtes russes, et il en a été de même pour les grenadiers ». La défaite de Russie était proche ; 48 000 chevaux laissèrent leur vie dans les steppes glacées, mais Marengo, qui disposait d'une constitution à toute épreuve, resta aux côtés de Napoléon. De même, à Waterloo, où Napoléon livra sa dernière bataille, le petit cheval blanc arabe fut fidèle au poste, mais son maître dut fuir et abandonner son cheval épuisé. Marengo fit partie du trésor de guerre des Anglais qui l'envoyèrent dans le haras de New Barnes, tout près d'Ely, où il mourut à l'âge canonique de 38 ans. Ses os font toujours partie de la collection du musée de l'Armée de Sandhurst, ce qui témoigne de la jubilation des Anglais devant leur victoire sur Napoléon. Ce dernier fut exilé à l'île de Sainte-Hélène et mourut, apparemment d'un ulcère à l'estomac, à l'âge de 52 ans. Peu avant sa mort, il déclara : « Je me sens si bien que je pourrais parcourir une vingtaine de kilomètres à cheval. »

Une chair à canon : les chevaux pendant les deux guerres mondiales

« Debout, camarades, à cheval, à cheval, au champ de bataille, la liberté vous appelle... C'est au champ de bataille que l'homme sait prouver sa valeur, et que son cœur bat avec force. » Tels étaient les mots de Friedrich Schiller quand il chantait les louanges de la cavalerie allemande. Seuls ceux qui y étaient allés pouvaient parler de la misère du front.

Depuis que le roi de Prusse Frédéric le Grand avait souligné la nécessité de bien former la cavalerie, les Uhlans, cavaliers équipés de lances, étaient craints sur les champs de bataille. Ils serviront encore au cours de la Première Guerre mondiale, même s'ils pouvaient être facilement désarmés par leurs adversaires fantassins. Les dragons, troupes de cavalerie légère, passaient les premiers, avec leurs vingt-huit régiments, sur

les champs de bataille et se battaient au sabre. Mais ils virent aussi venir leurs derniers jours avec la fin de la guerre, car les Français firent intervenir pour la première fois des tanks et des véhicules blindés.

Toutefois, l'armée allemande avait encore besoin des chevaux. En tout, elle en avait fait intervenir 1,4 million. Une partie d'entre eux devaient porter les équipements les plus lourds. Il fallait six équidés pour tirer les canons légers, huit à douze pour les pièces d'artillerie lourde. Les chevaux blancs furent déguisés en alezans pour être moins visibles de loin.

Les Anglais avaient des unités de soins pour les chevaux et, au cours des années de guerre, 2,5 millions d'animaux y furent traités. Il fut même possible de sauver les trois quarts d'entre eux. Mais 265 000 périrent, de froid ou de faim pour la plupart.

Au cours de la campagne de Palestine, en 1917-1918, les Britanniques remportèrent une victoire décisive à l'aide de la cavalerie. Sir Edmund Allenby, l'inspecteur général de la cavalerie, pris la tête d'un commando contre les Turcs. Il constitua une troupe d'intervention dans le désert, avec le soutien de troupes équipées de mitrailleuses et celle de la Royal Horse Artillery. Lorsque la ville d'Alep tomba en octobre 1918, la Palestine fut conquise. Bien que le Premier ministre anglais ait jugé les chevaux aussi irremplaçables que leurs cavaliers, les Britanniques témoignèrent

Le 14 juin 1940, les troupes allemandes entrèrent dans Paris. La cavalerie descendit triomphalement les Champs-Élysées, sans se douter de ce que la Seconde Guerre mondiale allait lui réserver au cours des années suivantes.

bien peu de gratitude à leurs fidèles collaborateurs, puisqu'ils vendirent 20 000 chevaux de cavalerie aux Égyptiens.

Même si les équidés faisaient désormais pâle figure face aux équipements modernes qui furent utilisés au cours de la Seconde Guerre mondiale, ils y trouvèrent plus d'utilité que jamais. Les Russes envoyèrent 3,5 millions d'entre eux sur les champs de bataille, en les entourant parfois d'unités blindées. L'infanterie allemande ne fut pas « entièrement motorisée » de manière immédiate, contrairement à ce que voulait laisser croire la propagande hitlérienne. Ainsi, 2,75 millions d'animaux partirent au front et beaucoup y perdirent la vie. Au cours de la seule bataille de Stalingrad, 52 000 chevaux furent sacrifiés en même temps que leurs cavaliers. En moyenne, 865 bêtes furent tuées tous les jours, entre 1939 et 1945, parfois pour des raisons absurdes. Au début de la guerre, lorsque les Allemands envahirent la Pologne, ils rencontrèrent un régiment de cavalerie et l'anéantirent. En 1941, un événement similaire eut lieu en Russie lorsqu'une division de cavalerie mongole affronta l'infanterie allemande. Les soldats installés dans les blindés purent se défendre facilement et ils ouvrirent le feu. En l'espace de quelques minutes, deux mille cavaliers et leur monture furent tués. Les Allemands se sortirent certes indemnes de cette bataille, mais la situation se renversa en leur défaveur lorsqu'ils se rendirent en Russie. Pendant toute une année, ils résistèrent, mais durent s'avouer vaincus en 1944 devant la presqu'île de Crimée. Les soldats reçurent un ordre terrible, celui de ne pas livrer leurs chevaux vivants à l'ennemi. Des milliers de chevaux furent alors exécutés.

Au cours de la Première Guerre mondiale, les chevaux comme les soldats furent équipés de masques à gaz pour se prémunir des produits asphyxiants.

Dans le Sud de la Russie, le général Eric von Manstein confia la garde de son quartier général à une troupe de cavaliers, exclusivement constituée de cosaques, avec leurs légendaires montures. Alors que ces derniers ne se souciaient guère de géopolitique internationale.

Au cours de la Première Guerre mondiale, les armées de tous les pays utilisaient les chevaux pour transporter des armes lourdes.

Un passé qui ne passe pas

Pendant de nombreuses années, l'un des présidents fédéraux de l'Autriche dut se défendre d'avoir été un soutien actif d'Adolf Hitler. On murmura longtemps que l'ancien chef d'État Kurt Waldheim, au pouvoir de 1986 à 1992, avait été membre de la cavalerie de l'armée allemande nazie. Toute la ville de Vienne se gaussa de la blague populaire selon laquelle Waldheim n'était pas membre des S.A. et que seul son cheval en faisait partie.

Réfugiés

Race : trakehner

Taille au garrot : 160 à 168 cm

Robe : toutes les couleurs de base

Description : selle élégant et endurant, croisé pur-sang

Origine : Prusse orientale

La fuite de la Prusse orientale

Plusieurs dizaines de milliers de réfugiés, originaires d'Allemagne de l'Est, virent à quel point les chevaux avaient la vie dure pendant l'hiver 1945. Les fugitifs avaient l'Armée rouge à leurs trousses, qui avançait sur Küstrin, Francfort et Berlin. Parmi eux se trouvait la comtesse Marion Dönhoff, qui avait vécu jusque-là dans son domaine de Friedrichstein, en Prusse orientale. Elle a raconté ses souvenirs dans un livre intitulé *Weit ist der Weg nach Osten* (« Qu'il est long, le chemin de l'Est », éd. DVA, Stuttgart) : « Au cœur de l'hiver, je suis partie à cheval, en croisant des routes innombrables, des morts et des blessés... Nous formions un convoi de fantômes. »

La comtesse, aujourd'hui disparue, est devenue écrivain, journaliste et éditrice du quotidien *Zeit*. Dans ses souvenirs, elle écrit : « À l'époque, un cheval valait bien un royaume. »

« Sa Majesté ordonne à tous les commandants des régiments de cuirassés de délaisser leur occupations individuelles, leurs pensées et leurs obligations pour les mettre au service du bien commun et pour devenir de bons cavaliers. »

Dès le début de son règne en 1740, le roi de Prusse Frédéric II avait finalement compris pourquoi ses régiments autrichiens n'étaient pas toujours les meilleurs et ne remportaient pas toujours la victoire. Ce n'étaient pas les chevaux, mais leurs cavaliers qui étaient en cause. C'est pour cette raison qu'il sortit le téméraire Friedrich Wilhelm von Seydlitz de sa prison et le nomma chef de cavalerie. Cet homme fit de la cavalerie autrichienne la plus efficace de tous les temps. Quand les hussards lançaient leur attaque, les adversaires ne voyaient ni n'entendaient plus rien.

Grâce à Frédéric Guillaume Ier, son père qui l'avait précédé sur le trône, Frédéric le Grand disposait des meilleurs chevaux. Frédéric Ier avait fait sélectionner des chevaux courageux et extrêmement endurants. Pour ce faire, il fit assécher à grands frais une zone marécageuse de 6 000 hectares située à proximité de Königsberg, afin d'y rassembler 1 100 trakehners

Les valeureux chevaux originaires de Prusse orientale durent s'exiler avec leurs cavaliers sur les champs de bataille étrangers au cours de la Seconde Guerre mondiale. Nombre de soldats périrent dans la neige et la glace, accompagnés de leurs chevaux, qui affrontèrent avec eux les pires conditions de vie.

de lignées différentes dans le haras royal. À l'époque de son apogée, le haras était surnommé le « royaume des chevaux » et il disposait d'une école, d'une poste, d'un hôpital et d'un hôtel, l'Élan. La marque de l'élan, connue dans le monde entier, avait été choisie en raison de la présence de nombreux élans dans la région.

Les trakehners sont de fins chevaux pur-sang, à la coupe musculeuse et à la démarche altière. À ce jour, ils forment un groupe à part et aucun croisement avec une autre race n'est plus toléré pour eux. Mais pour les autres éleveurs, ils sont intéressants. Les habitants de la Prusse orientale comme leurs chevaux ont prouvé leur courage, leur solidité et leur endurance en janvier 1945, lorsqu'ils ont dû fuir devant les chars de l'armée russe. Une file continue de réfugiés qui avançait de jour comme de nuit s'est formée. Des juments pleines tiraient par deux des voitures pesant 10 tonnes sur les routes verglacées, par moins 20 °C. Il y avait à peine à boire et à manger. Seuls huit cents juments et quarante étalons réussirent à sauver leur vie et celle de leurs propriétaires en parvenant à l'Ouest.

Ci-contre à droite : les élégants trakehners ne sont plus croisés avec d'autres races, mais on fait souvent appel à eux pour anoblir d'autres chevaux.

Ci-dessous : la superbe maison de maître du haras des trakehners, avec la statue équestre de Tempelhüter, à l'époque de son apogée. Aujourd'hui, le haras est totalement détruit et le bronze original orne l'entrée du musée du Cheval à Moscou.

Ci-dessous : la marque distinctive du trakehner est celle des bois d'élan. Les trakehners sont souvent surnommés affectueusement les « chevaux au bois d'élan ».

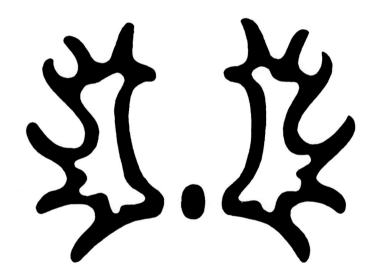

Tempelhüter

Le père de Tempelhüter se nommait Perfektionist. Et il fit en effet les choses à la perfection et donna naissance à une magnifique lignée de chevaux.

Cet étalon anglais pur-sang arriva en 1904 dans le haras de Trakehner, en Prusse orientale, et témoigna rapidement d'un bel entrain reproducteur, mais il dut être abattu trois ans plus tard, après s'être gravement blessé dans son box. Pendant sa courte vie, il eut pas moins de 131 rejetons, dont 32 étalons et 37 juments qui furent gardés en élevage sur place.

Sa liaison avec la belle Teichrose fut particulièrement heureuse et, de leurs amours, naquit Tempelhüter qui fit honneur à son nom et à ses géniteurs, avant d'entamer une carrière de reproducteur dans un haras de Braunsberg. Sa réputation le précéda et il fut désigné comme premier étalon du haras de Trakheners où il s'installa à demeure jusqu'en 1933. Tempelhüter a été le père de 54 nouveaux pensionnaires, 60 juments reproductrices et 100 chevaux de selle et de tournois.

Les éleveurs appréciaient tout particulièrement la longueur de son tronc, ainsi que sa hauteur au garrot de 159 cm. Ces traits correspondaient exactement à ceux qui étaient considérés comme l'idéal de beauté du trakehner, à l'époque. Et Tempelhüter semblait très conscient d'être un modèle du genre. Ce sont les Russes qui se le sont approprié après la Seconde Guerre mondiale. Depuis, le musée du Cheval de Moscou lui rend hommage. Le musée allemand du cheval à Verden a réussi, à force de diplomatie, à obtenir une copie de la statue de bronze qui le représentait. Ainsi, le souvenir de Tempelhüter n'est plus assuré seulement par sa descendance.

Dans plusieurs grandes villes du monde, ce sont des policiers à cheval qui gèrent la circulation automobile, comme ici à Barcelone, où cette tâche est assurée par un andalou.

Cette policière israélienne et son cheval sont bien équipés. Les masques de protection réduisent les risques de blessure en cas de choc.

Des chevaux au cœur de l'action

Cette tendance ne fait que s'accroître depuis quelques années : dans les stades où se jouent les matches de football, les fans des différentes équipes s'affrontent de plus en plus souvent, et il n'est pas rare de voir des échauffourées. Dans ce cas, l'intervention de policiers à cheval est très efficace, car les hooligans prennent vite la tangente lorsqu'ils se voient confrontés à un quadrupède. Par ailleurs, bien des délinquants ont plus peur d'un policier à cheval que de n'importe quel homme armé.

Il en va de même au cours des manifestations. Ni les lances d'arrosage ni les maîtres-chiens ne dispersent les manifestants aussi facilement qu'une escouade à cheval, qui agit la plupart du temps sans aucune violence. Le citadin se méfie du cheval, car il sait que la nature l'a doté d'une grande force et qu'il peut réagir de manière imprévisible. Ce n'est pas un hasard si la police choisit des animaux à sang chaud dont l'impact visuel est renforcé par leur puissance. En réalité, ce sont souvent des animaux particulièrement pacifiques, qui ne se départissent pas facilement de leur calme. Ces qualités ne leur viennent pas de leur naissance, mais de leur éducation. Les policiers leur en font voir de toutes les couleurs. Les chevaux sont formés pour sauter et obéir au doigt et à l'œil sans jamais s'énerver. Même en présence de tirs d'armes, ils ne paniquent pas, et ne tressaillent même pas, en règle générale, lorsqu'il reçoivent des projectiles, ou qu'un passant braillard leur crie dans les oreilles ou le saisit au mors. Grâce à leur entraînement, ces chevaux sont prêts à gérer ces situations.

Les chevaux policiers ne sont pas seulement sollicités pour les cas exceptionnels. Au quotidien, leur service est totalement décontracté et chaleureux. Tout chef de police sait que ces animaux attirent la sympathie et qu'ils constituent un avantage pour le fonctionnaire qui les monte. Quand ceux-ci sont installés à deux mètres au-dessus de la mêlée, ils ont une meilleure vue d'ensemble sur les piétons et peuvent, même au cœur d'une cohue comme celle qui précipite les gens dans les magasins aux

Du cheval policier au stade olympique

Aucun couple n'est aussi respecté que celui que forme le commissaire Klaus Balkenhol avec son cheval policier Goldstern. Tous deux ont remporté une médaille d'or de dres-

sage avec leur équipe aux jeux de Barcelone et d'Atlanta, ainsi qu'une médaille de bronze en compétition individuelle.

Le grand wallach alezan a été découvert par Klaus Balkenhol et acheté par ses soins pour la police. Balkenhol a entraîné Goldstern pour le grand prix et les Jeux olympiques alors qu'ils étaient basés dans la ville de Düsseldorf. Toute liberté leur a été donnée pour que tous deux puissent se concentrer sur leurs activités sportives. Dès lors, Goldstern n'était plus préposé à la réglementation de la circulation ni à d'autres fonctions policières.

Quand le cavalier et le cheval ont quitté le service actif au début de l'année 1999, Goldster a rejoint son ami Klaus Balkenhol dans la région de Münster où il a pu goûter avec lui aux joies de la retraite.

La plupart des passants témoignent un respect instinctif aux policiers à cheval, et de ce fait, il est bien souvent inutile de faire usage de la force pour faire respecter l'ordre.

périodes de fêtes de fin d'année, repérer facilement un voleur à la tire et le rattraper, ce qui n'est pas toujours le cas d'un policier à pied. Leur souplesse d'intervention est telle que l'on s'étonne de ne pas voir davantage de policiers à cheval dans les rues des villes.

L'escouade à cheval est bien perçue par la population et elle ne provoque aucune pollution. Elle assure bien souvent la sécurité des citoyens en tou-

tes saisons. L'été, on voit les policiers à cheval patrouiller dans les jardins publics et les espaces de loisirs. L'hiver, elle peut surveiller les quartiers résidentiels pour éviter les cambriolages.

Dans le monde entier, que ce soit à Londres, Tokyo ou Barcelone, en Jamaïque ou sur les îles Fidji, les forces de l'ordre comptent sur leurs patrouilles montées. La palme revient sans aucun doute aux membres de la Royal Canadian Mounted Police, dont la tradition remonte à l'année 1873. Les « Mounties », comme ils sont appelés au Canada, sont immensément populaires et ont été élevés au rang de symbole national.

La Royal Canadian Mounted Police est la police fédérale canadienne à cheval. Les « Mounties » sont connus pour leurs parades en uniforme rouge et noir.

Emblèmes équins

FORD MUSTANG

Le 17 avril 1964, à l'occasion de la présentation de la première Ford Mustang, les salles d'exposition des concessionnaires sont le théâtre de scènes incroyables. À San Francisco, un conducteur fasciné ne peut détacher son regard d'une affiche publicitaire... et termine sa route dans un salon automobile.

Au Texas, une quinzaine de clients, tous désireux d'acquérir le même modèle d'exposition, frôlent la bagarre généralisée. Le plus offrant, un homme originaire de Dallas, ne prend aucun risque et s'enferme dans la voiture où il demeure jusqu'au lendemain, son chèque alors avalisé.

À Chicago, un concessionnaire se voit obligé de fermer ses Mustang en exposition, car la foule qui se presse ne comprend pas que l'habitacle de la quatre places ne peut accueillir simultanément huit curieux.

À Deaborn dans le Michigan, le constructeur se frotte les mains. En effet, la Mustang se révèle le plus grand succès commercial de toute l'histoire du groupe. Une conception solide alliée à une vaste gamme d'options et un prix particulièrement serré contribuent à faire de la Mustang la plus célèbre des « pony cars ». Ford propose évidemment une finition

intérieure à la hauteur, avec des silhouettes de chevaux en relief sur les dossiers des fauteuils. Cet habillage fait de cette pony car une Mustang luxueuse.

La première Mustang sort des usines Ford en 1964 et s'est acquis au fil des ans une telle communauté de fans qu'elle est toujours produite à l'heure actuelle. Son design a cependant été maintes fois revisité de fond en comble.

Le cheval-vapeur

Unité de puissance adoptée dans le monde entier, un cheval-vapeur (ch) équivaut à la force nécessaire pour monter une charge de 75 kg à la vitesse de 1 m/s. Dans la réalité, un cheval se révèle dix à treize fois plus puissant. C'est peut-être pourquoi cette unité de mesure a été supprimée en 1978, après avoir prévalu, des décennies durant, pour indiquer la puissance des voitures. L'unité alors courante, le cheval, a été remplacée par le kW (kilowatt). Mais comme 1 ch n'équivaut pas à 1 kW, mais exactement à 0,735 kW, ce changement d'unité s'est accompagné de son lot de difficultés. Techniciens et vendeurs doivent, aujourd'hui encore, expliquer à leur clientèle que 1 kW correspond à 1,36 ch. Quant au cheval fiscal (CV), c'est l'unité prise en compte par l'administration pour la taxation des automobiles en fonction de leur puissance.

PEGASO

Pegaso, le constructeur automobile espagnol, n'équipait pas ses voitures d'une paire d'ailes, mais leur octroyait un nombre important de chevaux. Ainsi, ses voitures au caractère résolument sportif associé à un design élégant d'inspiration italienne étaient destinées à lui ouvrir le marché automobile des années 1950. Certes, les quelque 257 km/h en vitesse de pointe étaient susceptibles d'impressionner la concurrence, toutefois les bolides ne trouvèrent pas preneurs. Seule une centaine de voitures furent produites.

FERRARI

Produits de luxe par excellence, les voitures à la livrée rouge de la Scuderia Ferrari, les authentiques, celles arborant l'étalon noir de Ravenne sur fond

Mobilgas, la plus ancienne compagnie pétrolière australienne, fondée en 1895, a choisi comme emblème plus qu'un simple cheval : Pégase. Le logo, lancé en 1939, reste l'un des plus connus sur tout le continent.

Bien qu'Enzo Ferrari ait été autorisé, dès 1923, à utiliser l'emblème du cheval cabré, il n'en fera usage pour la première fois que neuf années plus tard. Aujourd'hui, ce blason est la marque déposée de Ferrari.

jaune, affichent des prix respectables. La légende veut qu'Enzo Ferrari (1898-1988), fondateur de la marque et coureur automobile de talent, ait reçu en 1923 l'emblème du cheval cabré comme porte-bonheur, lorsqu'il remporta le Grand Prix de Ravenne. Auparavant, le « cavallino rampante » s'affichait sur le blason du régiment de cavalerie du Piémont.

PORSCHE

Outre une finition soignée dans les moindres détails, les luxueuses voitures de sport présentent des similitudes étonnantes. En effet, Porsche a également choisi le cheval pour symboliser le dynamisme et la rapidité. Emprunté au blason de la ville de Stuttgart, le cheval noir orne les calandres de la marque depuis 1948.

JEANS MUSTANG

Véritable symbole de liberté, le blue jeans conquit l'Europe à la fin de la Seconde Guerre mondiale. Toutefois, les produits de fabrication américaine restaient rares et leur prix prohibitif n'en faisait pas un produit démocratique. Mais la situation évolua en 1949 lorsque les premiers jeans « made in Germany » apparurent sur le marché grâce à Albert Sefranek. Ce dernier échangea à Francfort six bouteilles de schnaps contre six jeans américains. Il en copia alors la coupe et, fort de son esprit d'entreprise,

se lança dans la commercialisation de l'« american style ». Toutefois, la production s'effectuait dans un premier temps sans toile denim, l'étoffe dont étaient véritablement cousus les rêves de jeans. Vers la fin des années 1950, lorsque Sefranek parvint enfin à importer du véritable denim américain, les jeans Mustang accédèrent à la célébrité : ils sont désormais portés dans le monde entier.

PALOMINO

Logo de la firme d'habillement C&A, le cheval noir à la robe tachetée de bleu, rouge et vert, a orné, trois décennies durant, les étiquettes des vêtements d'enfants.

Toutefois, ce cheval d'étoffe n'a rien de commun avec le palomino, un animal vif dont le caractère équilibré lui vaut l'affection des cavaliers de tous âges. Il arbore une robe aux reflets dorés et des crins clairs ou argentés.

À l'instar de Ferrari, un cheval noir fait office d'emblème du constructeur automobile Porsche. Ce logo mondialement connu a été dessiné par Ferry Porsche, le fils du fondateur de la marque.

Des athlètes d'exception

Le sport des rois

Depuis toujours, la course hippique est considérée comme « le sport des rois ». À juste titre, car les rois et les puissants de ce monde ont toujours apprécié les chevaux de race, les plus beaux spécimens et les plus rapides suffisant à peine à satisfaire leur passion.

Le galop rapide est une aptitude innée du cheval. En des temps où prairies et steppes constituaient son principal habitat, il lui était souvent vital d'adopter le galop allongé pour échapper au danger. Une fois le cheval domestiqué, la vie en communauté avec l'homme l'a protégé de bien des dangers, mais l'instinct de fuite a perduré. En effet, aujourd'hui, un cheval envisage toujours la dérobade avant le combat. Mais sous cette apparence de pétochard se cache en réalité un formidable sprinter doué d'une endurance peu commune.

Ce n'est donc pas un hasard si l'homme a eu l'idée de faire de cet instinct un divertissement. La course de chars était la seule discipline olympique équestre de l'Antiquité. Il faudra attendre l'an 720 av. J.-C. pour que se tienne la première épreuve montée. Aux Romains revient donc le mérite d'avoir développé la course et l'élevage des chevaux adaptés à cette épreuve. Mais le berceau de la discipline équestre se situe néanmoins en Angleterre, où l'empereur Septime Sévère s'installe en l'an 208, après avoir remporté sa campagne contre les Britanniques. Grand amateur de courses, il va même jusqu'à faire venir des chevaux du lointain Orient. En effet, l'île n'abrite alors que de rustiques poneys. C'est dans ce contexte historique que les jalons qui mèneront au pur-sang anglais sont posés.

La course hippique telle qu'elle est pratiquée aujourd'hui trouve son véritable essor aux XVIIe et XVIIIe siècles, grâce à la maison royale d'Angleterre. Sous le règne de Charles Ier, Newmarket devient la capitale de la discipline et de l'élevage de chevaux de courses. C'est par ailleurs dans cette même ville que s'est tenue la toute première vente aux enchères de pur-sang. Lorsque le roi est destitué, Oliver Cromwell, puritain intransigeant et nommé Lord Protector, prohibe en 1654 les courses hippiques publiques. Toutefois, la restauration de la monarchie avec Charles II, six ans plus tard, lève l'interdiction. L'élevage des pur-sang ne cesse alors de se développer et requiert désormais une organisation extrêmement centralisée. Est alors fondé en 1752 le Jockey Club anglais, instance toute-puissante qui, aujourd'hui encore, réglemente les courses et l'élevage des pur-sang. Lors des fêtes de l'aristocratie anglaise sont sans cesse inventées de nouvelles courses, donnant ainsi naissance à certaines classiques qui sont parvenues jusqu'à notre époque. La Oak Stake, par exemple, a été baptisée du nom du pavillon de chasse où a germé l'idée d'une compétition réunissant uniquement les pouliches de trois ans.

James Weatherby assure la compilation soigneuse des origines de tous les pur-sang de l'île dans le grand livre généalogique hippique, le *General Stud Book*. Sans cet ouvrage de référence, toujours publié par la société Weatherby, personne ne serait aujourd'hui en mesure de remonter les lignées des animaux.

L'enthousiasme pour ce sport de vitesse dépasse peu à peu les limites de l'île pour gagner progressivement le reste du monde. En 1832 est fondée en Allemagne l'association hippique de Bad Doberan, puis la France se dote en 1863 de sa première grande course, le Prix du Jockey-Club.

Il est important d'avoir une bonne position de sortie dès l'entrée des lignes droites, car quiconque placé à l'intérieur ne peut qu'espérer voir se dégager une trouée devant lui. L'option de doubler par l'extérieur est envisageable, mais requiert une grande puissance.

Pendant deux décennies, l'Allemagne se contente quant à elle du Derby d'Allemagne du Nord jusqu'à ce que se court le premier Derby allemand à Hambourg, en 1889. En 1875 est créé le Derby du Kentucky aux États-Unis.

Sur un terrain lourd, le passage d'un peloton important ne laisse au final que peu d'herbe sur la piste.

Le roi de la discipline

Sa façon de sauter de cheval à chaque victoire l'a rendu célèbre dans le monde entier. Toutefois, ce ne sont pas ses sauts artistiques qui ont fait de Lanfranco Dettori le maître de la course hippique. Avec plus d'une centaine de victoires en Groupe 1 – celui des courses les plus prestigieuses – l'Italien reste à ce jour le jockey le plus titré du monde. Que ce soit Ascot, Paris, Hong Kong, Dubaï, Tokyo ou New-York, il n'existe pas une course d'importance qu'il n'ait déjà remportée.

Loin d'être en âge de raccrocher sa cravache, Dettori promet, avec ses trente-cinq ans, de nous régaler de ses bondissements de joie encore quelques années avec une belle régularité. À l'instar de cette journée du 28 septembre 1996 à Ascot, où il remporte les sept courses de la réunion. Il réussit ici ce qu'aucun autre n'avait

accompli avant lui : tous ses départs sont couronnés par son passage victorieux de la ligne d'arrivée. Mais comme bien souvent, le bonheur des uns fait le malheur des autres et les vrais admirateurs de Dettori ont provoqué la faillite de nombre de bookmakers en pariant sur ce coup-là et remportant alors des gains de plusieurs centaines de millions.

L'Italien n'est, pour sa part, pas sujet aux plaies d'argent. Il court sous les couleurs bleu royal de Godolphin, l'écurie du cheik Al Maktoum de Dubaï. La famille Al Maktoum s'est réservée, et on la comprend, l'exclusivité de « Frankie » car ses talents ne se limitent pas à d'improbables sauts jubilatoires : il est également pourvu d'une farouche volonté de vaincre, d'un style monté élégant et surtout de la faculté d'aiguillonner les délicats chevaux de course pour les pousser

au maximum de leurs performances. Car, pour Dettori, une chose est sûre : l'issue de la compétition dépend à 80 % de la monture.

Le jockey italien, dont la taille affiche 1,65 m, a hérité du talent de son père, Gianfranco, champion d'Italie à treize reprises et vainqueur de quelque 4 000 courses. Lorsque Dettori senior offre un poney palomino à son jeune fils de huit ans, la destinée de junior est toute tracée : il sera jockey. Lanfranco participe à sa première compétition à neuf ans et à quinze ans, il part pour l'Angleterre afin d'apprendre toutes les arcanes du turf à Newmarket. L'île britannique devient alors sa terre d'adoption où il est anobli, recevant la distinction de *Member of the British Empire*.

Sa carrière exemplaire se serait terminée prématurément si sa bonne étoile ne veillait pas sur le crack. En

effet, Dettori réchappe au crash de son petit avion privé avec une simple jambe brisée. Deux mois plus tard, ce père de cinq enfants récupère la totalité de sa condition physique et déclare aujourd'hui : « Si je dois mourir un jour, ce sera sur le dos d'un cheval au galop. »

Pendant la saison, il s'agit seulement de garder les galopeurs en jambes. Après une course difficile, le travail matinal se limite à un exercice léger.

Tout en légèreté

Petits, endurants et aussi légers que possible. Voilà ce à quoi tendent, non pas les chevaux, mas les jockeys ! En outre, il leur faut également savoir se battre âprement pour la victoire et contre les kilos superflus à jamais indésirables sur la balance. Un jockey doit peser environ 50 kg, pas beaucoup plus.

Seuls quelques élus parviennent à embrasser la dure carrière de jockey. Les rares cavaliers qui réussissent à s'imposer et à s'assurer un revenu substantiel, quant à eux, fréquentent régulièrement tous les hippodromes du monde.

Il faut savoir que le chemin est long avant de parvenir à un tel statut. En France, la formation de lad-jockey s'effectue sur trois ans pour un CAPA (certificat d'aptitude professionnel agricole). Mais les connaissances hippiques ne suffisent pas à faire carrière.

Employé par un entraîneur ou un propriétaire d'écurie, le jockey perçoit une rémunération à chaque course : la monte perdante. Il empoche par ailleurs 7 % du prix remporté par sa monture.

Mais le goût de la victoire, lui, n'a pas de prix. Rien n'est plus magique que d'être le premier et de réaliser le meilleur temps en employant tout son courage, en équilibre parfait sur ses étriers, amortissant tous les chocs du galop. Ne pas être porté par le cheval, mais voler avec lui vers l'objectif commun de la victoire, aiguillonné par les encouragements des spectateurs et les cris de jubilation de ceux qui ont parié un euro ou une véritable petite fortune. Le vétéran de la corporation est le jockey hongrois Pal Kallai, toujours en selle sur les compétitions, en dépit de ses soixante-treize ans.

Le métier de jockey reste un domaine presque exclusivement masculin. Les femmes jockeys, qui n'en sont pas moins des gagnantes, quittent souvent le milieu de la compétition pour devenir cavalier d'entraînement. En outre, si l'on jette aujourd'hui un regard en coulisses, le constat est immédiat : la profession d'entraîneur s'est beaucoup féminisée au cours de ces dernières années.

Une question d'équilibre : le handicap

Pour que la course reste intéressante et que les chevaux les plus lents gardent une véritable chance de gagner contre ceux qui sont vraisemblablement plus forts qu'eux, le concept de « handicap » a été créé à des fins de justice. En fonction de la performance moyenne de l'ensemble des chevaux, les meilleurs sont alourdis par des poids supplémentaires.

La règle d'or suivante s'applique : une différence de 1 kg donne au cheval une longueur d'avance par rapport au but. Le poids est calculé en fonction de la dernière prestation du cheval, et il est établi par des « handicapeurs ». En outre, ces messieurs se voient confier, à la fin de chaque année, la tâche de déterminer le poids général d'équilibre de chaque cheval inscrit au registre des pur-sang et des chevaux de course.

En théorie, tous les chevaux impliqués dans la course devraient logiquement arriver en même temps sur la ligne d'arrivée. En pratique, il y a toujours un gagnant.

Les selles de course sont extrêmement légères, présentant un poids allant de 250 grammes à 1 kilo.

À l'entraînement, les jockeys montent avec des étrivières beaucoup plus longues qu'en course et galopent tranquillement de concert, sans esprit de compétition.

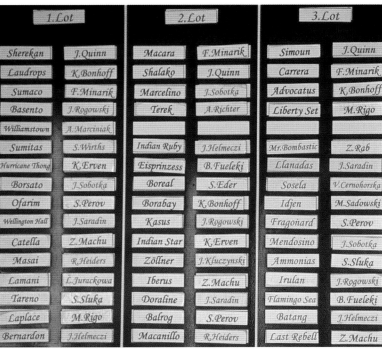

1.Lot		2.Lot		3.Lot	
Sherekan	J.Quinn	Macara	F.Minarik	Simoun	J.Quinn
Laudrops	K.Bonhoff	Shalako	J.Quinn	Carrera	F.Minarik
Sumaco	F.Minarik	Marcelino	J.Sobotka	Advocatus	K.Bonhoff
Basento	J.Rogowski	Terek	A.Richter	Liberty Set	M.Rigo
Williamstown	A.Marciniak				
Sumitas	S.Wirths	Indian Ruby	J.Helmeczi	Mr.Bombastic	Z.Rab
Hurricane Thong	K.Erven	Eisprinzess	B.Fueleki	Llanadas	J.Saradin
Borsato	J.Sobotka	Boreal	S.Eder	Sosela	V.Cernohorska
Ofarim	S.Perov	Borabay	K.Bonhoff	Idjen	M.Sadowski
Wellington Hall	J.Saradin	Kasus	J.Rogowski	Fragonard	S.Perov
Catella	Z.Machu	Indian Star	K.Erven	Mendosino	J.Sobotka
Masai	R.Heiders	Zöllner	J.Kluczynski	Ammonias	S.Sluka
Lamani	L.Jurackowa	Iberus	Z.Machu	Irulan	J.Rogowski
Tareno	S.Sluka	Doraline	J.Saradin	Flamingo Sea	B.Fueleki
Laplace	M.Rigo	Balrog	S.Perov	Batang	J.Helmeczi
Bernardon	J.Helmeczi	Macanillo	R.Heiders	Last Rebell	Z.Machu

Grâce au planning, l'organisation est reine. Le tableau indique à chaque cavalier d'entraînement quel cheval monter et à quelle heure.

Les jours de courses, l'excitation est à son comble en salle des jockeys. Tout en s'habillant, ils ne quittent pas le moniteur des yeux diffusant les images des courses en cours.

Sans l'aide des pousseurs et des tireurs, les jockeys ne parviendraient pas à faire entrer leur monture dans les stalles de départ. Pour les plus récalcitrants, on leur enfile une capuche.

Dernière ligne droite : les jockeys sollicitent les dernières forces de leur monture. La cravache n'est généralement que brandie, car son usage démesuré est pénalisé.

Dick Francis

L'hilarité était certes bien supérieure à l'assentiment, mais le sujet entraîna des discussions passionnées sur les champs de course : Winston Churchill, lui-même fier cavalier avant d'être nommé premier Lord de l'Amirauté, puis Premier ministre à Londres, tomba à bras raccourcis, en une seule déclaration, sur les parieurs et bookmakers : « Tous ceux présents sur l'hippodrome ne sont pas des criminels, mais tous les criminels sont sur l'hippodrome. » Il n'en fallut pas plus pour que le courageux jockey et cavalier d'obstacles Dirk Francis, excusez du peu, ne prenne l'affirmation à cœur et ne descende de sa selle pour devenir reporter. Avec un instinct de limier, M. Francis se lance dans l'enquête, fouillant bureaux de bookmakers et boxes de chevaux. Soupçonnant bien des choses qu'il ne peut toutefois pas prouver noir sur blanc, il se glisse dans le rôle de l'écrivain et publie sans relâche nombre de romans policiers se déroulant dans le milieu hippique.

Sir Dick, ainsi que tous l'appelaient avec respect, inspirait la crainte car, avec lui, le monde des courses avait hérité d'un observateur intransigeant.

Le microcosme de l'hippodrome

Quelles que soient les couleurs qu'ils soutiennent ou leurs origines sociales, les amateurs de courses sont galvanisés par l'univers animé et bigarré des hippodromes, car tous partagent la même passion. Le monde des champs de course constitue un véritable microcosme.

Petit lexique hippique

Balance : avant la course, les jockeys sont pesés avec leur équipement dans la salle des balances. Les jockeys dont le poids affiché est inférieur à la valeur de référence définie au préalable sont alors équipés de surcharges. Après la course, ils sont à nouveau soumis à une pesée de contrôle.

Blender : cheval dont l'aspect fait bonne impression, mais dont les performances en course ne se révèlent pas convaincantes.

Canter : il s'agit du galop d'échauffement par lequel le cheval se rend au départ. Il permet d'assouplir les muscles de la monture avant l'effort.

Commissaires : arbitres des courses, les commissaires veillent, via le système vidéo de la piste, au bon déroulement de la compétition. Ils peuvent prendre des sanctions ou disqualifier le cheval et son jockey, par exemple en cas de comportement non sportif ou bien dans le refus patent de saisir une possibilité de victoire.

Couleurs : chaque propriétaire a ses propres couleurs enregistrées, lesquelles ornent la toque et la casaque du jockey pendant la course.

Crack : cheval d'exception remportant de grandes courses ou également le meilleur de l'écurie.

Dead-heat : signifie ex-aequo, lorsque la photo finish ne permet pas de départager deux ou plusieurs chevaux franchissant simultanément la ligne d'arrivée. Les chevaux impliqués dans cette arrivée se partagent la victoire ou la place. Les paris sont également payés sur les deux chevaux. Il est arri-

Indispensable en cas d'arrivée difficile à départager : la photo finish. Pour le juge à l'arrivée et les parieurs, elle est la preuve indiscutable d'une victoire ou d'une défaite.

vé une unique fois dans l'histoire des courses hippiques que trois concurrents aient été déclarés vainqueurs.

Dotation : chaque course reçoit une dotation, répartie entre les sept premiers arrivés. Sur la part attribuée à un cheval, le propriétaire en perçoit plus de 50 %.

Flyer : cheval doté de qualités de sprinter. Un flyer est rapide sur les courtes distances.

Juge à l'arrivée : le juge à l'arrivée note l'ordre d'arrivée des concurrents et indique les distances séparant les chevaux par des expressions telle que deat-heat (ex aequo), nez, courte tête,

tête, courte encolure, encolure, demi-longueur (de cheval), une, deux, trois, cinq, dix longueurs, loin...

Maiden : cheval n'ayant jamais gagné de course.

Œillères : pendant la course, les chevaux nerveux portent un équipement sur la tête permettant de limiter leur champ de vision. Les œillères empêchent le cheval de regarder de côté ou en arrière ou de s'emballer lorsque le jockey fait usage de sa cravache.

Photo finish : la photo prise lors du franchissement du poteau d'arrivée permet de fixer l'ordre d'arrivée des chevaux. En cas de doute, la photo

À l'hippodrome de Cologne-Weidenpesch, par beau temps, les courses de chevaux attirent des milliers de spectateurs, de parieurs et d'amateurs.

Les spectateurs observent les chevaux au départ. Les turfistes considèrent que cet examen visuel leur permet de se faire une impression de la forme physique des montures.

finish permet au juge à l'arrivée de déterminer avec certitude le vainqueur et les placés. L'agrandissement de la photo est ensuite exposé au public.

Rond de présentation : il s'agit de l'un des emplacements les plus importants de l'hippodrome. C'est là que sont présentés les chevaux au public avant chaque course. De cette façon, même les amateurs peuvent se faire une impression du cheval. Les propriétaires et entraîneurs sont présents lorsque les montures sont sellées. Le jockey reçoit ses dernières recommandations tactiques (il vient

« aux ordres ») avant de monter en selle et de quitter le rond pour la piste.

Terrain : le sol de la piste est appelé terrain. En Europe, le terrain est constitué de gazon, alors qu'en Amérique du Nord, la piste est toute l'année recouverte d'un mélange de sable et de terre. L'état du terrain est prépondérant et peut déterminer l'issue de la course. Chaque jour de réunion, la profondeur du terrain est mesurée à l'aide d'un pénétromètre, puis rendue publique. Certains chevaux apprécient un terrain sec et ferme. À l'inverse, d'autres présentent des aptitudes aux terrains souples voire lourds.

Steeple-chase : course d'obstacles.

Stayer : cheval de galop donnant le meilleur de ses performances sur de longues distances (supérieures à 2 400 mètres).

La balance : compagne quotidienne de tous les jockeys.

En illustre compagnie

Il existe toujours une bonne raison de se rendre au champ de courses. L'homme va à l'hippodrome afin de parier et peut-être pour apercevoir les grands de ce monde. Aristocrates et grandes fortunes aiment à s'offrir des galopeurs chers : en cas de victoire, fiers propriétaires chaussés d'escarpins ou de souliers vernis, ils ou elles accompagnent leur champion à la remise de la récompense, puis sirotent une coupe de champagne dans leur loge, avec l'entraîneur.

Mais l'entretien d'un cheval de course nécessite une véritable assise financière. Nombre de nouveaux riches ne font qu'un passage éclair dans le monde des courses et seuls quelques-uns parviennent à asseoir leur position sur des générations. La dynastie des Rothschild, par exemple, a réussi à conserver les établissements bancaires suisses et français dans le patrimoine familial, mais également ses superbes haras de Normandie.

La haute société turfiste compte parmi ses rangs le chef spirituel des ismaéliens : le prince Aga Khan. Le titre se transmet au sein de la famille, et intronisé par son grand-père en 1957, le prince Karim est le quatrième Aga Kahn. L'ismaélisme est un courant musulman comptant quelque 20 millions de fidèles. Ces derniers versent 10 % de leurs revenus à leur chef spirituel, lequel se doit alors d'œuvrer en faveur des pauvres avec cet argent. Il administre la plus grande organisation non gouvernementale du monde et a investi 80 millions de dollars dans la reconstruction de l'Afghanistan, où vivent nombre d'ismaéliens. Dans la sphère privée, l'Aga Kahn, homme d'affaires à la tête de plu-

sieurs milliards de dollars, a hérité du titre de son grand-père, mais aussi de sa passion pour les courses hippiques. Pérennisant la tradition familiale, il continue de gérer ses haras en France et en Angleterre. De plus, avec quelque cinq cents chevaux d'une valeur totale estimée à 250 millions d'euros, il est à la tête de l'une des plus grandes écuries mondiales.

Selon la croyance ismaélienne, l'Aga Kahn est considéré comme infaillible. Aussi ses fidèles ne s'étonnent-ils pas de l'exploit unique accompli par son cheval Sinndar : en effet, en une saison, ce crack a remporté le Derby d'Angleterre, d'Irlande, ainsi que le Prix de l'Arc de Triomphe, en France. Avec un tel palmarès, l'Aga Kahn peut alors se permettre de retirer le cheval de la compétition, alors qu'il n'est encore âgé que de trois ans, afin de le réserver à l'élevage.

Les grands magnats du pétrole sont également très présents sur les grands champs de courses de la planète. Le cheikh Mohammed Bin Rached Al Maktoum, prince héritier de Dubaï, travaille sans relâche à assurer la suprématie de son écurie dans le monde des courses du nouveau millénaire. En 1992, il crée avec son frère l'écurie Godolphin dont le quartier général se situe à Al Quoz, à Dubaï. Les pur-sang s'y reposent en hiver, après une astreignante saison de courses, et s'entraînent en vue de la prochaine. Au changement de température, les chevaux repartent alors pour leur seconde patrie : l'Angleterre et Newmarket.

Le Cheik chérit ses pur-sang plus que tout. En août 2000, Dubaï Millennium, cheval de classe internationale, se brise une patte à l'entraînement à

Newmarket. Le cheikh fait alors venir un spécialiste de Dubaï et assiste personnellement à l'opération qui durera cinq heures. Ce cheval d'exception se rétablira, mais mourra, six mois plus tard, d'une étrange dysautonomie. Pour ce riche personnage qui souligne son amour des animaux, la somme de quelque 30 millions de livres, dit-on, versée par l'assurance n'est d'aucune consolation. « Mon amour pour les chevaux ne me semble pas particulier. Il est inscrit dans mon sang, dans mon âme et dans mon histoire. Cet amour est issu de mon pays. »

À l'instar de son petit-fils, l'Aga Kahn III, le grand-père de l'Aga Kahn actuel arpentait souvent les champs de course.

Le jour du Ladies Day, d'improbables couvre-chefs tanguent sur la tête des femmes. La famille royale ne saurait manquer cette réunion hippique, de réputation mondiale. Également chapeautées, Leurs Majestés font toutefois montre de davantage de sobriété.

Où courent-ils donc ?

ROYAL ASCOT

Les fastes de l'ancien Empire britannique renaissent chaque année à Ascot. Sa Majesté la reine Elizabeth d'Angleterre fait son entrée en piste, dans un carrosse attelé à quatre ou six chevaux. L'hymne national retentit, la reine atteint la tribune, le Royal Standard est hissé et le public, un mélange de haute société en habits d'apparat et de parieurs invétérés, intègre le chœur. Un tonnerre d'applaudissements clôt cette cérémonie et, dans sa loge, Sa Majesté salue les membres de la famille royale et les gens de la cour : les

hommes arborent queues-de-pie gris et hauts de forme, alors que les chapeaux de ces dames rivalisent d'élégance et d'originalité. C'est le Ladies Day (Journée des dames), apogée de la semaine hippique d'Ascot.

Il en va ainsi depuis 1951, grâce au roi George VI. La renommée d'Ascot, ville moderne du Sud de l'Angleterre, repose sur sa semaine hippique qui a traditionnellement lieu chaque année au mois de juin sur la pelouse d'Ascot. La reine Anne découvrit cet emplacement et ordonna la construction d'un champ de courses, inauguré en 1711. Dès lors, les membres de la famille royale furent toujours présents à Ascot.

La course principale, l'Ascot Gold Cup, est courue pour la première fois en 1807. En 1875, le public assiste à une compétition hors du commun, couronnée par la victoire d'un jockey âgé seulement de dix-sept ans, Fred Archer. Jusqu'à son suicide, survenu à l'âge de trente ans, ce dernier restera le King of Derby. Des régimes à répétition et la mort de sa femme l'ont prématurément usé. En 1954, toute l'Angleterre s'enflamme pour

Le Grand National – la course d'obstacles la plus redoutée

Les parieurs l'apprécient, les jockeys la respectent et les défenseurs des animaux en sont chaque année bouleversés : le Grand National Steeplechase, la course d'obstacles la plus difficile, connue sous l'appellation de Grand National, jouit d'une réputation controversée. La piste d'Aintree à Liverpool est celle qui offre le plus de chances de victoire aux outsiders. À l'ordre du jour : chutes et chevaux sans cavaliers semant le chaos. Par-

fois, les quadrupèdes franchissent au galop la ligne d'arrivée, sans jockey. Ne peut être validé comme gagnant qu'un cheval accompagné de son bipède à casaque. Mais au final, sont considérés comme victorieux tous ceux qui parviennent à franchir en binôme le poteau final.

L'obstacle le plus redouté de la course, car à l'origine de la plupart des chutes, porte le nom de Becher's Brook. En 1836, le capitaine Becher remporte la première course d'Aintree en franchissant pas moins de qua-

rante-deux obstacles. Mais sa renommée tient moins à sa victoire qu'à la malchance qui s'abat sur lui trois années plus tard. Au premier tour, il chute au sixième obstacle et tombe dans le fossé. Il parvient à s'en extraire et à reprendre la course. Au second tour, la même mésaventure se produit au même endroit, mais cette fois-ci, il ne peut sortir du fossé où il demeure pendant que l'ensemble des concurrents franchit la haie.

Le site de l'hippodrome a été maintes fois vendu et le Grand Natio-

nal a plusieurs fois failli être arrêté. Cependant, cette course plus que mythique et périlleuse perdure encore aujourd'hui.

un nouveau jockey de dix-huit ans qui, sur la piste d'Ascot, parvient pour la première fois à laisser tous les concurrents loin derrière : Lester Pigott.

Chaque année, nombre d'invités de marque se pressent sur le légendaire champ de courses anglais. À Royal Ascot, voir et être vu, essentiellement en présence de la famille royale et des chevaux les plus rapides, constitue un programme que la semaine suffira à peine à remplir. Mais ce faisant, la High Society ne se laisse pas dépérir : sur la durée de la réunion, ses dix mille représentants consomment quelque 120 000 bouteilles de champagne, 75 000 bouteilles de vin, 2,7 t de viande de bœuf, 5,3 t de saumon, 6 000 homards et 4,5 t de fraises. Il faut ce qu'il faut ! Et le flux de visiteurs ne faiblit pas. Des milliers de quidams et visiteurs du monde entier convergent chaque année vers Ascot afin de prendre part à ce temps fort de la vie mondaine. Chapeautés, comme il se doit.

DERBY ALLEMAND

À l'instar de tous les pays férus de hippisme, le Derby constitue également la course la plus importante de l'année en Allemagne. Ouverte aux pouliches et poulains de trois ans, la compétition se court sur une distance d'un mile, soit 1,6 km. Le vainqueur du Preis des Winterfavoriten (Prix du Favori de l'hiver) qui se tient avant le début de la saison, est généralement considéré comme le cheval le plus susceptible de remporter le Ruban bleu. Cette distinction orne traditionnellement la couronne de feuilles de chêne du cheval gagnant.

En 1852, l'association hippique de Hambourg transfert les courses de chevaux dans le village de Horn, aux portes de la ville hanséatique. C'est là que se tient depuis le Derby allemand. Le terme de *derby* est le pur fruit du hasard. Le 14 mai 1779, deux membres de la haute société anglaise se disputent à propos du nom à donner à la nouvelle course qu'ils viennent de créer. Ces deux messieurs en présence sont Lord Derby et Sir Charles Bunbury, le premier président du Jockey Club. En véritables gentlemen, ils n'en viennent pas aux mains, mais laissent le sort, par le truchement d'une pièce de monnaie, en décider. Lord Derby aura les faveurs du hasard.

SAINT-LÉGER

Cette course réservée aux chevaux de trois ans porte également le nom de son fondateur et se court depuis 1776 à Doncaster en Angleterre, sur une distance d'un mile trois quarts (2 800 mètres).

Dans plusieurs pays, le Saint-Léger compte parmi les classiques, notamment au Japon où cette épreuve est baptisée Kikka-Sho Kyoso. Courue à Kyoto, elle est exclusivement réservée aux chevaux japonais.

LONGCHAMP

L'hippodrome parisien jouit d'une situation exceptionnelle : en bord de Seine, dans le bois de Boulogne. Avec ses 2 800 mètres, la piste est l'une des plus longues et des plus difficiles du monde, car le terrain des dernières lignes droites est en montée.

Longchamp accueille la quasi-totalité des classiques françaises, ainsi que la course la plus importante, le Prix de l'Arc de Triomphe. Le vainqueur de cette course prestigieuse est consacré, en France, meilleur cheval de course de l'année et est, à titre non officiel, considéré comme le champion d'Europe des pur-sang.

MELBOURNE CUP

Outre le championnat de tennis d'Australie et le premier Grand Prix de la saison en Formule 1, Melbourne accueille également la course de plat la plus importante du cinquième continent.

Le jour de la Melbourne Cup, tous les Australiens sont de sortie. Le premier mardi de novembre est un jour férié pour tous les « Aussies »,

L'hippodrome le plus moderne du monde se trouve aux Émirats arabes unis. Ici se court la course la plus dotée du monde : la Dubaï World Cup.

Le Prix de l'Arc de Triomphe couru à l'hippodrome de Paris-Longchamp est l'une de courses les plus difficiles d'Europe. Elle requiert une grande endurance de la part des galopeurs.

Consécration du turf américain, la Breeder's Cup se court chaque année sur un hippodrome différent, notamment sur les champs de New-York et du Kentucky.

lesquels sont désireux de parier. Tous les bookmakers du pays sont sur la brèche : plus de 200 millions de dollars australiens circulent ce jour-là. Et le Flemington Race Course prend des allures d'Ascot : les chapeaux les plus originaux fleurissent sur les têtes de toutes les dames.

BREEDERS' CUP

La Breeders'Cup ne s'inscrit pas dans une longue tradition, mais elle se caractérise avant tout par la hauteur des gains remportés. Chaque année, la Breeder's Cup est organisée sur un site différent et constitue la course la plus renommée du continent américain.

DUBAÏ WORLD CUP

Une fois par an, les galopeurs partent pour le désert. Grâce à l'appui financier du cheikh Mohammed Al Maktoum, la Dubaï World Cup est la course de galop la plus dotée du monde : le vainqueur remporte un prix de 6 millions de dollars.

Les légendes

La course hippique a également ses héros légendaires aux histoires souvent émouvantes, parfois tragiques, mais à l'occasion également comiques. Tout comme la piste n'accueille pas des cavaliers moyens, les caractères falots sont rares parmi les pur-sang. Seuls les plus opiniâtres accèdent au rang de célébrité, puis, leur histoire maintes et maintes fois racontée, à celui de légende.

Man O'War (1917-1947)

Il n'y a pas un cheval qui ait accompli autant en si peu de temps que Man O'War. Lorsqu'il vient au monde en 1917, dans le Kentucky, son éleveur est à la guerre. On l'informe que le poulain nouvellement arrivé est tout en pattes, belles et interminables.

Ces pattes-là seront les plus rapides de leur époque. Dès sa première course, Man O'War distance le second de six longueurs. Il remporte neuf des dix courses de sa première saison. Puis dans la catégorie des trois ans, il ne laissera pas davantage de chance à ses concurrents. Pas une compétition d'importance qu'il ne remporte ! Désormais, rares sont les adversaires qui acceptent encore de s'y frotter. Star adulée, il vole de victoire en victoire, courant seulement contre deux ou trois challengers à chaque rencontre.

Man O'War termine la saison sans jamais avoir été battu et au terme d'une carrière de seize mois, il est mis à la retraite. Dès lors, il devient un étalon très demandé, car ses aptitudes se transmettent vraiment à sa descendance. De plus, il reçoit la visite de nombreux fans qui, en dépit des années, ne l'ont pas oublié.

À sa mort en 1947, le crack du siècle reçoit une véritable sépulture et un monument commémoratif en bronze à l'échelle 1. Plus de 2 000 personnes assistent à l'enterrement dont la cérémonie sera radiodiffusée.

Humorist (1918-1921)

Le jockey anglais Steve Donoghue avait trouvé son héros en la « personne » d'Humorist : « J'aimais ce petit cheval comme un enfant. Pendant toutes les courses, je l'ai monté avec la plus grande tendresse dont je suis capable. C'est son amour pour moi qui lui a permis de se battre avec autant de courage et de remporter la plus grande course alors qu'il n'avait qu'un seul poumon sain. C'était le cheval le plus vaillant qui n'ait jamais existé. » Humorist meurt quelques semaines après sa victoire au Derby de 1921, car il souffrait d'une tuberculose à un stade avancé, non diagnostiquée.

Un instant de perfection : dans le Maryland, devant 40 000 spectateurs, Seabiscuit galope vers la victoire en battant le favori, War Admiral, de quatre longueurs.

Phar Lap (1926-1932)

Phar Lap est le premier cheval de Dow Under dont la renommée dépassa les limites du cinquième continent. Élevé en Nouvelle-Zélande, il n'affiche aucune ascendance particulière, mais cet alezan géant connaîtra une formidable carrière. La couleur de sa robe lui vaut le surnom, donné par ses concurrents, de « la terreur rouge ». Mais son entraîneur et son soigneur l'ont affectueusement baptisé Bobby.

Le jour de la Melbourne Cup, la course la plus importante d'Australie, les trois compères subissent une immense frayeur : Phar Lap est victime d'un attentat, destiné à l'empêcher de prendre le départ. Par chance, il en ressort indemne et va même jusqu'à remporter la victoire.

Le milieu international de la course hippique apprend l'incident et le propriétaire de Phar Lap reçoit une invitation pour participer à une compétition bien dotée au Mexique. Aussi le cheval entame-t-il son périple, tout d'abord par bateau jusqu'à San Francisco, et termine en camion les 640 km qui le séparent de Tijuana. Phar Lap ne peut alors être au mieux de sa forme, car il vient de quitter un hémisphère plongé dans l'hiver pour se retrouver en plein été. De plus, il souffre d'une blessure à un sabot. En conséquence, une fois le départ donné, il se retrouve en dernière position, mais il franchira la ligne d'arrivée en vainqueur, avec deux bonnes longueurs d'avance. De plus, il fait tomber le record de la piste.

Le « crack australien », ainsi que l'ont baptisé les journaux, doit ensuite courir aux États-Unis. Mais Phar Lap, âgé seulement de cinq ans, décédera dans des circonstances obscures avant d'avoir pu toucher le sol américain.

Seabiscuit (1933-1947) et War Admiral (1934-1959)

Seabiscuit est un célèbre descendant de Man O'War. Il débute sa carrière de façon si peu glorieuse que Charles Howard, concessionnaire automobile désireux de se constituer une écurie, en fait l'acquisition pour seulement 8 000 dollars.

Seabiscuit a la réputation d'être un cheval de course, certes talentueux, mais trop paresseux et léthargique. Avec Tom Smith comme entraîneur et surtout Red Pollar comme jockey, Howard trouve alors les partenaires idéaux pour son pur-sang.

Le 1er novembre 1938 se déroule aux États-Unis la course du siècle entre les meilleurs galopeurs de leur époque : Seabiscuit (à droite) et War Admiral. Les deux concurrents seront pratiquement sur la même ligne durant les derniers mètres.

Peu après son rachat, Seabiscuit remporte ses premières grandes victoires où il effectue, la plupart du temps, une remontée spectaculaire depuis le fond du terrain jusqu'à la tête du peloton.

Le plus grand concurrent de Seabiscuit porte le nom de War Admiral. Fils du crack du siècle Man O'War, il est doté d'un démarrage foudroyant. Seabiscuit et War Admiral ne s'affrontent qu'une seule fois. Le 1er novembre 1938, dans le Maryland, la rencontre qui se déroule en est d'autant plus spectaculaire et rentre dans la légende turfiste comme étant la course du siècle. Les bookmakers donnent War Admiral pour favori, d'autant que le jockey attitré de Seabiscuit est blessé. Toutefois, dès le départ de la course où les deux chevaux sont les seuls concurrents de taille, les spectateurs réalisent que ce jour-là, tout peut basculer. Contrairement à son habitude, Seabiscuit déploie d'emblée toute sa puissance et prend rapidement une longueur d'avance. War Admiral parvient à se hisser à sa hauteur, mais joueur inflexible, Seabiscuit accélère à nouveau le rythme, déclasse son adversaire de quatre longueurs et fait tomber le record de la piste. Une perfection…

L'année suivante, War Admiral fait ses adieux à la course et entame une carrière de reproducteur. À ce moment, celle de Seabiscuit touche aussi pratiquement à son terme. À six ans, le cheval se blesse si gravement aux tendons que personne ne croit à son retour sur un hippodrome. Il rentre alors au haras de son propriétaire, Howard, où son ancien jockey préféré, Red Pollard, lequel doit également se remettre de sérieuses fractures, le soigne. Une année durant, tous deux travaillent ensemble mobilité, puissance et endurance jusqu'à ce que le cheval retrouve toutes ses capacités. Bien que toujours handicapé, le jockey parvient à convaincre le propriétaire de le laisser à nouveau monter Seabiscuit. Après quelques compétitions d'échauffement, le duo gagnant d'autrefois est de retour, et les deux complices tentent à nouveau de remporter l'importante rencontre de Santa Anna. Au terme d'une course pleine de suspense et de manœuvres courageuses, la victoire tant espérée est leur. L'épopée s'achève alors, fournissant une base parfaite pour un film hollywoodien dans les règles de l'art.

Shergar (1978-)

Shergar était l'un des chevaux de l'Aga Khan et considéré dans le monde turfiste comme l'un des meilleurs pur-sang de tous les temps. Au cours de sa carrière, ce crack avait remporté nombre de courses d'importance, notamment le Derby d'Epsom avec dix longueurs d'avance.

En 1983, alors qu'il est déjà retiré des champs de courses, Shergar est enlevé au haras de Dublin. La radio diffuse une demande de rançon de 6 millions de livres. Mais lorsque l'IRA se révèle à l'origine de ce rapt, le paye-

Shergar, l'un des meilleurs chevaux de tous les temps, a été enlevé des écuries de l'Aga Khan sans jamais réapparaître.

ment est refusé. Le destin de ce cheval d'exception reste aujourd'hui encore incertain, bien que les autorités aient pu suivre sa trace jusqu'au Japon et en Arabie Saoudite.

Dubaï Millennium (1996–2001)

Dubaï Millennium serait devenu le cheval de ce nouveau siècle si sa carrière n'avait pas été prématurément interrompue. Pour son éleveur et propriétaire, le cheikh Mohammed Bin Rached Al Maktoum, prince héritier de Dubaï, il n'y avait pas de cheval plus parfait en terme de conformation physique et psychologique. Dubaï Millennium a remporté neuf de ses dix courses dont la rencontre la plus dotée du monde, la Dubaï World Cup. Mais sa carrière sportive s'achève brutalement sur une fracture à une patte. Il se rétablit néanmoins et entame alors une seconde vie de reproducteur. Mais peu de temps après, il disparaît, victime d'une étrange dysautonomie.

Anti-stars

King of Boxmeer (1999-) est une véritable anti-star sur les hippodromes allemands. Le hongre remporta cinq victoires au cours de sa carrière, mais sa célébrité tient moins à ses succès qu'à ses mauvaises habitudes. À plusieurs reprises, il lui est arrivé de rester bloqué dans les stalles de départ, ou bien de freiner des quatre fers au bout de 30 mètres de course ou encore de se débarrasser de son jockey d'une bonne ruade. Son entraîneur ne faisait sûrement pas partie du fan club de King of Boxmeer, créé sur Internet.

Son pendant féminin est la pouliche japonaise Haruurara (1996-). Elle a enregistré cent défaites consécutives et aurait ainsi les meilleures chances de remporter le titre du « plus grand toquard de tous les temps » si celui-ci avait existé. Mais les courses auxquelles elle participe n'en attirent pas moins un large public enthousiaste. Les Japonais aiment Haruurara, car en dépit de ses constantes défaites, la pouliche donne toujours le meilleur d'elle-même. Et finalement, ce manque de succès est tout relatif : Haruurara est devenu une star médiatique qui va prochainement accéder au statut de star du cinéma. En effet, un film sur sa vie est en cours de réalisation.

Une carrière fulgurante mais inoubliable : Dubaï Millennium monté par son jockey Frankie Dettori.

L'ancêtre du « bandit manchot » : un guichet automatique en Angleterre, en 1936. Après avoir inséré une pièce et activé la manivelle, les parieurs reçoivent leur ticket.

On parie ?

Quiconque mise même une petite somme sur un cheval est sûr de gagner : au minimum un grand plaisir au moment de la course. Car soudain, le cheval galope pour le parieur ! Chaque année, les paris génèrent plusieurs centaines de milliards à l'échelle de la planète. Il s'agit là d'une source de revenus des plus lucratives pour les organisateurs. En effet, quelque 25 % sont consacrés aux frais de fonctionnement et à la dotation des courses. Les parieurs les plus acharnés se trouvent en Asie. Les Japonais génèrent 12 milliards d'euros de chiffre d'affaire chaque année. Quiconque a déjà assisté à l'arrivée des chevaux sous une pluie de tickets, sur les hippodromes de Sha Tin ou Happy Valley à Hong Kong, comprend immédiatement que la fièvre parieuse est une maladie quasi nationale. À Hong Kong, les courses ont lieu trois fois par semaine et vous pouvez parier sur le fait que les hippodromes sont à chaque fois pleins à craquer.

> « La raison chevaline est une qualité qui empêche le cheval de parier sur les hommes. »
>
> (Père Mathew, ecclésiastique catholique)

En France, la loi du 2 juin 1891 légalise les paris sur les courses et instaure le principe de mutualisation : les parieurs jouent les uns contre les autres et se partagent les gains une fois effectués les prélèvements prévus par la loi au profit de l'État et de l'institution des courses. À cette époque, les paris ne peuvent être enregistrés que sur les hippodromes. On parle alors de PMH, le Pari Mutuel Hippodrome. Ne sont autorisées que les courses ayant pour but exclusif l'amélioration de la race chevaline.

En 1930, grâce à une nouvelle législation, les champs de courses ne sont plus le siège exclusif des enjeux : le 3 mars 1931 est institué le Pari Mutuel Urbain (PMU), sous la houlette de Joseph Oller. Dans les

Les différents types de paris

Simple gagnant : le joueur parie qu'un cheval bien précis remportera la course. Le numéro du cheval doit être coché.

Simple placé : c'est l'option qui offre le plus de perspectives. L'on parie que tel ou tel cheval arrivera dans les trois premiers de la course. Si moins de sept concurrents prennent le départ, seules les deux premières places sont prises en compte.

Couplé gagnant : le parieur mise sur deux chevaux arrivant à la première et deuxième places. Pour les courses avec quatre à sept participants, si le joueur trouve les deux vainqueurs dans l'ordre, il remporte le rapport Couplé Ordre.

Tiercé : le joueur parie sur trois chevaux gagnants, dans l'ordre. Le tiercé est le jeu le plus difficile, mais également le plus prisé des parieurs car le plus lucratif.

Le bookmaker

La Grande-Bretagne est la patrie des bookmakers, commerçants et comptables habiles, pratiquant, disent-ils, la transparence. C'est en Angleterre qu'ont débuté les paris sur les courses, usage qui s'est étendu aux autres sports. Aujourd'hui, les paris extra sportifs (élections politiques, par exemple) constituent une part de marché importante pour les bookmakers. La législation française accor-de une situation de monopole à la Française des jeux et au PMU pour les paris sportifs. Aussi les bookmakers en-courent-ils trois à cinq ans de prison et jusqu'à 300 000 euros d'amende. Désormais, la possibilité de parier en ligne sur des sites hébergés à l'étranger remet en question l'exception française. Quiconque souhaite vivre la truculence des bookmakers doit se rendre une fois dans sa vie sur un hippodrome anglais.

Les Japonais sont incontestablement les plus grands amateurs de paris. Au terme d'une course, d'innombrables tickets jonchent le sol.

cafés ou les restaurants, les parieurs peuvent alors jouer au « simple » et « au report », jusqu'à la création du Tiercé, le 22 janvier 1954, par André Carrus.

MISES

Pour tous les types de paris, il s'agit d'indiquer le pronostic de la course sur le ticket. Les courses de galop permettent quatre sortes de paris : le simple gagnant, le simple placé, le couplé gagnant et le tiercé. En France, la mise de base est généralement de 1,50 euros et il n'y a pas de limite concernant la mise maximum engagée.

Les gains sont exonérés d'impôts et peuvent, avec un peu de chance, atteindre des montants considérables. Un gagnant voit ses gains calculés par un vaste système informatique en relation avec tous les terminaux de paris de l'hippodrome. Les pronostics engagés hors de l'enceinte de l'hippodrome, c'est-à-dire via le Pari Mutuel Urbain, sont également pris en considération.

Sur de grands moniteurs, un par course, les joueurs suivent les performances des chevaux sur lesquels ils ont misé.

LE TOTALISATEUR ET LES COTES

Le totalisateur ne peut être tenu que par une société de courses ou d'élevage hippique. Il comptabilise toutes les sommes pariées, exploite les paris et calcule les cotes. On peut le comparer à une boutique de paris sur l'hippodrome. Les parieurs jouent les uns contre les autres et non contre la société de courses. Les mises des différents types de paris sont placées dans un pot commun puis, après retrait des prélèvements légaux (25 %), réparties sous la forme de gains. Ces derniers dépendent de la cote. Celle-ci est indiquée sur la base d'une mise de 10 euros. Par exemple : une cote de 180:10 génère un gain de 180 euros pour une mise de 10 euros.

Le cheval de course par excellence

Race : pur-sang anglais

Taille au garrot : 150 à 170 cm

Robe : toutes les robes simples, généralement baies ou alezanes, rarement noir ou blanc

Description : élégant et rapide, c'est le cheval de course par excellence

Origine : Angleterre

À époque trépidante, chevaux rapides. Le cheval pur-sang, élevé depuis près de trente générations exclusivement en vue des courses hippiques et dont les représentants sont inscrits au stud-book, répertoire officiel généalogique internationalement reconnu, a été soumis, au fil du temps, à une constante évolution de son profil requis : au XVIIᵉ siècle, les courses hippiques sont encore courues sur des distances comprises entre 6 000 et 9 500 mètres et les jockeys pèsent alors entre 50 et 76 kg. Aujourd'hui, les courses de plat se limitent presque toutes à un parcours entre 1 000 et 2 800 mètres. Les courses traditionnelles d'un mile trois quart (2 800 mètres), telles le Saint-Léger, ont toutefois perdu de leur attrait. Le « stayer » n'est plus vraiment d'actualité. Aujourd'hui, les élevages visent à produire des « flyers », lesquels sont capables de déployer une vitesse considérable sur de courtes distances.

Un pur-sang anglais au galop est l'incarnation de l'élégance absolue. Ces chevaux ont un goût inné, et évident, pour le mouvement et la vitesse.

Galopeur exceptionnel durant les années 1970, Secretariat était un vainqueur en série d'un genre particulier. Il remporta quasiment toutes ses courses en faisant tomber le record de la piste et s'empara de la Triple Crown, une série comprenant notamment le Derby du Kentucky.

Les pères fondateurs du pur-sang anglais

Aujourd'hui, tous les pur-sang anglais sont des descendants d'un des trois ancêtres de la race : Byerley Turc, Darley Arabian et Godolphin Barb. Tous trois ont été ramenés sur le sol britannique par des officiers anglais, puis croisés avec des races autochtones.

Byerley Turc est le premier à connaître, en 1689, une carrière d'étalon. Ce cheval turkmène, capturé par un Hollandais lors de l'occupation de Vienne par les Turcs, a été vendu par ce dernier contre 100 florins d'or au capitaine anglais Byer-ley. Il servira de cheval d'armes à son nouveau propriétaire pendant la guerre contre l'Irlande. Puis, il le fera courir sur les hippodromes, sous le nom de Byerley Turc.

Darley Arabian doit également son nom à son propriétaire, l'ambassadeur britannique en Syrie, Mister Thomas Darley. Il en fait l'acquisition à Alep et le fait transférer en Angleterre en 1704. Là, il cède Darley Arabian, l'un des reproducteurs les plus influents parmi les fondateurs de la lignée, à son frère Richard, contre une nouvelle arme dit-on. Darley Arabian poursuivra sa carrière d'étalon jusqu'à un âge avancé et près de 90 % des pur-sang anglais actuels sont issus de sa lignée.

Le troisième membre du trio fondateur, Godolphin Barb, connaîtra l'épopée la plus incroyable. Le Roi du Maroc en fait cadeau au Roi de France, Louis XV. Ce dernier n'aime cependant que les grands chevaux baroques et d'allure élégante. Aussi le petit cheval barbe avec ses courtes oreilles, son encolure légèrement grassouillette et son tempérament fougueux n'a rien pour lui plaire. Il passe alors aux mains de l'Anglais Edward Cokes, lequel l'emmène en Angleterre où Godolphin Barb tirera désormais des voitures.

Son nouveau propriétaire n'a absolument pas détecté les prodigieuses aptitudes du cheval. À la mort de Cokes, Roger Williams, propriétaire d'un café et marchand de chevaux, en hérite. Finalement, Lord Godolphin identifie le caractère exceptionnel de ce petit cheval. Dans un premier temps, il lui réserve le rôle ingrat de boute-en-train pour sa jument Roxana. L'on rapporte que Godolphin Barb se battit contre l'étalon Hogboblin pour obtenir les faveurs de la jument. Sa descendance se révèle si talentueuse que le haras le confirme dans son rôle d'étalon.

Son ascendance incertaine ne diminue en rien l'importance d'Eclipse pour l'évolution de la race des pur-sang anglais. Une gravure de 1820 montre ce cheval exceptionnel (à droite), accompagné d'un de ses pères putatifs, Shakespeare.

Ne peut devenir reproducteur que le cheval capable de s'affirmer en courses, véritables révélateurs de performances. Aujourd'hui, les chevaux doivent faire la preuve de leur valeur bien plus tôt qu'il y a trois siècles. Dès leur deuxième année, ils courent leur première épreuve, alors qu'autrefois, les éleveurs attendaient leurs huit ans pour les faire courir.

ECLIPSE, FILS DU SOLEIL ET DE LA LUNE

Eclipse est l'un des chevaux prépondérants dans l'élevage des pur-sang. Arrière arrière-petit-fils de Darley Arabian, il naît le 1er avril 1794, lors d'une éclipse de soleil.

Aujourd'hui encore, son ascendance paternelle demeure incertaine : en effet, par inadvertance, la jument Spiletta a été couverte par deux étalons, Shakespear et Marske. Ce dernier apparaît officiellement dans le *General Stud Book* comme le géniteur d'Eclipse.

À la mort de son éleveur, le duc de Cumberland, Eclipse est vendu aux enchères. Son nouveau propriétaire, William Wildman, a beaucoup de mal à canaliser l'impétuosité de sa nouvelle acquisition. Il pense même très sérieusement à le faire castrer. Les amateurs du milieu hippique imaginent aisément les conséquences qu'aurait eues une telle intervention sur l'élevage de pur-sang anglais !

Eclipse devra attendre ses cinq ans avant de connaître un hippodrome. Sans jamais avoir participé à aucune course auparavant, il montre d'emblée à tous les connaisseurs le potentiel qui sommeille en lui : il remporte sa première épreuve le 3 mai 1769, très loin devant les autres concurrents, ce qui vaut au Colonel O'Kelly, spectateur admiratif de la course, la célèbre phrase : « Eclipse first, and the rest nowhere ! » (« Eclipse premier, les autres nulle part ! »). O'Keilly achète ce cheval d'exception pour 1 750 pièces d'or, soit 1 675 de plus que Wildman, lors de la vente aux enchères.

Cet investissement se révèle fructueux : au cours de ses dix-huit mois de carrière, Eclipse participe à dix-huit courses d'importance, remportant chaque fois la victoire, avec une avance considérable sur ses concurrents. Eclipse devient alors une légende vivante et un étalon précieux : en effet, les droits de saillie rapportent à O'Keilly la somme record de 30 000 livres. Les trois cent quarante-quatre descendants d'Eclipse ont remporté plus de 860 victoires en course. Cet étonnant cheval meurt le 27 février 1789, mais son don incomparable l'a véritablement immortalisé. Aujourd'hui, son sang coule encore dans les veines de nombreux pur-sang anglais.

En pleine vitesse, un cheval de course atteint une vitesse moyenne de 40 km/h avec des pointes à 60 km/h dans la dernière ligne droite.

Le fair-play avant tout : tel est le code d'honneur des drivers. Les manœuvres dangereuses avec un sulky sont sévèrement punies et conduisent à la disqualification lorsqu'elles gênent d'autres attelages.

Haut les sabots !

La course de trot n'a été créée que bien après les courses de galop, même si, très tôt, des tentatives ont visé à en faire une discipline à part entière. Des découvertes archéologiques laissent supposer qu'une forme de course de trot était pratiquée en Asie Mineure vers 1300 av. J.-C. Il n'est cependant pas encore question d'un sport de compétition très répandu.

En tous les cas, elle ne fait pas partie des divertissements prisés par les Romains. Mais au Vᵉ siècle avant J.-C., avec le terme *tormentor* (trotteur), ils désignent un type de cheval britannique qui jouera ultérieurement un rôle important dans l'élevage du trotteur tel que nous le connaissons.

Le trot ne prend son véritable essor qu'au XVIIIᵉ siècle. À cette époque a lieu la première course de trot en Europe : les Scandinaves attellent à leurs traîneaux des chevaux à sang froid, dont l'élégance et la rapidité n'a rien de commun avec celles des galopeurs. Pour cette discipline, il faut donc des chevaux légers, avec des mouvements plats et amples au trot.

Les mini-trotteurs

La Suède est à l'origine de l'essor des mini-trotteurs. En effet, les jeunes Suédois pratiquent la course de trot depuis des années.

Aujourd'hui, les chevaux miniatures permettent à des enfants enthousiastes de se familiariser avec le trot attelé. Les courses de mini-trotteurs se déroulent selon le code des courses de trot et sur une distance de 600 mètres pour les chevaux mesurant jusqu'à 98 centimètres de hauteur, et de 700 mètres pour ceux affichant une taille comprise entre 99 et 107 centimètres.

Les mini-trotteurs sont attelés de la même façon que leurs grands frères, de même que les petits sulkys affichent la même structure.

Lors de la course du White Turf, qui se déroule chaque année à Saint-Moritz, les chevaux courent d'un trot assuré et rapide. Les sulkys sont équipés de patins pour la neige.

De plus, ils doivent faire montre de rapidité, d'endurance et de combativité. D'avisés éleveurs croisent alors différents chevaux aux performances prometteuses. Bien entendu, pur-sang anglais et arabes sont intégrés à cette amélioration de la race. Grâce à sa motricité, les atouts du trotteur se font jour à la seconde allure, le trot. Sur un sol dur, il peut atteindre la vitesse remarquable de 50 km/h, voire davantage.

L'Angleterre découvre le trotteur en 1750 et s'enthousiasme pour sa version insulaire, le trotteur norfolk. Nombre de pays suivent le mouvement et s'essayent à l'élevage de trotteurs. Cependant, seuls la Russie, la France et les États-Unis se révéleront les nations pionnières de la discipline. Le standardbred, ou trotteur américain, a exercé une influence prépondérante sur l'élevage actuel. En France, les courses de trot monté bénéficient d'une grande popularité, de même qu'en Allemagne où elles sont de plus en plus courues. Cependant, la discipline reine reste le trot attelé : le cheval est attaché à un sulky, un attelage extrêmement léger. Le harnais est conçu avec une extrême finesse, de façon à apporter un soutien optimal au cheval. Il en va de même pour les fers, adaptés de façon individuelle. En outre, grâce aux œillères, le cheval reste concentré. De plus, les animaux les plus sensibles au bruit sont équipés de capuchons sur les oreilles, que le driver peut retirer pendant la course grâce à une longe séparée. Les associations de protection animale ont toutefois réussi à faire interdire le retrait de ce « bouchon » dans les 300 derniers mètres de la course, car l'augmentation brutale du niveau sonore peut avoir l'effet d'un fouet acoustique.

Un équipement adéquat peut revêtir plusieurs fonctions. Capuchons et œillères protègent également les oreilles et les yeux des insectes.

Avoir des œillères

Les chevaux sont des animaux craintifs, susceptibles de s'effrayer d'un rien et de prendre la fuite. Aussi les œillères deviennent-elles indispensables à une époque où la circulation urbaine connaît un développement sans précédent. Les fiacres viennois ne sont pas les seuls à en prendre la mesure. En effet, à Berlin, le conseiller commercial Bolle lance à la même époque son affaire avec trois charrettes de laitier attelées. Connaissant un essor sans précédent, il atteint rapidement le nombre de 297 attelages. Trottant de maison en maison, les chevaux ne doivent en aucun cas s'emballer, au risque de faire tourner le lait. Aussi équipe-t-il toutes ses montures d'œillères, lesquelles sont plus onéreuses que les toques des cochers de Bolle !

Les œillères, qui à l'origine ne sont là que pour limiter le champ de vision du cheval, commencent bientôt à faire carrière en politique : députés et ministres se reprochent mutuellement d'en porter lorsqu'ils rechignent à adopter des mesures présumées audacieuses. Cet accessoire devient alors une image pour souligner le caractère timoré de certains, mais également pour décrire une attitude qui refuse de regarder vers l'avenir.

Surtout, pas de galop !

Race : trotteur

Taille au garrot : 145 à 170 cm

Couleur : toutes les couleurs simples

Description : élevage dans la perspective des courses ; doté d'un trot remarquable

Origine : divers pays ; des élevages existent aujourd'hui dans toute l'Europe

La mise en place des concurrents derrière l'autostart est une phase délicate. Drivers et chevaux doivent trouver rapidement leur place et leur rythme. La répartition des concurrents sur la piste est tirée au sort.

Le trot est connu pour être la seconde allure la plus rapide du cheval. Aussi pourquoi ce dernier ne tente-t-il pas de remporter chaque course en passant au galop ? Apporter une réponse à cette question n'est pas aisé. L'animal est-il trop bête pour comprendre que le galop lui permettrait d'être plus rapide ? Ou bien au contraire est-il suffisamment intelligent pour comprendre la règle d'or de la course de trot, à savoir que le galop équivaut à une disqualification ? À moins qu'il n'entende les supplications de son driver qui le conjure de ne surtout pas galoper.

Mais fondamentalement, ce mystère restera le secret des éleveurs qui sont parvenus à créer un type équin, totalement à son aise au trot, de sorte qu'il puisse y déployer toute sa puissance. Outre le don inné, une préparation intense et sans relâche, un entraîneur compétent et quelques artifices mécaniques sur le harnais permettront de transformer un bon trotteur en un champion de la piste. Les jeunes chevaux rebelles, qui n'ont pas encore l'expérience de la piste, s'essayent parfois au galop. Mais ces tentatives ne sont pas synonymes de succès, lorsque le cheval exagère trop l'allure et double ses concurrents. Il est alors disqualifié par la direction de la course, roulant en voiture à côté des trotteurs. Trois à quatre foulées sont tolérées, mais uniquement si cette accélération ne creuse pas l'écart entre les participants et si elle ne se produit pas au passage du poteau d'arrivée. Dans le cas contraire, les parieurs s'irritent, le propriétaire est déçu, le driver furieux et les collègues à quatre pattes rigolent doucement du trotteur qui n'en est pas un. Le cheval qui n'est pas

Ci-dessus : le meilleur driver du monde est l'Allemand Heinz Wewering de Castrop-Rauxel. Il détient le titre de champion du monde des professionnels et se reconnaît facilement, même pour les profanes, à son casque doré.

Ci-dessous : la course de trot compte de nombreux passionnés. L'Allemande Rita Drees a remporté en janvier 2005 le record du monde des amateurs, une performance qu'elle améliore à chaque nouvelle course.

totalement génétiquement programmé pour le trot aura du mal à accomplir une grande carrière sportive, car généralement, il ne se révèle pas davantage bon cheval de dressage ou bon galopeur.

LE TROTTEUR ORLOV

Le trotteur orlov est l'une des races équines les plus inhabituelles. À une certaine époque, le trotteur orlov était le cheval de trot par excellence. Il est capable de déployer un trot incroyablement énergique et développé. Son arrière-main puissante génère en outre la propulsion nécessaire. Enfin, ses membres sont durs et solides.

Ce cheval d'exception est une création du comte Alexis Orlov. Amiral russe aux multiples facettes, il commande la flotte de la Mer Baltique qui détruit l'armada ottomane en 1770. Il semble néanmoins avoir du temps à consacrer à l'élevage équin. Il ramène d'un de ses voyages un étalon arabe du nom de Smetanka. Accouplé à une jument frederiksborg, il devient alors le père de Polkan. Le comte Orlov ne se satisfait pas encore entièrement du résultat. Il cherche à créer le parfait cheval d'attelage, solide et endurant, notamment au trot. En outre, l'animal devra dégager suffisamment de noblesse pour pouvoir véhiculer un aristocrate aussi élégant que le comte lui-même. Orlov procède alors à un nouveau croisement, entre Polkan et une jument hollandaise harddraver donnant alors naissance à un magnifique poulain, Bars I. Le « loup des neiges » (traduction de son nom russe) est véritablement le père fondateur de la lignée des trotteurs orlov. Il réunit tous les atouts des races dont il est issu : la beauté et la souplesse du pur-sang, l'ossature robuste du frederiksborg et l'immense aptitude au trot développé du harddraver.

Des années durant, les trotteurs orlov ont été les champions des hippodromes. Par la suite, les trotteurs américains ont commencé à les supplanter, puis à les remplacer. Cette race extraordinaire reste toutefois parmi les classiques et certains cavaliers misent sur leurs aptitudes pour les courses d'attelage.

La victoire jusqu'au bout

Les deux recordmen du monde de sulky sont allemands.

En juin 2003, le driver professionnel Heinz Wewering, facilement identifiable à son casque doré, a décroché sa 14 899ᵉ victoire. Il remportait de fait le record du monde des trophées. Il a jusqu'alors participé à 43 000 courses. En janvier 2005, Rita Drees battit le record du monde des amateurs en remportant sa 2 071ᵉ victoire. Rita Drees et Heinz Wewering prenant le départ de plusieurs courses chaque semaine, il semble clair que leurs performances respectives vont encore s'améliorer.

Parfois, un record s'accompagne d'une mise à la retraite. Ainsi en va-t-il du trotteur Bodygard of Spain. Après trente-sept victoires consécutives, nouvelle meilleure performance mondiale, sa propriétaire, Martion Jauß l'a immédiatement retiré de la compétition, car elle souhaitait le voir prendre sa retraite au sommet de sa gloire.

Gymnastique de haut niveau

Le dressage est considéré comme la Haute École de l'équitation. Pour le profane, il s'agit avant tout d'un domaine totalement ésotérique. Et pourtant, la règle est simple, si l'on en croit Eric Lette, président du jury aux Jeux olympiques de Sydney : « une continuité du mouvement, contrôlée et souple, avec le cheval. »

Pour le cheval, le dressage s'apparente à une gymnastique de très haut niveau. Cette discipline requiert l'obéissance de la monture, sans pour autant réprimer sa volonté. En effet, sans la collaboration de l'animal, le cavalier ne parviendra à aucune figure. Tous les cavaliers, qu'ils pratiquent le saut d'obstacle, le concours complet ou simplement l'équitation en amateurs, savent qu'il leur faut maîtriser les fondamentaux du dressage afin de pouvoir communiquer avec leur monture.

En 400 av. J.-C., Xénophon, célèbre historien et cavalier grec, pose les jalons d'une réflexion élaborée sur le dressage. Par la suite, nombreux seront ceux qui affineront et compléteront l'art de la monte. Ces évolutions ne se feront pourtant pas toujours dans le plus grand respect de la monture. En effet, il fut par exemple d'usage à une époque de commander au cheval de galoper à reculons. Cette aberration fut rapidement considérée comme telle et abolie.

Les règles fondamentales qui régissent aujourd'hui encore le dressage moderne ont été élaborées en 1733 par le Français Robichon de la Guérinière. Selon lui, la clé de tout repose dans une assise équilibrée.

Le reproche selon lequel le dressage est une discipline contre nature se réfute aisément lorsque l'on observe le comportement des chevaux au pré. En effet, même les plus jeunes effectuent naturellement des déplacements requis par la discipline.

L'appuyer et le passage sont deux figures enseignées dans le dressage. Elles reposent également sur des déplacements spontanés des chevaux. Le trot désuni, qui appartient au répertoire des grands et des petits chevaux, devient le piaffer sous la houlette du cavalier.

Le cavalier bien équilibré sur le dos de sa monture peut lui communiquer ses ordres, par de simples déplacements de son poids et en utilisant ses jambes. En revanche, si le cavalier ne trouve pas son équilibre, le cheval aura également du mal à acquérir le sien.

Au XVIIIe siècle, l'équitation est essentiellement enseignée dans les universités. Les maîtres d'écurie occupent même un poste de professeur. Au XIXe siècle, les écoles de cavalerie prennent le relais. En France est fondé le très célèbre et élitiste Cadre noir de Saumur, tandis que l'Allemagne s'enorgueillit de son Institut militaire de Hanovre.

Monté par Isabel Werth, la meilleure cavalière du monde en dressage, le hanovre Anthony fait montre de mouvements de trot très expressifs. La cavalière n'influe que très peu sur le déroulement de l'action : en effet, elle conduit la reprise d'une seule main.

Au vu de cette tradition, il n'est pas étonnant que les premiers champions aux Jeux de Stockholm en 1912, portent un uniforme. Aujourd'hui, il arrive que les entraîneurs de dressage se lancent dans de vives discussions pour savoir si l'enseignement des anciens maîtres doit être considéré comme le seul valable.

Un Gigolo habitué aux succès

Un gigolo ne se doit pas d'être obligatoirement beau, il lui suffit de plaire. Et l'alezan Gigolo a toujours beaucoup plu. Lorsqu'elle monte pour la première fois ce hanovre de six ans, la cavalière Isabel Werth comprend qu'ils sont faits l'un pour l'autre. Le propriétaire du cheval, le Dr. Uwe Schulten-Baumer devient son entraîneur et débute alors une carrière incomparable. En novembre 2000, à l'âge de dix-sept ans, Gigolo désormais millionnaire se retire de la compétition. En effet, aucun cheval de dressage n'a jusqu'alors décroché autant de prix et de récompenses : seize médailles d'or, dont quatre olympiques, dans des championnats internationaux.

Il n'est pas rare que Gigolo prenne des allures de star, toutefois toujours en dehors de toute compétition. Sollicitant constamment un traitement de faveur de la part de son entourage, il devient grincheux lorsqu'il ne passe pas en premier. En outre, il s'octroie le privilège d'ouvrir lui-même la porte de son box, lorsque l'envie le prend. En revanche, il donne le meilleur de lui-même en compétition. Il n'a jamais laissé tomber sa cavalière, Isabel Werth, avec laquelle ils ont tous deux créé de nouvelles références dans la discipline. Quelques secondes avant l'épreuve, il peut se montrer impétueux au point d'inquiéter ses fans. Mais dès le début de la première figure, il se concentre

pleinement et flotte littéralement au-dessus du sol. Isabel et Gigolo sont le premier couple de l'histoire du dressage à réussir la figure la plus difficile : la pirouette en arrivant sur un galop allongé. Lors des Jeux olympiques de 1996, sa reprise libre, et très expressive, sur la musique « Just a Gigolo » lui vaut la médaille d'or à Atlanta et le titre de champion du monde à Rome. Avant les concours, son entraîneur le brosse dans son box pour lui enlever la sueur et l'attend, une fois le travail accompli, directement à la sortie de la carrière, avec une friandise pour récompense.

Lors de sa dernière représentation à Stuttgart, il reçoit l'ovation de 7 000 spectateurs debout et son tour

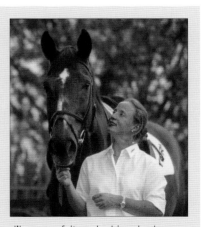

d'honneur fait couler bien des larmes. Gigolo semble alors apprécier une fois de plus toute cette attention et s'engage alors, résolu et enthousiaste, dans sa nouvelle carrière de retraité. Enfin est-il autorisé à s'adonner à sa plus grande passion : la nourriture.

À la tension et à la concentration au sein de la carrière succède la détente, identifiable chez le cheval à ses mouvements d'étirement.

Toujours en rythme

Tant les enfants que les grands champions ont les deux impératifs suivants : leur monture doit être relâchée et progresser dans le rythme.

Chaque allure a son tempo. Le pas est la plus lente et celle qui requiert le moins de puissance du cheval. C'est une cadence marchée en quatre temps, les quatre sabots se posent l'un après l'autre. Le trot est une allure à deux temps dans laquelle le cheval progresse par bipèdes diagonaux, suivis par une phase de suspension pendant laquelle les quatre pieds du cheval ne touchent pas le sol. Le trot permet au cheval de maintenir une vitesse soutenue sur de longues distances, sans pour autant le fatiguer outre mesure. Le galop est l'allure la plus rapide et la plus astreignante, adoptée par les ancêtres de nos montures modernes dans une optique de fuite. Elle se décompose en trois temps : trois pattes touchent le sol, puis en l'air. Suit alors une phase de suspension des quatre membres.

En dressage, les figures doivent être exécutées dans toutes les allures de base. Les mouvements naturels doivent être accomplis à la perfection et exécutés harmonieusement. Les chevaux sont de véritables artistes du mouvement, mais tous ne sont pas dotés des mêmes aptitudes. Le cavalier doit être à même de solliciter sa monture à la hauteur de ses capacités. Grâce à des instructions optimales, le cheval devient un véritable gymnaste, doté d'un bon développement corporel et d'une forme excellente. La stimulation va dans le sens de l'animal, sans laquelle il s'ennuie. En revanche, une sollicitation excessive lui portera préjudice.

Lors de la pirouette, le cheval ne doit pas casser son rythme. Ici, le légendaire Donnerhall, au galop, pivote sur son axe. L'arrière-main porte tout le poids.

La reprise libre au dressage : la Kür

Le dernier jour d'un championnat de dressage est consacré à la reprise libre en musique. Il s'agit là de véritablement danser avec le cheval. Deux jours durant, les spectateurs ont suivi avec attention les compétitions du Grand Prix et du Grand Prix spécial, avec en fond sonore, un murmure de musique, à l'instar d'un supermarché. Il ne manque que les annonces des promotions spéciales au rayon fromage.

Mais le dernier jour vient récompenser leur patience. En effet, à ce moment, le dressage ne se limite pas à un régal pour les yeux, mais également pour les oreilles. Des mois durant, cavalières et cavaliers ont passé autant de temps au manège qu'en studio d'enregistrement, afin de trouver la musique idéale pour leur reprise libre. Dans un premier temps, il leur faut concevoir la chorégraphie. Ils ont tout le loisir de décider de la succession des figures imposées, de leur degré de difficulté et de l'occupation de l'espace.

La reprise enregistrée sur vidéo, le cavalier se concerte avec un expert musical afin de trouver la meilleure musique pour accompagner la Kür. Ils réfléchissent également aux moyens de souligner les temps forts de la représentation et d'en atténuer discrètement les faiblesses.

Le type de musique, moderne ou classique, dépend entièrement du goût du cavalier. Mais dans la mesure où il lui faudra l'entendre des centaines et des centaines de fois à l'entraînement et en compétition, il choisira avec circonspection un morceau qui lui plaît. Bien entendu, l'ensemble se doit également de convenir à la monture et idéalement faire écho à son nom. Il aurait été impensable qu'Isabel Werth change la musique de la reprise libre de son Gigolo. En tous les cas, un morceau se révélait indispensable dans l'arrangement musical : *Just a Gigolo*. Sur son westphalien Farbenfroh, Nadine Capellmann remporte sa plus belle victoire, le titre de championne du monde 2002, sur un medley d'Udo Jürgens. Et la reine de la Kür, Anky van Grunsven, fit réaliser une compilation des chansons d'Édith Piaf pour son champion olympique Salinero. Sur le refrain, la cavalière prête en même sa voix en arrière-plan.

Dans les compétitions de très haut niveau, les différents morceaux musicaux ne sont pas extraits de simples CD pré-existants. En effet, fruits d'un savant arrangement, ils sont même parfois interprétés par un orchestre. Cette perfection musicale peut coûter 10 000 euros. Les cavaliers amateurs et occasionnels trouvent une alternative moins onéreuse dans les albums édités par les grands orchestres philharmoniques.

La plus belle prestation réalisée à ce jour en reprise libre est l'œuvre de la Hollandaise Anky van Grunsven. Elle obtient son premier record du monde en compagnie de Bonfire lors des Jeux olympiques de Sydney. Avec 86,5 %, le couple obtient la meilleure note du jury, s'assurant ainsi la médaille d'or devant Isabel Werth. Avec Salinero, successeur de Bonfire et champion olympique aux Jeux d'Athènes, elle améliore encore la note en accomplissant 87,725 % aux Championnats du monde à Las Vegas.

Mais la Kür la plus étonnante reste celle d'Ulla Salzgeber aux Jeux olympiques de Sydney. Trois minutes après le début de sa représentation, la musique s'arrête brusquement. Le wallach Rusty et sa cavalière connaissant le morceau dans ses moindres notes, ils poursuivent la reprise en maintenant un rythme parfait jusqu'à ce qu'ils soient interrompus. À l'origine de ce problème de son : le CD transmis la veille par la cavalière avait été soumis avec succès au test son, mais le lendemain, il resta mystérieusement muet. Après de longues délibérations, le président du jury, Eric Lette, autorise Ulla Salzgeber à reprendre sa Kür, au terme de la compétition, mais uniquement le passage que les juges n'avaient pas pu évaluer en raison de la panne technique. Célèbre pour son sang-froid, Ulla Salzgeber réussit alors à décrocher la médaille de bronze, en dépit de cette pause plutôt inattendue.

Le piaffer, mouvement diagonal donnant l'impression d'un trot sur place, est ici réalisé par Anky van Grunsven et Salinero, champions olympiques à Athènes.

La perfection : le passage, trot écourté très élevé et extrêmement rassemblé. Une vrai splendeur !

Le changement de pied en l'air compte parmi les figures imposées à un Grand Prix, la compétition la plus difficile. Il se fait lors de la suspension, passant de gauche à droite.

En frac et haut-de-forme

Un polo jaune soleil, une culotte de cheval marron et une casquette de base-ball... Voilà un équipement qu'un cavalier de dressage ne pourra porter qu'à l'entraînement.

En effet, en compétition officielle, nul ne peut entrer sur la carrière s'il ne respecte pas le code vestimentaire. À Wimbledon, les joueurs de tennis ne sont plus désormais tenus de ne porter que du blanc. Le règlement du dressage exige en revanche des cavaliers qu'ils concourent, en tous lieux, revêtus de leur habit noir et blanc classique. Pour les compétitions de haut niveau, à partir de la reprise de Saint Georges, le frac noir, associé à une culotte d'équitation blanche, un haut-de-forme noir et des bottes noires sont obligatoires. Pour les classes inférieures, seuls la veste sombre et le haut-de-forme s'imposent. Toutefois, le chapeau melon est également autorisé comme couvre-chef.

Cette tradition a maintes fois fait l'objet de contestations, mais la seule concession acceptée fut l'agrément du frac bleu foncé. Équitation classique et costume classique vont de paire, et tant mieux ! Il n'y a qu'à repenser aux joueurs de tennis aux accoutrements bariolés hors Wimbledon.

LE CHAPELIER

À l'origine, les couvre-chefs de tous types revêtent une fonction de protection et non d'ornement. Toutefois, les Grecs anciens avaient déjà leurs chapeliers, car lequel d'entre eux aspirait à garder sur sa tête un lourd casque de métal ? Au Moyen Âge essentiellement, le chapeau évolue vers un signe ostensible de catégorie sociale. À partir de cette époque, les chapeliers rivalisent de créativité et découvrent d'innombrables types de plumes afin d'orner en conséquence leurs productions. Le chapeau accède au statut d'attribut officiel. Ducs et princes s'en parent, de la même façon que les Académiciens se couvrent de leur coiffe de docteur. Même le Pape bénit les chapeaux : de hauts couvre-chefs avec cordelettes dorées et doublure de soie pour les combattants de la foi.

Corollaire de cette évolution, le haut-de-forme est conçu, puis créé, exclusivement, aux États-Unis, avant de franchir l'Atlantique et apparaître en Angleterre et en France. La légende veut qu'en Angleterre le premier porteur de gibus fut taxé d'une amende pour outrage à la pudeur.

En dépit de ces débuts chaotiques, le nouveau couvre-chef ne s'en répand pas moins. Les grands bourgeois trouvent immédiatement plaisir à le porter. Au XIXe siècle, la tendance veut que les personnes aisées arborent un haut-de-forme rigide, dénigré par les étudiants et ouvriers sous l'appellation de « tube ».

Dans tous les pays, le gibus accède néanmoins à un statut social considérable : mariage ou baptême, réception ou enterrement, le haut chapeau noir s'impose, tel une loi implicite. Il est même expressément requis dans nombre de circonstances.

Aujourd'hui, cavalières et cavaliers de dressage portent un petit haut-de-forme. Cette particularité tient au sport en lui-même.

L'habit fait le moine ! Seuls les cavaliers de dressage maîtrisant au minimum la reprise de Saint Georges bénéficient du privilège de porter le frac traditionnel en compétition.

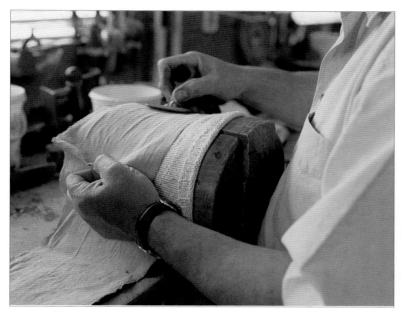

Aux Pays-bas, les de Winter sont les derniers fabricants de hauts-de-forme, confectionnant leurs chapeaux selon l'ancien modèle. Les cavaliers de dressage comptent parmi leur clientèle. Une flanelle imprégnée est tout d'abord repassée sur une forme en bois.

Un haut-de-forme devant résister à toutes les conditions climatiques, un montage minutieux s'impose. Tous les composants, ici le bord, sont travaillés avec de la gomme-laque pure, une résine issue du caoutchouc.

Une fois le bord monté sur la partie inférieure, un autre élément en bois est ajouté à l'intérieur de l'infrastructure. Cette étape procure ainsi davantage de stabilité, indispensable à la suite des opérations.

Ensuite, la partie inférieure du chapeau est travaillée en premier : le chapelier applique de la soie naturelle au fer à repasser.

Puis, avec la plus grande prudence et un soin extrême, l'étoffe soyeuse est également appliquée par repassage sur le bord. Ce dernier est simultanément mis en forme par le chapelier.

Sec au bout de quatre semaines, le maître vérifie le haut-de-forme achevé, exactement aux mesures du client. Son fier propriétaire bénéficiera d'une garantie à vie et d'un service après-vente gratuit.

Plus abrupt, plus haut, plus loin

La Grande-Bretagne est la patrie de nombreux sports, comme le football, la course hippique ou le CSO. La première compétition organisée avec oxers et autres obstacles se déroula en 1864 à Dublin. Le saut reste une discipline récente par rapport au dressage. En revanche, les dotations ont subi l'évolution la plus marquée. À Dublin, le vainqueur de l'époque du saut au-dessus d'un mur de briques (hauteur de qualification : 1,35 m) reçut une coupe et une cravache. Aujourd'hui, l'élite mondiale concourt pour des dotations de 250 000 euros ou une voiture de sport.

C'est en Angleterre qu'a véritablement jailli l'étincelle, et le CSO devient dans le monde entier la discipline équestre la plus populaire. Pour preuve, non seulement le niveau élevé des récompenses, mais également une fréquentation importante les jours de grands tournois.

Dans les premiers temps, les exigences se limitaient à des franchissements d'obstacles, rien de bien haut ou large. Il s'agissait plus d'un test pour vérifier l'aptitude du cheval à la chasse ou la carrière militaire. Les cavaliers affichaient alors une gaucherie supérieure à celle de leur monture. La position préconisée était inadaptée aux mouvements du cheval : enfoncé dans sa selle, le cavalier basculait son torse vers l'arrière et projetait ses jambes vers l'avant. Cette aberration perturbait l'animal à la fois lors du saut et de la réception. Frederico Caprilli, maître d'équitation italien, fut le premier à penser à épargner le dos du quadrupède. Lors du saut, il s'élevait en douceur de la selle en basculant son centre de gravité vers l'avant et, par une utilisation des rênes toute en finesse, il offrait une plus grande liberté d'encolure au cheval, lequel trouvait alors facilement son équilibre. Caprilli établit le premier record du monde du saut en 1902 : il franchit un obstacle de 2,02 m. Mais cette performance tomba bientôt sous les exploits d'autres cavaliers adoptant désormais sa monte en suspension. Seuls les Allemands s'en tinrent à la monte dite classique, mais, les victoires leur échappant, ils finirent par se laisser convaincre.

Un oxer présente deux difficultés pour le cheval : il lui faut sauter à la fois haut et loin. L'espace entre les barres avant et arrière peut afficher jusqu'à 2 mètres.

La valse-hésitation des Jeux olympiques d'Athènes

Les chroniques rédigées trop tôt se révèlent bien souvent dépassées lors de leur parution. Les rebondissements ne se cantonnent pas au seul contexte de la course.

Les épreuves d'équitation aux Jeux olympiques d'Athènes, en 2004, en sont l'illustration éclatante. En effet, ce n'est que dans l'année qui suivit les Jeux que le palmarès olympique du CSO fut définitivement établi. Le médaillé d'or irlandais, Cian O'Connor, convaincu de dopage sur son cheval Waterford Cristobal, accepta finalement sa disqualification par la Fédération équestre internationale. Ainsi le Brésilien Rodrigo Pessoa prit-il la place de Cian O'Connor et l'Allemand Marco Kutscher, qui depuis n'eut sûrement de cesse de pester contre sa faute de temps, se vit donc malgré tout attribuer la médaille de bronze.

Le podium définitif des équipes ne put être prononcé que devant le Tribunal Arbitral du Sport (TAS). L'Allemagne remporta une médaille olympique à Athènes, mais un prélèvement réalisé sur Goldfever 3, le hongre de Ludger Beerbaum, révéla la présence d'un médicament prohibé. Bien qu'il ne s'agisse pas d'un cas délibéré de dopage, le règlement fut strictement appliqué, Beerbaum disqualifié et l'Allemagne rétrogradée à la troisième place. L'or fut alors attribué aux États-Unis.

Bettina Hoy perdit également son or en individuel et les cavaliers de concours complet l'or en équipe. Lors du saut final, Bettina Hoy avait franchi prématurément la ligne de départ. Cette erreur n'avait pas été pénalisée dans un premier temps, mais après maints rebondissements juridiques, les quatre cavaliers furent obligés de retourner par la poste au Comité international olympique leur médaille pourtant méritée.

Rodrigo Pessoa, le troisième larron. Plus exactement, le deuxième, lors des Jeux olympiques d'Athènes. Finalement, il s'est vu attribuer l'or.

La puissance à l'état brut

En 1900, lors des Jeux olympiques de Paris, furent attribuées, pour la seule et unique fois, des médailles olympiques pour le saut en hauteur et longueur, version équestre. L'or récompensa des sauts de 1,85 m de hauteur et de 6,10 m de longueur.

Mais quelles sont réellement les distances et hauteurs que les chevaux sont capables de franchir ? Cette question a tarabusté nombre de cavaliers au fil des cinquante années suivantes, et plus d'un n'a trouvé sa réponse que par l'expérimentation. En 1906, également à Paris,

le capitaine français Crousse franchit sur Conspirateur un obstacle de 2,35 m. En 1938, à Rome, Osoppo et le cavalier italien Antonio Gutierrez survolèrent 2,44 m. Neuf ans plus tard, un Chilien, le Capitano Alberto Larraguibel Morales in Viña del Mar et son pur-sang de quinze ans, Huaso, semblèrent atteindre la limite ultime à 2,47 m. À ce jour, ce record n'est jamais tombé et ne tombera sûrement plus, car cela fait bien longtemps que de tels obstacles de type rampe ne sont plus d'actualité.

Le nouveau défi s'appelle le mur : s'élevant tout droit, il se révèle beaucoup plus difficile à

franchir, notamment parce que l'impulsion doit être placée avec précision. Le record actuel est détenu par Willibert Mehlkopf avec 2,30 m. Il réussit ce saut spectaculaire au Concours hippique international officiel à Aix-la-Chapelle, avec son cheval Wabbs.

Ces sauts tout en puissance enthousiasment le public, surtout parce que ces épreuves désormais rares offrent un formidable suspens et un divertissement de haut niveau. Les chevaux de grande taille, peu à l'aise sur un parcours d'obstacles étroit, trouvent ici toute la mesure de leur puissance.

La bonne impulsion

À l'instar du dressage, le saut d'obstacles devient discipline olympique aux Jeux de Stockholm en 1912. Le premier parcours olympique comprend un total de vingt-neuf sauts, d'une hauteur de 1,40 m et d'une largeur de 4 mètres au maximum. Afin de rallier l'objectif dans les temps impartis, les concurrents doivent respecter la cadence de 400 m/min.

Le rythme exigé aujourd'hui n'est pas supérieur, toutefois les obstacles ont grandi de 20 centimètres. En outre, les chevaux devaient autrefois franchir des obstacles fixes et rigides, s'élevant devant eux tels des bâtiments. Les supports en étaient fixés et présentaient un risque important de chutes et de blessures. Aujourd'hui, les barres reposent très légèrement sur les crochets et se détachent très rapidement si un cheval vient à buter contre. En 2004, lors des Jeux olympiques d'Athènes, le parcours de la finale en individuel comprenait au deuxième tour treize obstacles de conception presque trop légère pour les vents soufflant dans la région. Le Suédois Rolff-Göran Bengtsson et son cheval Mac Kinley ne purent franchir l'obstacle n° 11, la barrière, qu'à la troisième tentative, car balayé à deux reprises par le vent, juste sous le nez des deux acolytes.

À ne pas perdre de vue : le fossé rempli d'eau. Pour garder les sabots au sec, le saut doit propulser la monture et le cavalier sur au moins 4 mètres.

La perfection dans le saut. Cöster se catapulte quasiment à la verticale afin de franchir la hauteur de 1,60 m. Son cavalier, Christian Ahlmann, se coule dans le mouvement.

Le parcours d'Athènes 2004 était ponctué de 13 obstacles complexes. Ils ont été conçus spécifiquement pour le spectacle olympique et arborent des motifs typiquement grecs.

Belle preuve de courage et de maîtrise pour Ludger Beerbaum et Champion de Lys. Peu réussissent à surmonter le mur de 3 mètres du Derby de Hambourg. Le couple a réussi à deux reprises cette épreuve traditionnelle.

Au fil des années, le caractère des obstacles demeure inchangé. Barrières ou obstacles de volée pour les sauts en hauteur, les oxers pour les sauts en hauteur et longueur ou bien le fossé pour le saut en longueur simple. Le parcours moderne ne teste pas uniquement les aptitudes au saut du cheval, mais également celles à être monté. Aussi le parcours intègre-t-il des passages que les chevaux dotés d'une longueur de saut normale au galop ne franchiront pas. Il s'agit des distances hybrides. Le cavalier doit signaler à sa monture d'allonger ou raccourcir le saut de galop de façon à trouver avec précision son point d'impulsion devant l'obstacle. De plus, les parcours ne prévoient quasiment plus d'approche des obstacles en ligne droite. Généralement, les cavaliers abordent les sauts par une courbe.

Une formation au dressage est quasiment indispensable pour tous. La communication entre le cheval et son cavalier doit être subtile et précise. Le cavalier agit en anticipation, car il a mémorisé tout le parcours et, pendant son saut, pense déjà au prochain. Il ne suffit pas d'avoir le cheval le plus rapide. Il doit être habile et suivre l'intention de son cavalier.

Ludger Beerbaum a approché l'oxer avec un rythme soutenu, de façon à ce que Goldfever développe une impulsion assez grande pour franchir le large obstacle sans faute.

Les pégases

Un cavalier sans cheval n'est qu'un homme, un cheval sans cavalier reste un cheval, dit-on. Aucun des héros du passé ou du présent n'aurait accédé à ce statut sans l'aide de son génial compère à quatre pattes, lequel participe tout de même à 50 % de la victoire. Il faut du temps pour qu'un couple véritablement idéal ne se trouve et, parfois, certains n'y parviennent jamais. Ne deviennent des champions du saut d'obstacles que les partenaires en véritable harmonie.

Hans Günter Winkler et Halla

Aujourd'hui, elle reçoit encore du courrier de ses fans : Halla, la pouliche qui a donné à Hans Günter Winkler deux victoires olympiques (sur les six qu'il détient) et deux titres de champion du monde.

Halla est issue d'un trotteur et n'a rien d'une beauté. Son cavalier la surnomme même « la chèvre », qualificatif se rapportant davantage à son caractère, car elle n'affiche pas un tempérament particulièrement doux. Dotée en revanche d'une incroyable combativité, elle est capable d'accomplir sa mission avec la plus grande intelligence. Elle ne vient au concourt que tardivement. Elle débute en effet sa carrière comme cheval de course, mais au vu de ses défaites récurrentes, elle est reconvertie en cheval d'obstacles. Halla et Hans Günter finissent par se rencontrer et son cavalier doit commencer par se montrer persévérant avec sa nouvelle monture : « Il a fallu un an et demi d'entraînement intensif à Halla pour comprendre qu'il était possible de sauter non seulement loin, mais également haut. »

Aux Jeux olympiques de 1956, Halla gagne le cœur de tous les amoureux des chevaux. En effet, lors du premier tour, Hans Günter Winkler se déchire un muscle de l'aine. Le deuxième tour est décisif pour lui et son équipe : il en va de la médaille d'or pour le cavalier et de la victoire en équipe pour l'Allemagne. Il lui faut prendre de puissants analgésiques pour pouvoir remonter en selle. La puissante pouliche est, comme toujours dirigée avec précision et assurance par son cavalier vers les différents obstacles. Mais le reste est assuré totalement en solo par Halla, laquelle va alors sauver la victoire.

On ne saura bien évidemment jamais si la jument avait alors pris la mesure de la situation, mais cette incertitude ne diminue en rien sa popularité. Cette performance lui a valu la postérité et la fédération équestre allemande décida que le nom de Halla ne pourrait jamais plus être porté par aucun autre cheval.

Fritz Thiedemann et Meteor

À l'époque, tous les enfants connaissaient Fritz Thiedemann et Meteor, champions en équipe aux Jeux olympiques de 1956 et 1960. « Le Gros », comme Thiedemann appelle alors tendrement sa monture de quelque 650 kg, est un animal imposant qui aurait bien supporté une quarantaine de kilos en moins. Il meurt en 1966 à l'âge de vingt-trois ans, non pas en raison de son surpoids, mais d'une faiblesse due à son âge. Trente-cinq ans après la mort de Meteor, Thiedemann déclare : « Comparé aux athlètes d'aujourd'hui, mon Meteor était un véritable tracteur. Mais il a toujours démarré ! »

Alwin Schockemöhle et Warwick Rex

La carrière commune de ce couple a été courte, mais intense et couronnée de succès. Ce grand cheval, affichant une taille de 184 cm, et Alwin Schockemöhle se rencontrent en 1974. La symbiose est immédiate et ils remportent dès la première année le titre de champion d'Europe. Pour Warwick Rex, extrêmement résistant au stress, aucun obstacle n'est assez haut.

Grâce à ces qualités alliées, monture et cavalier décrochent la victoire olympique en 1976. Lors des deux tours, Alwin Schockemöhle et Warwick Rex sont les seuls sur les quarante-neuf concurrents à faire un sans-faute sur les deux tours. Cette performance est d'autant plus impressionnante que le parcours affiche un degré de complexité impressionnant. Il comprend notamment un fossé d'eau large de 5 mètres et cinq oxers de 2 mètres de large. En outre, les conditions météorologiques augmentent la difficulté du challenge : lorsque les deux compères sont les derniers concurrents à entrer sur le stade de Bromont, un orage éclate. Mais tonnerre et éclairs ne sont que secondaires face à cette chevauchée fantastique et géniale.

À peine un an plus tard, Alwin Schockemöhle dont les douleurs dorsales deviennent insupportables, se retire avec sa star de la scène sportive.

Conrad Homfeld et Abdullah

Ce garçon américain et ce cheval allemand ont réussi une belle carrière commune. En effet, les plus grands succès de Conrad Homfeld sont indissociables du grand trakehner à la robe blanche immaculée, Abdullah.

Le cheval blanc est déjà âgé de quatorze ans lorsqu'il rencontre Homfeld.

Irréductibles : Classic Touch, sauteur holstein surdoué, et son cavalier Ludger Beerbaum.

Les premiers temps se révèlent désastreux. Lorsque, contre toute attente, le cavalier et sa monture remportent la médaille d'argent en individuel et l'or en équipe aux Jeux olympiques de Los Angeles en 1984, Homfeld déclare laconiquement : « Nous sommes devenus amis. »

D'autres titres suivent : vainqueur de la Coupe du Monde en 1985, champion du monde en équipe en 1986 et second en individuel. Mais l'épopée commune s'arrête là et Abdullah entame alors une nouvelle carrière d'étalon.

Homfeld ne connaîtra jamais de tels succès avec ses autres chevaux. Il poursuit sa carrière comme chef de piste.

Une star, même sans médaille olympique : Milton et son cavalier anglais, John Whitaker.

Les héros de l'après-guerre : Hans Günter Winkler et sa célèbre jument Halla.

John Whitaker
et Milton

Rarement un couple cheval-cavalier a dégagé autant de beauté. Malheureusement, cette union heureuse est le fruit d'une tragédie : en effet, en 1984, John Whitaker reprend le cheval blanc à la famille Bradley, que leur fille Caroline a monté jusqu'à sa mort prématurée. Par la suite, cette alliance semble placée sous le signe de la perfection, car John et Milton remportent victoire sur victoire.

En 1988, il n'y a qu'un seul favori olympique, Milton l'immaculé. Mais ses propriétaires ne parviennent pas à surmonter leur douleur et à l'inscrire aux Jeux de Séoul, car leur fille avait été autrefois déclarée professionnelle par la fédération équestre anglaise et de fait, interdite de Jeux olympiques. Ce n'est que lors des Olympiades 1992 que les Bradley parviennent à franchir le pas et à laisser Milton prendre le départ avec Whitaker. Mais à cette période, le hongre a déjà dépassé son apogée sportive.

Franke Sloothaak
et Weihaiwej

Lors des Championnats du monde de 1994 à la Haye, personne n'a pu passer sur l'événement : Franke Sloothaak et Weihaiwej commencent par s'assurer le titre en équipe, puis confirment leur talent en devenant champions du monde en individuel. Mais l'alezane aux yeux étonnamment bleus n'est pas facile à monter, elle se laisse déconcentrer par l'entourage. Parfois, les spectateurs ont véritablement l'impression que la jument les observe lorsqu'elle galope le long des rangées inférieures et laisse glisser son regard clair sur le public.

Dotée d'un véritable don pour le saut, elle parvient ainsi à compenser ses défauts de concentration, entrant alors à la postérité comme véritable cheval d'exception.

Ludger Beerbaum
et Classic Touch

Ce ne furent pas les obstacles, mais bien son ambition qui a entravé Classic Touch sur la route du succès. Cette pouliche au tempérament extrêmement affirmé avait en effet davantage besoin d'être freinée que stimulée, et

Une championne du monde aux yeux bleus qui a marqué les esprits : Weihaiwej et son cavalier Frank Sloothaak.

qui plus est, avec beaucoup de finesse. Le cavalier qui trouvait le bon dosage pouvait compter aveuglément sur elle. Quant aux autres, elle les laissait tout simplement en plan.

Ludger Beerbaum fut celui qui sut véritablement s'y prendre avec cette extraordinaire sauteuse holstein. Lors des Jeux olympiques de Barcelone, en 1992, le couple est à l'origine du mauvais résultat de l'équipe allemande, sans pour autant en être responsable : en effet, au milieu du parcours, une bride du filet se rompt et Ludger Beerbaum doit s'arrêter en pleine puissance. Il est disqualifié et l'Allemagne passe alors au 11e rang. Toutefois, la finale en individuel sera son jour de gloire : derniers concurrents à partir, le couple s'assure la médaille d'or et, lors de leur baroud spontané, il semble que les deux compères apprécient pleinement leur triomphe. Simultanément, tous deux savourent leur dernier succès commun, car avant le début des Jeux, le propriétaire de Classic Touch avait pris des dispositions pour que celle-ci soit désormais montée par son fils.

Hugo Simon et E. T.

Quiconque a vu le couple concourir sur une épreuve de précision ne doute pas un seul instant que Hugo Simon ait monté un extra-terrestre. Prise de risques maximale, rythme élevé et virages serrés, véritablement dans un mouchoir de poche et, par la suite, franchissements d'obstacles. Tels étaient les atouts inimitables de ce couple. En 1998, ils remportent le

Grand Prix d'Aix-la-Chapelle et engrangent la dotation record de 1,5 million de dollars.

E. T. est le cheval d'obstacles qui a remporté les gains les plus importants de tous les temps. Il affichait une prédilection pour les nounours en boule de gomme, les bananes qu'il recevait de préférence de la main de sa soigneuse, Margit. Ses soins attentionnés ayant considérablement contribué au succès des deux compères, Hugo Simon lui offrit E. T. lorsqu'il se retira de la compétition.

Meredith Michaels-Beerbaum
et Shutterfly

Meredith Michaels-Beerbaum est réputée pour son style rapide et téméraire, et ce en dépit de certaines chutes graves endurées par la cavalière de 1,63 m. Affichant un vrai penchant pour les chevaux extraordinaires, elle devient citoyenne allemande et chouchou du public après son mariage avec le cavalier d'obstacles Markus Beerbaum.

L'amazone prend son véritable envol après le tournant du siècle. Avec son hanovrien Shutterfly, elle se place en première position au palmarès mondial, championne du monde, victorieuse à deux reprises de la Riders Tour, la série la plus dotée en saut d'obstacles, et du Grand Prix d'Aix-la-Chapelle en 2005.

Ci-dessous : nouveau nom, nouvelle vie, Meredith Michaels-Beerbaum et Shutterfly, ex Struwwelpeter.

Paul Schockemöhle détecte un talent rare dans ce cheval et le confie à Meredith Michaels-Beerbaum. En dépit de sa crinière toujours impeccable, le hongre portait auparavant le nom de Struwwelpeter (Pierre l'ébouriffé). Meredith Michaels-Beerbaum le rebaptise de façon à ce que ses propriétaires américains aient la possibilité de prononcer correctement son nom. Aussi, Struwwelpeter, le jeune cheval prometteur, devient Shutterfly, athlète de classe internationale.

Ci-dessus : E. T. sous la selle d'Hugo Simon, un cheval millionnaire venu d'une autre planète et amateur de boules de gomme.

Aix-la-Chapelle s'enorgueillit du stade hippique le plus moderne de la planète, lequel accueille chaque année plus de 300 000 spectateurs. Cavaliers et drivers considèrent depuis des années le CHIO d'Aix comme le meilleur tournoi du monde.

Le festival mondial du cheval

Cette rencontre internationale prend la valeur d'un Wimbledon hippique. Non seulement parce que toutes les épreuves se déroulent sur gazon, mais surtout parce qu'un succès au CHIO s'apparente à une victoire au tournoi du grand chelem. Le Concours hippique international officiel (CHIO) ne s'ouvre qu'aux concurrents internationaux ayant remporté une victoire nationale en saut, dressage et course. La valeur sportive de cette rencontre n'a rien à envier à un championnat du monde, car quiconque prenant le départ à Aix-la-Chapelle compte parmi l'élite internationale. Quelque 400 chevaux et 150 cavaliers et drivers issus de vingt-quatre nationalités concourent pour le prix de 1,4 million d'euros. Aussi le CHIO d'Aix-la-Chapelle reste-t-il le tournoi hippique le plus doté du monde.

Outre un budget de 9,2 millions d'euros, la programmation d'un tournoi de six jours requiert la collaboration de 900 bénévoles. L'Aachen-Laurensberger Rennverein e.V., association organisatrice du CHIO, s'enorgueillit d'une tradition vieille de plus d'un siècle : dès 1924, les pères fondateurs instaurent le premier tournoi d'équitation et d'attelage. Un an plus tard, le 1er août, est créé le site tel qu'il est encore aujourd'hui : rien que le stade réservé au saut recouvre une superficie égale à deux terrains de foot. La première tribune accueillait à l'origine 1 000 spectateurs et des dispositifs téléphoniques pour les journalistes. Et même si la première édition s'est déroulée sous des trombes d'eau, plus de 20 000 curieux vinrent célébrer les meilleurs cavaliers allemands de l'époque.

Aujourd'hui, le complexe sportif hippique le plus moderne du monde accueille 52 000 spectateurs. À l'instar de Wimbledon, l'infrastructure ne sert qu'une fois par an. Mais cette spécificité fait toute l'exclusivité du tournoi, lequel accueille chaque année des célébrités, parfois incognito, issues de la noblesse, des sphères économiques, politiques et culturelles. En 2005, par exemple, le réalisateur Steven Spielberg s'est secrètement glissé dans les tribunes du stade de dressage pour assister la Kür.

Depuis les origines des jeux, l'enthousiasme du public d'Aix-la-Chapelle ne faiblit pas, quelles que soient les conditions météorologiques. Et pour être au cœur de cette grande fête populaire, nombre de sacrifices s'imposent parfois. Les juges des épreuves de saut d'obstacles, par exemple, lesquels se sont réunis en une association baptisée Pferdeschwänze (« queues de cheval »), prennent des jours sur leurs congés pour être présents sur le terrain. Les billets d'entrée pour le jour de clôture du tournoi, les adieux des nations, sont toujours épuisés un an à l'avance. Et les cartes d'accès aux tribunes, hautement convoitées, se transmettent même de génération en génération.

Le prestige du CHIO, grande fête internationale du sport équestre annuelle, ne peut être éclipsé que par une seule autre manifestation : les Mondiaux 2006. Ont déjà été organisés ici quatre championnats du monde en saut d'obstacles et dressage. En 1955, Hans Günter Winckler devient à cette occasion champion du monde dans son propre pays, exploit réitéré en 1978 par Gert Wiltfang. Mais la compétition d'août 2006 ouvre de nouvelles dimensions car le programme comprend désormais sept disciplines différentes. S'étalant sur deux semaines, le championnat a attiré un demi-million de visiteurs.

Charlemagne

C'est à l'Empereur d'Occident qu'Aix-la-Chapelle doit sa qualité de ville impériale et thermale. Et peut-être bien également ce lien avec le monde équestre.

Les historiens attestent bien du couronnement impérial de Charlemagne par le Pape Léon III, le 24 décembre 800.

Toutefois, l'histoire selon laquelle le cheval de Charlemagne aurait mis au jour les sources chaudes ensevelies en grattant de son sabot, et donc à l'origine de la fondation de la ville, reste du domaine de la légende. En effet, Aix-la-Chapelle était un site thermal déjà fort prisé des légions romaines du VIIIe siècle.

Ci-dessus : les compétitions de dressage sont parfois traitées comme la parente pauvre. Mais pas à Aix-la-Chapelle. La carrière de dressage s'est vue offrir la même taille que celle du CSO. Et les tribunes couvertes peuvent accueillir 5 100 spectateurs.

Ci-dessous : point final traditionnel d'une semaine de tournoi riche en émotions. L'océan de mouchoirs blancs lors de l'Adieu des nations.

Dernier jour du tournoi : l'Adieu des nations

Ce qui ressemble à première vue à un congrès d'allergiques enrhumés se révèle, à mieux y regarder, une cérémonie officielle, requérant sens du rythme et endurance. Un mouchoir blanc agité frénétiquement pour saluer les cavaliers entrant sur le stade, accompagnés de leur monture. Les athlètes jouent également du mouchoir en retour. Ce jour baptisé

Abschied der Nationen (« l'Adieu des nations ») constitue le point final traditionnel de la semaine sportive d'Aix-la-Chapelle. Aucun cavalier, aucun spectateur ne le manquerait.

Cette jolie tradition a été instaurée en 1953, à l'initiative d'un avocat, le Dr. Kurt Sonani, et s'est muée au fil des années en un dialogue cavaliers-public. Les spectateurs marquent ainsi leur gratitude pour une semaine de sport de haut niveau,

que leur ont offerte des cavaliers et des chevaux de toutes les nations. De leur côté, les concurrents remercient le public de son soutien sans faille accordé tout au long de la compétition.

Chaque couple cavalier-monture voit son entrée sur le stade saluée par les premières notes de son hymne national. Une fois les Allemands entrés sur la piste (en dernier, en tant qu'hôtes du tournoi), le vieux chant

populaire *Muss i denn* retentit et l'immense arène du stade se transforme en un océan de mouchoirs blancs. La chanson est répétée jusqu'à ce que le dernier sportif ait quitté le stade. Aussi les bras finissent-ils tous par être ankylosés, et certains spectateurs doivent souvent dissimuler une petite larme d'émotion. Et quiconque a déjà assisté à cette cérémonie mettra tout en œuvre pour revenir l'année suivante.

Les complets

Le concours complet est considéré à juste titre comme la discipline reine de l'équitation. Toutefois, elle en est également la pomme de discorde. En effet, les critiques formulées par les associations de défense des animaux à l'encontre de ce sport difficile ne se sont pas toutes tues, même si nombre de mesures ont été prises en faveur des chevaux et pour une sollicitation sportive et loyale des montures.

Autrefois, le concours complet portait le simple nom de « military », révélant ses origines. Cette discipline a subi l'influence de la cavalerie, bien plus que le saut et le dressage. Il s'agissait au départ d'un test d'aptitude pour les chevaux de l'armée. Malheureusement, il fallut plusieurs décennies et nombre de chevaux morts pour trouver une forme de compétition acceptable. En 1892 est alors organisée une des premières compétitions de military, comportant une chevauchée sur quelque 600 km. Le cheval vainqueur et son dauphin moururent plus tard d'épuisement.

Plus rapidement que l'on ne l'aurait imaginé, des femmes se tournent vers ce sport d'officier. Dès 1932, Irmgard von Opel remporte une compétition de military à Vienne. L'Allemagne offre son lot de cavalières éméritesés, telles la championne d'Europe Bettina Hoy ou Ingrid Klimke. En Grande-Bretagne, la princesse Anne, assistée de son mari de l'époque, s'est hissée à un niveau international et remporte le titre de championne d'Europe en 1971. Sa fille accède à ce titre en 2005.

La plupart des cavaliers de concours complet privilégient un type particulier de cheval : le pur-sang. Rapide, courageux, accrocheur et endurant, il se prête parfaitement aux trois épreuves de la discipline. Partageant les mêmes qualités, les trakehners sont également très recherchés.

3-DAY-EVENT

Le premier jour de concours commence par une épreuve de dressage de catégorie M. Sur un terrain rectangulaire, doivent être exécutées des reprises dans les trois allures fondamentales, intégrant de nombreux changements de rythme et également des transversales trottées.

Du surmesure ? Pas toujours. Ce cheval a visiblement œuvré juste pour lui, sans prendre en compte le fait que sa cavalière, qui voit son « bonheur » arriver, ne passera pas le virage.

Le deuxième jour marque le début des « hostilités ». Un cavalier qui n'est pas au mieux de sa forme risque de ne pas atteindre l'arrivée. Après des années funestes, marquées par des décès et des chutes, la pression exercée par le CIO a permis de « désamorcer » la compétition, de sorte que cavaliers et montures moins aguerris puissent en réchapper. En 2004, aux Jeux olympiques d'Athènes, le steeple-chase et les routes et sentiers, épreuves auxquelles les équipes devaient se soumettre avant de partir pour le cross-country, sont abandonnés. Cavaliers et montures ont alors pu se lancer, toutes forces conservées, sur le parcours de cross long de 5,7 km (contre 7 km auparavant). En dépit de difficultés amoindries, un cheval blessé lors de l'épreuve dut pourtant être euthanasié.

L'attrait du cross, et sa difficulté, tiennent à la fixité des obstacles. Ils ne se détachent pas de leur support si le cheval les heurte. Un excès de confiance du cavalier ou de sa monture peut donc conduire à un trébuchement douloureux, voire au pire, à la chute. Les fossés présentent, certes, un visuel spectaculaire, mais sont loin d'être les plus dangereux. Face à un obstacle particulièrement difficile, une alternative s'offre au cavalier.

Souvent, les chevaux sautent par-dessus les obstacles sans même savoir ce qui les attend. La monture a une confiance aveugle en son cavalier.

Il y a possibilité de l'éviter. Cette option prend plus de temps, mais reste la moins risquée. L'arrêt du cheval aura valeur de refus, et une chute entraîne la disqualification. En guide de protection, le cavalier revêt un casque et un protège-dos rembourré. Le cheval peut être prémuni uniquement par des cloches sur les articulations. Le poitrail et les membres sont enduits de vaseline de façon à mieux glisser sur le bois.

Tout concurrent ayant atteint, sain et sauf, la ligne d'arrivée peut s'estimer heureux et a accompli une belle performance. Mais la journée n'est pas pour autant terminée. Après avoir franchi la ligne finale, le cheval va être soumis à un intense programme de soins : le vétérinaire l'examine, les membres sont refroidis, l'animal est massé, puis promené au pas de façon à limiter les courbatures du lendemain. En effet, le jour suivant réserve la dernière épreuve du concours : le saut d'obstacles. Au terme d'un nouveau contrôle vétérinaire, c'est reparti pour douze obstacles d'une hauteur maximale de 1,20 m.

Ne peut alors remporter la récompense reine que celui qui aura su gérer au mieux les forces de sa monture tout au long de la compétition.

De tels sauts acrobatiques font la réputation de ces chevaux polyvalents : les chevaux de CCE s'acquittent pratiquement de toutes les missions.

Les antérieurs du cheval sont enduits de vaseline de façon à pouvoir glisser sur les obstacles fixes.

Spectaculaires et doués : deux des meilleurs cavaliers de CCE du XXᵉ siècle, Mark Todd (ci-dessus) et Bettina Hoy avec Ringwood Cockatoo (ci-dessous).

Un casque GPS

L'équitation n'a pas résisté à l'entrée des moyens d'assistance électronique. Les systèmes informatiques réduits permettent de transmettre des données actualisées sur le cheval, la course et la position géographique. Grâce au GPS (Global Positionning System), il est possible de surveiller le trajet parcouru, la vitesse, le temps et la position du cavalier, lequel peut consulter ces données via son casque. Au fil de la course, la condition physique du cheval est également sous contrôle, grâce à des prises de température et de pouls. Un tel système offre une aide précieuse, tant au cavalier de concours complet ou de distance en vue d'instaurer un pro-gramme d'entraînement efficace, qu'au cavalier loisir ou randonneur pour l'accompagner pour ses balades en pleine nature. De la taille d'un téléphone portable, l'appareil stocke les diverses données que le cavalier chargera ensuite sur son PC de façon à les exploiter et contrôler la qualité de son entraînement.

Ce pilote artificiel fonctionne via une communication continue avec des satellites en orbite autour de la Terre, envoyant des signaux temporels. Ces derniers sont transmis au récepteur, logé dans le casque du cavalier. Sur la base des différences de temps et au vu de l'orbite des satellites, le GPS détermine sa position exacte à 2 mètres près.

L'avion destiné spécialement au transport de chevaux prévoit un espace de chargement extrêmement rembourré. Chaque animal doit être protégé de façon optimale contre toute blessure liée au voyage.

Bon voyage !

Lorsque les chevaux voyagent, leurs conditions de transport affichent un confort autrement plus conséquent qu'il y a un demi-siècle. L'industrie du voyage se penche depuis bien longtemps sur le moyen de faire voyager les quadrupèdes dans le même confort que les bipèdes humains. Les moyens de transport luxueux pour chevaux ne relèvent plus du domaine des prototypes. Pour quiconque souhaite se déplacer douillettement en compagnie de ses chevaux, une maison roulante se révèle un investissement certes onéreux, mais excellent. En revanche, l'acquisition d'un simple van pour un usage quotidien ne requiert pas la souscription d'un gros emprunt.

Les chevaux de compétition prenant le départ sur des tournois internationaux accumuleraient nombre de points sur leur carte de fidélité des compagnies aériennes s'il en existait une à destination des équidés.

Mais en dépit d'une habitude certaine des transports aériens, les professionnels redoutent deux plaies : la claustrophobie et les coliques. Pour prévenir la constipation, l'ingestion de son humide et chaud avant le décollage en vue de soulager rapidement les intestins a déjà fait ses preuves. En outre, il est important d'hydrater correctement l'animal en cours de vol. Et pour peu qu'une personne familière soit à ses côtés pour le rassurer lorsque le sol tremble sous ses pattes, au décollage et à l'atterrissage, la fatigue du voyage se répercute bien moins sur son organisme que dans le cadre d'un trajet de plusieurs jours en bateau ou en camion.

Un estomac pas toujours bien accroché

Envie de partir ? Pas toujours ! Même avec un air marin et iodé, les longues traversées avec les pattes sur un sol instable ne sont pas forcément synonymes de partie de plaisir. Car il en va du cheval comme de l'homme : il peut être sujet au mal de mer.

Toutefois, alors que l'humain peut soulager ses nausées en « nourrissant les poissons », pour reprendre une expression familière, le cheval n'est pas en mesure de vomir. Cette impossibilité tient au cardia, muscle de fermeture ne s'ouvrant que sur stimulation de l'œsophage pour laisser passer nourriture et liquides. La pression inversée du contenu de l'estomac sur le cardia ne déclenche pas le réflexe d'ouverture. Aussi, le mal de mer équin se traduit par une poussée de fièvre ou dans le pire des cas, des coliques.

Opération Olympia

L'acheminement des compétiteurs équins aux Jeux olympiques de Sydney a éclipsé tous les précédents. Onze mois avant la cérémonie d'inauguration, le transport de 250 chevaux avait déjà été planifié et calculé, car jamais auparavant autant de chevaux n'avaient dû être convoyés de l'autre côté de la planète.

Les mesures de quarantaine australiennes nécessitaient l'arrivée de tous les chevaux dans un délai de cinq jours. Cette étape avait été précédée d'un isolement de deux semaines dans trente et un cantonnements européens, maintenu pour quinze jours à nouveau après l'arrivée des chevaux sur le sol australien. Dans ce cas, la quarantaine se traduit comme suit : chaque cheval n'a aucun contact avec ses congénères et seul le cercle restreint des cavaliers et soigneurs est habilité à rendre visite au précieux quadrupède, cloîtré derrière une double grille. Afin d'accéder aux athlètes, la procédure obligatoire requiert la désinfection des boxes, des semelles de chaussures et le déshabillage dans un sas. De telles précautions se justifient par le fait que nombre de maladies animales, virus dangereux et agents pathogènes n'existent pas sur le cinquième continent.

Le reportage effectué par la journaliste allemande Susanne Sgrazzutti, le 24 août 2000, jour du départ des chevaux vers l'Australie, pour le compte de la station EinsLive/WDR, illustre bien la mesure de ces préparatifs.

Thomas Hartwig, attaché de presse de la fédération équestre allemande, déclare : « Un exemple, même la grippe chevaline, que contracte tout cheval européen au moins une fois dans sa vie, aussi banale que la grippe chez l'humain ; eh bien, même cette maladie est inconnue en Australie. Si elle y était importée, ses conséquences se révéleraient sans aucun doute absolument désastreuses. »

Lors de leurs contrôles surprise, les inspecteurs australiens vérifient minutieusement l'observation stricte des dispositions de la quarantaine. En tête de la liste des enquêteurs se trouve la petite vrillette, un parasite totalement inconnu en Australie. Chaque selle est suspecte, car composée en partie de bois. La détection du parasite n'est pas chose facile, car même un cavalier aussi expérimenté que Ludger Beerbaum ignore bien à quoi peut ressembler un ver du bois. Ludger Beerbaum reconnaissait alors : « Je n'en ai pas la moindre idée. De plus, je ne sais pas vraiment si la vrillette s'infiltre uniquement dans les parties en bois de la selle ou également dans les semelles des chaussures. Tout cela est très aventureux et relève également un peu de la farce. »

Ce matin-là, cinquante-deux chevaux en quarantaine furent chargés dans le ventre d'un énorme Boeing 747-C. C'est un voyage de vingt-six heures les emmenant vers l'autre hémisphère qui les attendait. Pour le confort et la santé des chevaux, l'appareil respecta un angle de vol aussi plat que possible. Bien que les quadrupèdes ne voyagent pas en première classe, mais bien au contraire restent debout dans un container, le billet n'en coûte pas moins 50 000 euros. Pour ce prix, le poids de bagages autorisé est légèrement supérieur : 350 kilos par cheval. Le principal service à bord reste la buvette à volonté. Mais les 2 000 litres d'eau embarqués au départ ne suffirent pas pour toute la durée du trajet. Des escales à Dubaï et Singapour permirent de refaire le plein, d'eau et de carburant. »

Le 7 octobre 2000, le transporteur Martin Atoc put clore avec succès l'opération Olympia. Du champion olympique au malchanceux, tous les chevaux regagnèrent ce jour en pleine santé la terre natale qu'ils foulèrent à l'aéroport de Frankfurt Rhein Main.

Les chevaux de classe internationale sont habitués aux aéroports. Protégés dans des containers, ils surmontent sans dommage de longs vols. Chaque habitacle accueille deux chevaux. Pour une seule bête, la solution est plus confortable, mais aussi plus chère.

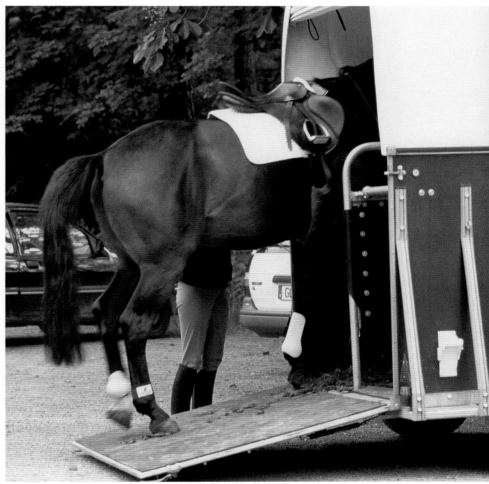

Les chevaux de concours sont habitués à rentrer dans leur van. Certains montent la rampe en toute simplicité, alors que d'autres hésitent à chaque fois. Sur la compétition, le van fait également office de maison mobile.

Marathon équestre

La course d'endurance est une discipline équestre jouant contre la montre et touchant aux limites de la vitesse et de l'endurance d'un cheval sain. Cette chevauchée sur plusieurs kilomètres reflète une fois de plus la capacité du cavalier à gérer les ressources de sa monture, d'autant que de stricts examens vétérinaires sont effectués avant, pendant et après l'épreuve. Bien souvent, le résultat définitif d'une course d'endurance ne se publie qu'une fois le dernier contrôle vétérinaire effectué.

L'idée de parcourir au plus vite de longues distances à cheval n'est pas nouvelle. Déjà, les peuples cavaliers de l'Antiquité et les coursiers téméraires du Pony Express du temps du Far West la mettent en pratique, éperonnés par leur course contre la montre. Dans les compétitions au sein de l'armée, la course d'endurance devient bientôt un défi sportif et est très pratiquée au début du XXe siècle dans la cavalerie.

Célèbre mais très controversée est la course des officiers allemands, ralliant Berlin à Vienne en 1892. Il s'agit alors d'atteindre l'objectif situé à 600 km plus rapidement que les officiers austro-hongrois démarrant au même moment et parcourant le trajet en sens inverse.

Les chevaux des distances XXL

D'un caractère égal, peu exigeants, endurants et rapides, ils toisent idéalement à 1,45 à 1,55 cm et pèsent entre 800 et 900 kilos. Ces attributs et mensurations se retrouvent surtout chez les chevaux de races arabes. Pur-sang arabes et croisés arabes comptent parmi les chevaux d'endurance de classe internationale. Mais les chevaux à sang chaud, les poneys islandais ou les norvégiens se défendent aussi honorablement. Et sur des parcours longs, même un mulet tire bien son épingle du jeu.

La règle de base : quiconque requiert de sa monture une endurance de très haut niveau devra entreprendre un entraînement individuel de plusieurs années. Un homme non entraîné ne courrait pas le marathon. Un cheval en bonne condition physique franchit sans problème une distance de 40 km, pour peu que la vitesse soit adaptée.

En règle général, la règle suivante s'applique : les chevaux de cinq ans minimum commencent avec des courses allant jusqu'à 40 km et il faut attendre l'âge de six ans pour des parcours moyens de 80 km. Les longues distances supérieures à 80 km ne sont autorisées que pour les montures de sept ans minimum.

L'un des hommes les plus puissants des Émirats arabes unis et du sport hippique international : le cheik Mohammed bin Rashid al Maktoum. Il participe à tous les championnats du monde d'endurance.

Garder la tête froide : un principe qui s'applique aux chevaux touchant aux limites de leurs capacités lors d'une course d'endurance. Des pauses obligatoires ont été instaurées, afin de régénérer les montures.

La course des 100 miles

Cette course est considérée comme la discipline reine, et cette distance est un parcours apprécié aux États-Unis. Toutefois, la Tevis Cup reste le plus grand défi pour les cavaliers et les montures. C'est la course d'endurance la plus difficile au monde. Quiconque en aura parcouru les 160 km en une seule journée pourra le confirmer. Réputée pour son parcours impitoyable, sur la route de Squaw Valley à Buburn en Californie, cette épreuve entraîne les concurrents au fil de canyons profonds et de falaises abruptes. Le tout sous un soleil de plomb. Si le cheval et son cavalier surmontent ce test et les 10 points de contrôle médical en moins de 20 heures, le ceinturon Western tant convoité récompense leurs efforts. À l'heure actuelle, le record s'établit à 11 heures et 33 minutes.

Ci-dessus : le cavalier désireux de ménager sa monture devra cependant conserver une vitesse moyenne minimale de 13 km/h. De plus, un poids de 75 kg au minimum est obligatoire.

Ci-contre à gauche : lors des arrêts imposés, le vétérinaire contrôle notamment le rythme cardiaque du cheval qui ne doit pas dépasser 64 battements par minute.

Le comte autrichien Starhemeberg arracha la victoire en 71 heures et 26 minutes. Son cheval, Athos, mourut d'épuisement deux jours plus tard.

Les cavaliers d'endurance responsables prennent leurs distances par rapport à de tels défis absurdes, réalisés au détriment des chevaux. Aujourd'hui, la règle suivante prévaut : quiconque apprécie les longues distances se doit de s'entraîner intensivement avec son partenaire à quatre pattes, quelles que soient les étendues envisagées pour la compétition.

Toutes les versions intègrent les contrôles vétérinaires obligatoires. Lors des arrêts imposés, outre la locomotion et l'état général, circulation et métabolisme des athlètes à crinière sont vérifiés.

L'endurance bénéficie d'une popularité croissante à l'échelle internationale, en France, en Espagne, aux États-Unis et aux Émirats arabes unis. Passionnés de chevaux, les rois du pétrole injectent des millions de dollars dans ce sport afin de lui donner du poids sur la scène internationale. Ils organisent régulièrement des championnats mondiaux avec un programme d'envergure afin de se rapprocher petit à petit de leur objectif : faire de l'endurance une discipline olympique.

La randonnée à cheval

Laisser son esprit divaguer, ne faire qu'un avec la nature, le cheval et soi-même… C'est en ces termes que les randonneurs décrivent leur passion. Mais pour accéder à une telle sérénité, le cavalier doit avoir abandonné toute ambition sportive, sinon il ne sortira rien de cette aventure romantique.

Les adeptes de l'équirando parcourent de longues distances et maintiennent leur cap. Toutefois, ils ne sont soumis à aucune obligation de performance. Le temps ne joue aucun rôle.

La seule règle qui est ici appliquée est celle de l'horloge biologique de l'homme et de l'animal. C'est pourquoi le randonneur chevronné se lève et se couche tôt. Et, au milieu de la journée, lorsque la forme physique baisse, une longue pause est instaurée.

Avec une allure maintenue en moyenne à 6 km/h, on parcourt 30 km par jour et, grâce au cheval, on peut emprunter des chemins peu aisés.

Ce faisant, il est impératif de rester sur les voies équestres, de façon à ne pas piétiner le sol de la forêt. De plus, un randonneur respectueux ne traverse jamais un champ au galop, mais le longe doucement au pas.

À cor et à cri

Les Grecs de l'Antiquité organisaient déjà des chasses à courre avec des chiens. Les bons chasseurs jouissaient alors d'une popularité et d'honneurs aussi grands que ceux des champions olympiques.

Aujourd'hui, la vénerie avec meutes de chiens se pratique toujours, voire, en France, se développe. Toutefois, les protestations de nombreuses associations de protection animale ont amené la suspension de cette tradition dans plusieurs pays, dont récemment l'Angleterre. L'hallali, ou curée, est en effet considéré par beaucoup comme une scène de violence gratuite et non justifiée.

LE DRAG OU LA CHASSE À COURRE FICTIVE

La chasse à courre perd du terrain dans nombre de pays, mais l'équitation qui lui est associée, quant à elle, perdure. Moralement acceptable, le drag, ou chasse à courre fictive, reprend les principes de la chasse à courre traditionnelle et tend, de plus en plus, à remplacer celle-ci. L'équipage suit la trace d'un leurre odorant, tiré par un cavalier. Sur la selle de celui-ci se trouve un jerrican d'où gouttent des substances odorantes, telles que fenouil, anis, saumure de poisson ou une solution à base d'extraits organiques de renard, marquant ainsi la voie que suivront les chiens. À l'origine, le traceur tirait une boule en fils métalliques, contenant une éponge imbibée, d'où le nom originel de drag (de l'anglais *to drag* qui signifie « tirer » en anglais). Seule une piste bien tracée, recréant le parcours naturel du gibier rend la chasse intéressante.

Mais le plaisir qu'en tire le cavalier tient essentiellement à sa monture. Elle doit rester détendue et ne se laisser impressionner ni par la meute hurlante, ni par l'importance de l'équipage, ni par les cors. Un galop enlevé, de l'adresse sur les rotations serrées, un pas assuré et une obéissance inconditionnelle caractérise le bon cheval de chasse à courre fictive ou non.

La race ou la région d'élevage du cheval importent peu si celui-ci regroupe toutes ces qualités. Dans l'espace anglophone, le cheval de chasse par excellence reste le hunter. Élevé en Angleterre et en Irlande, il est issu de solides juments et de pur-sang et ne constitue pas une race à part entière.

LES RÈGLES DE LA CHASSE

Les trompes sonnent la fanfare du réveil et la vue des cavaliers, chevaux et chiens prouve à l'observateur, même non averti, que le respect des traditions n'est pas un vain mot.

L'habit de vénerie fait l'objet d'une attention toute particulière. Chacun est en effet tenu de s'habiller selon son rang. Sont obligatoires pour tous le gilet de velours fermé haut et la cravate anglaise pour faire un nœud plat à doubles rabats. La chemise et les gants blancs, la culotte

La chasse à courre en France

En France, la vénerie est, depuis une vingtaine d'année, en plein essor. Présente dans plus de soixante-neuf départements français, elle compte plus de quatre cent cinquante équipages et près de cent mille suiveurs.

L'exercice de la vénerie est fortement réglementé. Un code d'éthique est établi par l'Association française des équipages de vénerie de façon à garantir le plus grand respect de l'animal chassé.

La vénerie étant considérée comme appartenant au patrimoine français, le veneur se doit d'être au fait des traditions, de les respecter et de les transmettre.

La saison de la chasse à courre commence le 15 septembre et s'achève le 31 mars.

Rempli d'impatience, le premier groupe des veneurs et de la meute se forme autour du maître d'équipage. Bien que la chasse au renard soit interdite dans certains pays, la tradition se perpétue.

d'équitation blanche ou beige clair, les bottes noires et la bombe viennent compléter l'apparence de l'élégant cavalier.

Sur le théâtre des opérations, à l'appel, tous les cavaliers se rassemblent au rendez-vous et chacun se place dans l'équipage dans la position qui convient à son niveau.

Les cavaliers en tête d'équipage ont pour obligation de sauter les obstacles. La seconde vague de cavaliers choisit son option, tandis que les derniers, principalement débutants et jeunes chevaux, ne sautent généralement pas.

Au signal de présentation des chiens, les chasseurs leur font honneur en retirant leur bombe, avant que ne retentisse la fanfare de salutation. Le maître d'équipage salue tous les participants et leur indique les particularités du parcours et du déroulement de la chasse. Le traceur crée alors la voie pour la meute, laquelle est présentée par le piqueur, maître des chiens. Le « départ » du laisser-courre est sonné et les chiens du premier train se lancent. Lorsque les limiers ont dressé la voie, le maître d'équipage indique que la chasse est bonne.

Parmi les usages, il est dit que les « boutons », c'est-à-dire les membres de l'équipage, ne doivent jamais dépasser la tête de l'équipage, à savoir le maître d'équipage et la meute. Chaque veneur doit veiller à conserver sa position et surtout ses distances par rapport à celui qui le précède face à un obstacle. Des temps d'arrêt pour reprendre haleine, de même que la pause déjeuner, seront sonnés par diverses fanfares spécifiques.

Au terme d'une chasse réussie, le cavalier retire et brandit son gant droit, avant que ne sonnent les trompes et crie « hallali ». Le rituel comprend également la distribution de petits branchages de chênes. On sonne ensuite la fanfare de l'équipage, du maître d'équipage, et bien d'autres encore, telles la *Saint-Hubert*, *L'Adieu des maîtres*, *L'Adieu des Piqueux*, *Le Bonsoir* ou *Le Bonsoir breton*.

Au terme de la chasse, les veneurs ne sont pas les seuls hors d'haleine. Les sonneurs de trompe sonnent les fanfares jusqu'au tout dernier moment.

L'hallali

À la fois interjection et nom commun, le terme *hallali* remonte au XVIIe siècle : *ha la ly*, conjugaison de *haler* « exciter les chiens », et de *a li*, « à lui ».

En vénerie, ce cri est poussé pour prévenir l'ensemble de l'équipage que l'animal qui est poursuivi est aux abois.

De même, il désigne la fanfare sonnée pour annoncer que l'animal, à bout de forces, renonce à fuir.

Il existe des variantes. « Hallali courant » signifie que la bête court encore. « Hallali sur pied » signifie que l'animal, à l'arrêt, est cerné par la meute. « Hallali par terre » indique enfin que la bête gît à terre.

Roi des sports et sport des rois

Dynamique et spectaculaire, le sport des rois requiert une grande habilité de la part du cavalier et de sa monture. Parmi les sports d'équipe les plus anciens, le polo se pratique aujourd'hui encore dans plus de cinquante pays.

Au IIIe siècle av. J.-C., les Perses et leurs petits chevaux agiles sont certes les premiers à pratiquer ce jeu de balles et de maillets. Toutefois, les Indiens donneront au jeu son nom définitif : le mot tibétain *pulu* désigne le bois de bambou dont la balle est tressée. Le polo est déjà répandu dans toute l'Asie lorsqu'en 1860, les officiers de l'armée britannique importent la balle de bambou en Europe. Ce nouveau sport jouit rapidement d'une très haute considération et des polo-clubs se créent aux quatre coins de l'Angleterre.

En France, le premier match de polo se joue à Dieppe, en 1880. Le célèbre polo de Bagatelle est fondé en 1892 par le vicomte de La Rochefoucauld. Le terrain n'occupe pas moins de 86 720 m² sur la pelouse de Bagatelle. Lors des Jeux olympiques de 1900, le club y a accueilli les épreuves de polo.

Indépendamment de la cotisation au club, la pratique du polo se révèle onéreuse, à double titre. En effet, chaque cavalier doit disposer d'au moins deux chevaux car, après chaque période, comme le veut la règle, la monture doit être remplacée. Un bon poney d'origine argentine ne se trouve pas à moins de 3 500 euros. Ce à quoi il faut rajouter la pension, les soins, l'assurance, les frais de maréchal-ferrant et de vétérinaire.

Les joueurs de polo n'ont malheureusement pu que fugacement se réchauffer au soleil olympique. De 1908 aux Jeux olympiques de 1936, à Berlin, le jeu de balles et maillets est discipline olympique. Aujourd'hui comme autrefois, le contexte social élitaire environnant le polo lui confère une aura d'exclusivité. Les différences de niveau ne sont que celles du jeu sur le gazon. Car comme au golf, chaque joueur a son propre handicap, compris entre -2 pour les débutants et +10 pour un cavalier de haut

Un joueur de polo célèbre : le prince Charles

La maison royale d'Angleterre œuvre activement pour la popularité du polo sur l'île britannique. Marchant sur les traces de son père le prince Philippe, le prince Charles est un joueur de polo passionné. Ce faisant, il perpétue également une longue tradition : en Perse, le polo faisait partie intégrante de l'éducation des princes et à la cour, seuls les bons joueurs de polo accédaient aux rangs les plus élevés.

L'héritier du trône anglais s'est souvent frotté au côté abrupt du sport. En effet, il a, à plusieurs reprises, durement embrassé le sol pour finir ensuite à l'hôpital. Entre-temps, il raccrochera le maillet,

mais pour mieux se jeter à nouveau dans la bagarre. Ce n'est que l'âge venant qu'il renonce et cède définitivement la place et transmet le soin de perpétuer la tradition à ses deux fils, les jeunes princes William et Harry.

niveau. La somme des quatre handicaps individuels donne le handicap de l'équipe, classée dans l'une des quatre catégories parmi low goal, inter medium goal, medium goal et high goal. Selon la configuration du tournoi, l'équipe dotée du plus faible handicap se voit octroyer des points d'avance correspondant à la différence entre les handicaps des deux équipes.

Les gauchers sont affectés d'un handicap particulier, car le maillet de polo ne peut être tenu que de la main droite. Cette règle d'uniformisation est destinée à limiter les risques de cette discipline rapide et non dénuée de tout danger.

Ci-contre : une excellente aptitude à évaluer les distances et une grande habileté sont indispensables au polo. Avec des allers et venues incessants, il est difficile de garder la balle en vue.

Objet de toutes les convoitises : la balle de polo, qui pèse 130 grammes, est chassée par deux équipes de quatre joueurs.

Le polo sur neige

Le polo sur neige est le dernier avatar du trépidant jeu de balles et maillets. Les sabots des chevaux sont équipés de crampons. Aussi la jet-set qui se presse chaque année à Saint-Moritz en janvier et février se divertit-elle d'un spectacle complémentaire au « White Turf », courses de trot et de galop sur neige, et au skijöring, discipline quelque peu dangereuse où des chevaux tractent des skieurs.

Au cœur du théâtre grandiose des montagnes, la nature offre elle-même le terrain : un lac gelé dont la couche de glace, épaisse de 35 à 40 centimètres, peut supporter un poids de 2 300 tonnes. La White Turf Tacing Association met en place tribunes et village de tentes,

afin d'offrir un spectacle exclusif à tous les amateurs.

Les tentes des célébrités sont bien évidemment équipées de chauffage, car dans le cas contraire, les VIP bouderaient la manifestation.

Acrobatie en selle ou combat viril ? Dans ces luttes pour la balle, hommes et chevaux perdent parfois le contrôle de l'action. Les chutes ne sont pas rares, mais le plus souvent anodines.

Petit précis de polo

Race : poney de polo

Taille au garrot : 152 à 155 cm

Robe : toutes les couleurs simples

Description : croisement de criollo et de pur-sang, habileté et rapidité rares

Origine : Argentine

LES RÈGLES

Le spectateur assistant pour la première fois à un match de polo sera vraisemblablement profondément impressionné par l'action qui s'offre à ses yeux.

En substance, au jeu de polo, deux équipes de quatre cavaliers s'affrontent sur un terrain de 274 m de long et 183 m de large pendant quatre à huit séquences de jeu. L'objectif du match consiste à faire rentrer la balle aussi souvent possible entre les poteaux de but adverses. Mais la centaine de pages des règles du jeu laisse aisément supposer que la pratique ne se révèle pas aussi simple que cela.

La base du jeu repose sur le droit de passage. Priorité est laissée à celui qui suit la balle frappée selon une ligne droite, ou bien au premier qui tourne sans gêner autrui sur la trajectoire de la balle. Les autres joueurs n'ont pas le droit de lui faire obstacle, ni par devant, ni par derrière. Toutefois, ils peuvent le serrer latéralement et l'empêcher de frapper dans la balle en interposant leur maillet.

Deux arbitres à cheval conduisent le jeu grâce aux séquences, les chukkas, d'une durée individuelle de 7 minutes et 30 secondes. Pendant les 5 minutes de pause entre les chukkas, le cavalier change de monture. Pour des raisons de sécurité, les étalons ne sont pas autorisés sur le terrain. Si un cheval chute, le match est aussitôt interrompu. Si c'est un cavalier, le jeu continue, si tant est qu'il ne soit pas blessé.

L'ÉQUIPEMENT

Au polo, la sécurité est le principal souci, aussi casques et genouillères sont-ils obligatoires. Les membres des chevaux sont protégés par de légers bandages, la queue est tressée et la crinière coupée. De cette façon, le maillet, long d'environ 1,50 m, ne peut se prendre autour de l'encolure ou sous la queue lors de la frappe de la balle. Cette dernière pèse 130 grammes et est aujourd'hui faite de plastique compressé, et non plus de bois.

Outre sa culotte d'équitation et ses bottes, le joueur porte une chemise, désormais mondialement célèbre, la chemise de polo ou simplement « polo ».

Ce vêtement doit sa réussite au coton, tout d'abord découvert par les Indiens, puis ensuite cueilli par les Américains, les Russes et les Chinois. Cavaliers ou tennis women, jeunes ou vieux, il n'est pas un sportif qui n'ait jamais porté de polo. La qualité originale du vêtement a certes baissé lors de l'apparition des fibres synthétiques sur le marché. Mais les cavaliers persistent à privilégier le pur coton, très doux pour leur corps en sueur : il en était déjà ainsi en Inde, au début du siècle dernier, lorsque les colons anglais s'adonnaient à leurs matchs de polo.

LE CHEVAL

Un poney de polo talentueux et bien formé affiche rapidité et maniabilité, participe presque spontanément au jeu et se laisse diriger facilement par un guidage à une seule main de son cavalier. Il n'a rien non plus d'un pétochard, car les dangers que sont les maillets, les balles et les autres cavaliers auront tôt fait de le clouer sur place ou bien de le faire fuir, à tout jamais, à brides abattues.

Les meilleurs poneys de polo sont originaires d'Argentine, nation leader de la discipline devant les États-Unis, le Mexique, la Grande-Bretagne, l'Australie et la Nouvelle-Zélande. Leurs ancêtres ont été importés en Amérique du Sud par les conquistadors Cortés et Pizzaro. Croisés avec le pur-sang anglais, le poney de polo argentin est un véritable succès à l'exportation.

Des coups spectaculaires portés sous l'encolure du cheval comptent parmi le répertoire classique d'un bon joueur de polo.

Priorité à celui qui suit la balle sur une trajectoire droite. Il ne doit pas être gêné, mais peut être forcé par le côté.

Un match de polo de première classe attire nombre de spectateurs qui observent les joueurs prendre tous les risques afin de pousser la balle dans les buts adverses.

Défense antiaérienne ! Afin de modifier la trajectoire de la balle, les joueurs puisent volontiers dans leur réserve de ruses tactiques.

Les poneys de polos sont de puissants sprinters, capable de développer leur pleine puissance sur une courte distance.

Aujourd'hui, le mythe du cow-boy fonctionne toujours. Toutefois, l'imaginaire autour du personnage est très éloigné de la réalité du quotidien. En effet, le travail est dur et extrêmement fatigant.

Sur les traces des cow-boys

Le secret de l'équitation western réside dans la communication entre le cheval et son cavalier, laquelle doit être la plus simple et la moins fatigante possible car entièrement orientée vers le travail avec le bétail. Selon la saison, les cow-boys modernes doivent rester en selle près de douze heures par jour, convoyant, réunissant et triant les bêtes.

Le jeu complice entre les partenaires intervient en une fraction de seconde et ne peut fonctionner que dans le cadre d'une confiance réciproque. La plupart du temps, le cow-boy se fie à l'instinct de son équipier à quatre pattes, car la réaction d'un cheval est spontanément adaptée. Les cavaliers confirmés guident leur monture d'une seule main, de sorte que la seconde reste libre pour ouvrir une barrière ou activer le lasso. L'équi-western se distingue de l'équitation classique par l'action et le rassembler. Le cavalier de dressage travaille en effet sur des mouvements amples du cheval, en guidant sa monture par les déplacements du poids de son corps et la pression de ses cuisses. Le cavalier western, en revanche, émet un signal à destination de sa monture uniquement lorsqu'il veut modifier un comportement. Par exemple, un cheval au trot devra maintenir le rythme et la direction jusqu'à ce qu'il reçoive un nouvel ordre du cavalier. Ce faisant, les rênes se sont pas trop tendues dans la main du cow-boy : elles sont légèrement relâchées et le cheval trouve l'équilibre de sa tête et de son encolure dans une position abaissée. Avec ces deux types d'équitation, les chevaux travaillent constamment en rassembler et amorcent leurs mouvements en déplaçant leur centre d'équilibre.

Compétitions d'équi-western

Les cavaliers western n'iraient jamais se fourvoyer dans une compétition de saut d'obstacles ou de dressage. En effet, ils ne s'y sentiraient absolument pas à leur place. Il y a plusieurs années, l'équi-western était en Europe le fait de quelques passionnés arborant des chapeaux de cow-boy et fans de musique country. Mais depuis, le cercle s'est agrandi et il existe même des associations. Des championnats nationaux et internationaux d'équitation américaine, réunissant la désormais grande famille des cavaliers western, sont régulièrement organisés.

L'habit de représentation comprend obligatoirement le chapeau de cow-boy, la chemise en jeans brodée et force ornements sur la selle et la bride. Ce sens de la mise en scène n'est pas uniquement le fruit de la coquetterie personnelle, mais compte également dans la note attribuée par les juges. Les cow-boys aussi ont le droit d'être beaux !

De nombreuses personnes pensent que l'équitation américaine puise ses racines dans l'épopée des cow-boys. Dans le principe, cela ne fait aucun doute. Toutefois, les garçons vachers américains n'ont fait que perfectionner cette technique de monte particulière, sans l'avoir inventée. En effet, les principes fondamentaux furent hérités des conquérants espagnols qui, au XVIe siècle, avaient apporté avec eux chevaux et bétail de l'Ancien Monde. Au Mexique et dans le Sud des États-Unis actuels, haciendas et ranches abritent d'immenses troupeaux de bovins. Dans un premier temps, les Indiens apprirent le style classique des vaqueros. Par la suite, ce style de monte fit l'objet d'une adaptation encore plus précise au travail d'un gardien de bétail, par les cow-boys et les gauchos.

Les aides sont essentiellement transmises par les déplacements de poids, mais des ordres vocaux donnent également d'excellents résultats. Dans la pratique, le maniement du mors ne doit pas être trop violent ni sec, car le poids des rênes suffit à établir une connexion avec la bouche du cheval. Une monture correctement entraînée amorcera un changement de direction uniquement par l'appui des rênes sur son encolure.

Le couple cheval-cavalier s'acquitte de son travail avec décontraction et détente, et parcourt les environs à un rythme tranquille. Toutefois, l'allure peut s'accélérer à tout moment, pour peu qu'un événement se produise au sein du troupeau. C'est sur ces cas de figure du travail quotidien que s'appuient les épreuves des shows d'équi-western.

LES FIGURES DE L'ÉQUI-WESTERN

Lors d'une démonstration de pleasure, les juges évaluent les trois allures de base : walk, jog et lope (pas, trot et galop), le coulé du déplacement et la position correcte du cheval.

Pour le reining, sorte de concours de dressage, comptent parmi les figures obligatoires le changement de pieds au galop, les pivots sur arrière-main (spins) et les arrêts glissés (sliding top) – sur cette figure d'arrêt en plein galop, le cheval ne peut absorber tout son élan, aussi glisse-t-il quelques mètres sur l'arrière main. Les juges évaluent les aptitudes au roll back (180° sur l'arrière-main et départ au galop) et au back up (reculer droit).

Sur une épreuve de trail, les chevaux démontrent leur habileté à franchir les obstacles sur un parcours. Les difficultés mises en scène reprennent celles de leur quotidien : passer une barrière fermée, franchir un pont ou bien avancer sur un sol instable reconstitué par une bascule.

Le roping est une épreuve de rodéo faisant intervenir le travail au lasso : il faut attraper un bœuf dans un temps imparti. Le roping peut se prati-

La porte compte parmi les figures imposées du trail. L'objectif est d'ouvrir la porte, de franchir et de la refermer sans mettre pied à terre.

quer en équipe : le header – le cavalier qui s'occupe de l'avant de l'animal – lance le lasso autour de la tête du bœuf tandis que le healer doit attraper les postérieurs. Si une bête doit être isolée de l'ensemble du troupeau, l'épreuve prend alors le nom de cutting.

Ces techniques d'équitation s'apprennent facilement lorsque le cavalier est débutant. En revanche, si ce dernier est issu de l'école classique anglaise, il lui faudra oublier tout ce qu'il a appris jusqu'alors.

Lors du déplacement latéral, le cheval doit passer, sans les toucher, par-dessus des barres placées entre ses antérieurs et ses postérieurs en effectuant des pas de côté (sidepass).

Tout bon cheval western passe sereinement sur la bascule, épreuve qui rendrait plus d'un cavalier et sa monture nerveux.

L'arrêt en plein galop est une épreuve de reining et vraisemblablement l'une des figures les plus spectaculaires de l'équi-western.

Pour les enfants, la voltige est un bon moyen de se familiariser avec l'équitation. Les exercices améliorent l'équilibre et les figures telles que « l'étendard » s'acquièrent rapidement.

Amitié et thérapie

Outre son caractère bienfaisant, la fréquentation des chevaux exerce également une action curative. L'hippothérapie, la voltige ou l'équitation hippo-éducatives et l'équitation pour handicapés sont des formes d'équitation thérapeutique de plus en plus pratiquées de nos jours.

Dans le cadre de l'hippothérapie, le patient est directement en contact avec le dos du cheval, qui dégage une douce chaleur. Le cavalier handicapé doit réagir constamment de façon active aux mouvements de la monture. Ces exercices se répercutent positivement sur le tonus musculaire et surtout sur le psychisme, car il a le sentiment de se tenir droit quand il se déplace, grâce aux jambes d'un autre.

Les chevaux sont de formidables thérapeutes. Pour preuve, la facilité avec laquelle les personnes handicapées, physiques ou mentales, apprennent l'équitation ou la voltige tout en y prenant un plaisir évident.

C'est en 1996 que l'équitation est devenu un sport officiel aux Jeux paralympiques, à l'occasion des Jeux d'Athènes. Les cavaliers peuvent y participer grâce à des aides spécifiques et des chevaux spécialement formés à cet effet.

Mobiles particuliers

Virevolter sur le dos d'un cheval au galop. Voilà qui ne semble, de prime abord, pas si compliqué que ça. Et pourtant, ceux qui peinent à réaliser cette gymnastique au sol savent combien cette discipline est exigeante. Salto vrillé, équilibre suivi d'un grand écart facial, de même que des sauts au-dessus et sur le cheval : on touche véritablement à l'acrobatie.

Cette gymnastique équestre s'apparentant à un numéro de cirque constitue aussi un véritable sport de compétition : en individuel ou en équipe de deux à huit, les concurrents visent la meilleure note. Les figures imposées portent les nom de position de base, debout, étendard, amazone, moulin et ciseaux. En reprise libre, les voltigeurs les associent à d'autres éléments de style, de façon à enthousiasmer non seulement le jury, mais également leur public.

La voltige moderne a connu une importante évolution depuis ses débuts. À l'époque de la Renaissance, cet art des figures esthétiques et artistiques à cheval était particulièrement prisé de la noblesse française. Dans les écoles de cavalerie, la voltige compte bientôt parmi les exercices destinés à améliorer l'habileté en selle des cavaliers. La voltige n'a été intégrée au

Le cheval d'arçon

Au commencement était le cheval. De chair et de muscles, et non de bois, nous rapporte la tradition. Ce n'est que bien plus tard que les gymnastes bipèdes créèrent un simulacre de bois, donnant ainsi le jour à une discipline à part entière, toujours inscrite au programme des Jeux olympiques. Le cheval d'arçon utilisé pour les compétitions masculines est doté de deux poignées. Les modèles destinés aux épreuves féminines en sont dénués, car les gymnastes femmes n'utilisent cet agrès que pour le saut.

programme olympique qu'une seule et unique fois, lors des Jeux olympiques de 1920 à Anvers.

Aujourd'hui, pour les jeunes gens en costume de gymnastes et basanes antidérapantes, exécutant leurs figures sur le dos d'un cheval bienveillant, la voltige ne constitue souvent qu'une activité temporaire, véritable tremplin vers l'équitation.

LE CHEVAL DE VOLTIGE

Caractérisé par un galop régulier et cadencé, le cheval de voltige est un véritable athlète ; en effet, son dos large et long accueille parfois jusqu'à 160 kg d'humains virevoltants ! Toujours équilibré, il place avec précision chacun des trois temps de son galop, 15 minutes durant ou même davantage. Pour pouvoir tourner à la longe, le cheval doit être âgé de cinq ans au minimum et avoir bénéficié d'une formation de type dressage lui apprenant à percevoir les aides quasiment invisibles de son meneur. Idéalement, il toise 160 à 180 cm, et est doté d'un caractère paisible, ni chatouilleux, ni ombrageux.

L'équipement du cheval de voltige comprend un surfaix rembourré avec deux poignées latérales et une courroie centrale, un tapis de surfaix, un filet, un licol, deux enrênements et une longe d'environ 8 mètres.

Le moulin : à partir de la position de base, le voltigeur exécute une rotation complète. Dans un premier temps, la jambe droite bascule par-dessus l'encolure du cheval pour amener le cavalier en position intérieure, puis suivent trois quarts de tour.

Une figure qui requiert une grande stabilité et des bras musclés : l'équilibre face avant. De plus, il est indispensable que le cheval maintienne un galop calme et régulier.

Une figure qui demande au début de surmonter sa peur : le debout. Le mouvement est amorti avec légèreté dans les genoux et les chevilles.

La voltige est un sport de compétition officiel. L'un des temps forts de chaque concours reste la reprise en équipe.

Pour prétendre à un titre mondial ou européen, un voltigeur doit se lancer dans des figures intrépides dont la difficulté dépasse largement celle des figures imposées.

Toutes brides abattues

Sang chaud, sang froid, pur-sang ou poney, tous les chevaux sont à la parade dès lors qu'ils prennent place dans un attelage. Très longtemps, les quadrupèdes furent indispensables aux transports. À peine les premiers véhicules motorisés circulaient-ils dans les rues que plus personne ne voulait conduire d'attelage. Une ère s'achevait et pour un peu, la véritable raison d'être du cheval. Mais ce dernier constitue un véritable bien culturel, à même de s'affirmer dans d'autres domaines, tant par sa sportivité que par son aspect particulier.

Les formes les plus diverses d'utilisation de la traction hippomobile ont donné naissance à une nouvelle discipline sportive : l'attelage. Ce sport deviendra officiellement la quatrième discipline équestre, reconnue par la fédération équestre internationale. L'attelage n'a certes pas accédé au statut de discipline olympique, mais dispose d'un programme de compétitions complet, avec ses championnats mondiaux et européens, pour les attelages à un, en paire et à quatre. Les épreuves spectaculaires pour attelages à quatre attirent désormais un très large public.

Des chevaux bien entraînés obéissent à la voix. Dans des situations critiques, les ordres vocaux du meneur se révèlent bien souvent bien plus concluants que les signaux des rênes.

Un travail d'équipe

Le meneur n'est jamais seul. Sur un attelage à quatre, il peut être assisté de deux grooms choisis par ses soins. Ses accompagnateurs connaissent les chevaux aussi bien que lui-même et, sur les parcours rapides, négocient les virages en maintenant le véhicule dans la trace. Pour ce faire, ils déplacent parfois leur corps à la façon spectaculaire des équipiers d'un catamaran. Et si les chevaux restent bloqués, les grooms descendent immédiatement de l'attelage pour libérer l'équipage de la boue qui le retient. Ils parlent avec douceur et calme aux animaux, lesquels seront dételés en un éclair en cas de besoin. Manœuvrer un attelage à quatre chevaux sur un parcours difficile requiert indubitablement un véritable travail d'équipe.

À une époque, sur les compétitions internationales, un quatrième homme prenait place à bord, à côté du meneur. Ce juge délégué, lequel vient compléter les juges de passages, contrôle que la totalité du parcours a été effectuée dans les règles. Cette disposition a été abandonnée car il est souvent arrivé que ce juge de siège ait bel et bien été perdu en cours de route.

LES ATTELAGES

Il existe de nombreuses façons d'atteler des chevaux. Cette variété concerne tant le choix de la voiture que celui de l'enrênement. L'attelage à un est très maniable. Pour l'attelage en paire, deux solutions sont possibles : deux chevaux de front, en parallèle, ou bien le tandem, l'un derrière l'autre. De cette façon, l'équipage gagne en finesse et en manœuvrabilité. Trois chevaux offrent trois possibilités : trois chevaux de front ou bien

l'arbalète qui prévoit deux chevaux devant et un derrière. L'autre combinaison à trois porte le nom de troïka russe. Les trois montures sont attelées de front, mais progressent à des allures différentes : le cheval du centre trotte alors que les deux extérieurs galopent. L'attelage à quatre et sa combinaison deux fois deux est encore suffisamment maniable pour la discipline. En revanche, quatre chevaux de front constituent un imposant quadrige, qui tractait jadis les chars romains. La combinaison impaire à cinq a été conçue par les Hongrois avec trois chevaux devant et deux derrière. Sur les attelages à six et à huit, ils progressent par paires. Et les formules à onze prévoient un cheval de tête.

Depuis le début de la discipline, la conduite sportive a été fortement influencée par les Anglais. Mais le système anglais a été affiné par l'Allemand Benno von Achenbach. Au début du XXᵉ siècle, il enseigne à ses élèves que les chevaux d'un attelage doivent être travaillés de la même façon que les chevaux de monte : leur éducation repose sur la fluidité, le rassembler, le dressage et l'obéissance. La mission du meneur consiste à faciliter au maximum la tâche du cheval, son objectif ultime, bien que depuis son siège il ne puisse communiquer que par la voix, le fouet et les rênes. Véritable maître à penser des meneurs modernes, von Achenbach a mis au point un système de rênes logique, permettant d'agir sur chaque bête individuellement. Pourtant, ce qui apparaît simple et limpide pour l'initié ne ressemble, aux yeux d'un profane, qu'à un vaste entremêlement de courroies de cuir. On ne parle pas en vain de l'art de l'attelage ! Mais une fois le virus pris, il n'y a pas moyen de décrocher.

La pratique de l'attelage requiert encore davantage de sacrifices que le saut d'obstacles ou le dressage. Rien que le graissage du cuir des harnais et des rênes, le polissage des pièces de métal et l'entretien de la voiture coûtent énormément de temps, et d'argent. Les frais d'acquisition ne sont pas non plus négligeables. Un équipage pour le marathon, c'est-à-dire un véhicule pour différents types de terrains, coûte quelque 10 000 euros.

Passant par un fossé rempli d'eau, une chevauchée mouvementée, comme l'épreuve du marathon sait en réserver, n'a rien de commun avec une paisible promenade en calèche.

Une compétition se déroule en trois épreuves distinctes. Le premier jour est consacré au dressage, pour lequel l'équipage se vêt avec la plus grande distinction. En frac et haut de forme, le meneur ressemble à un élégant spectateur d'Ascot un jour de course et les grooms sont en livrée. Le deuxième jour se déroule le marathon. Des habits adaptés s'imposent, car le parcours les emmènera par des fossés inondés et selon les conditions météorologiques, sur des sentiers de forêts boueux. En raison du risque de chute, le port d'un casque de protection est recommandé à l'équipage. Le vainqueur de la compétition est désigné le jour de la dernière épreuve, à nouveau sur la carrière. En effet, l'épreuve de maniabilité autour des balises, avec pénalités et temps imparti, constituera la phase décisive. Et pour cette dernière évaluation, les équipages ont remis leurs habits d'apparat.

Il existe de nombreuses possibilités d'attelage : de l'attelage à un à l'attelage à onze, pour lequel le meneur a les mains fort occupées.

Une fois la carrière sportive derrière soi, on peut enfin se laisser vivre. Ratina Z (à gauche) et Rush On, l'équipe de retraités de Ludger Beerbaum, apprécie une vie oisive et se réjouit toujours de la visite de leur ancien « patron ».

Et après ?

Un cheval que l'on retire de la vie sportive n'est pas obligatoirement un cheval âgé. Et un cheval âgé n'est pas forcément fragile. Chez certains animaux, l'âge n'est flagrant qu'à l'observation de la dentition. Du fait des années d'abrasion, les surfaces de mastication affichent une usure patente, et parfois une dent vient à manquer. Il arrive qu'on distingue quelques poils gris, dans la crinière, la queue ou sur la tête de l'animal. Heureusement, le lifting équin n'est pas encore pratiqué. Chez les spécimens approchant la vingtaine, la silhouette se relâche progressivement. Les premières rides apparaissent autour des naseaux et la partie supérieure de l'œil se creuse. De plus, des troubles de la vue, liés à l'âge de l'animal, peuvent parfois se manifester.

Toutefois, toutes ces remarques esthétiques ne déterminent pas la forme physique et psychologique du cheval. Beaucoup d'exercice au grand air, la compagnie agréable de quelques congénères et des soins affectueux entretiennent la vaillance. Autrefois, lorsque les chevaux menaient une vie encore plus rustique et passaient la quasi-totalité de leur vie à l'extérieur, ils atteignaient facilement quarante ans. Aujourd'hui, un animal âgé de trente ans fait déjà figure d'ancêtre.

Quant à savoir jusqu'à quel âge un cheval peut être monté, le cavalier doit être à même de le déterminer. Dans le principe, c'est une bonne chose qu'un cheval vieillissant soit encore sellé de temps à autre. En revanche, des performances astreignantes sont hors de propos. Seul un entraînement léger reste d'actualité, car permettant d'entretenir la musculature de l'animal.

Le jour où le dos s'est trop affaissé, la selle restera alors définitivement rangée. Mais le complice des années sportives ne doit pour autant être relégué au quartier des vieillards. En effet, il est temps pour l'homme d'exprimer sa gratitude envers son compagnon de l'avoir transporté en toute sécurité, pendant de longues années. Tous deux peuvent à pied et à pattes partir se promener en forêt. Et en tant que doyens, les retraités veillent au bon ordre du groupe au pré.

DES RETRAITÉS CÉLÈBRES

Au soir de leur vie, tous les chevaux n'ont pas la chance d'être bien soignés. Bien souvent, les propriétaire s'en séparent sans plus de manière, ou même les envoient à l'équarrissage lorsque leurs vieux os sont désormais trop fatigués pour sauter ou piaffer. Mais les grands cavaliers sont généralement exemplaires dans leur approche de la vieillesse équine. Jamais ils ne permettraient que leur crack d'autrefois dépérisse de solitude. Dans le quotidien affairé d'une écurie de compétition, il y a toujours du temps à consacrer aux retraités.

Paul Schockemöhle va régulièrement parler à Deister, son compagnon qui l'a porté vers ses plus belles victoires. Avec ce hanovrien, il a remporté le titre de champion d'Europe à trois reprises. Lorsque Deister se retire de la compétition en 1989, sa technique de saut lui a permis de

La technique de saut de la pouliche Ratina Z était si parfaite que son éleveur, Leon Melchior, décida de lui consacrer un monument. Cette photo servit de modèle.

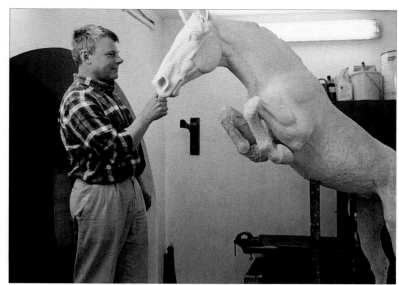

À partir de ce cliché, un sculpteur a réalisé une statue de plâtre d'où sera finalement tirée une silhouette de bronze.

remporter quelque 750 000 euros. Une somme considérable, surtout à cette époque. Il affichait alors fièrement ses vingt-neuf printemps.

Ludger Beerbaum conserve une tendresse pour ses compagnons d'armes. Il a même acheté la jument avec laquelle, jeune garçon, il avait débuté l'équitation. Cette battante, déjà âgée de vingt-quatre ans à l'époque, a été véritablement choyée par son propriétaire. Cette retraitée gâtée porte le nom de Rastina Z, et a remporté plus de titres olympiques, mondiaux et européens qu'aucun autre cheval d'obstacles. À la retraite, la jument la plus titrée de tous les temps n'a pas eu le temps de s'ennuyer. Après des adieux émouvants en 1999 à Aix-la-Chapelle, elle commence par voyager, direction le Mexique. Là, le transfert de ses embryons vers des pouliches porteuses ont permis de donner naissance à de nombreux poulains. À la fin de l'année 2000, elle rentre chez son cavalier, Ludger Beerbaum, à Riesenbeck en Westphalie. Là, elle prend du bon temps avec un élégant millionnaire du nom de Rush On. Ce dernier a remporté deux fois le titre de champion d'Allemagne et a engrangé des

Deux exemplaires furent réalisés. Tous les fans de Ratina peuvent la contempler, tant à Riesenbeck chez Ludger Beerbaum qu'en Belgique, au haras de Zangersheide, chez son éleveur.

prix dont le montant affiche sept zéros. Mais il pouvait parfois faire honte à son cavalier. Lors du Derby allemand de Hambourg, il a refusé, une fois, de sauter le grand mur. Son cavalier, n'usant jamais de la force avec ses montures, salue alors en agitant un mouchoir blanc et quitte le stade en souriant.

Véritable génie au dressage, Rembrandt était également un cheval particulier. Bien avant de remporter l'or olympique à quatre reprises, il se considérait déjà comme un « être » à part et aimait à se comporter en solitaire. Nicole Uphoff raconte qu'à l'âge de vingt-trois ans, un an avant sa mort, il s'était amouraché d'une jeune pouliche poney et aimait à musarder au pré en sa compagnie.

Polydor est l'un des étalons les plus célèbres des temps modernes. Né en 1972, année olympique, il arrive au haras national de Rhénanie du Nord-Westphalie et devient bientôt le porte-drapeau de Warendorf. En 1998 et 1999, il est le premier sur la liste mondiale des meilleurs étalons, car sa descendance se révèle extraordinairement douée pour le saut d'obstacles. À la fin, il n'intervenait plus que sporadiquement en temps que reproducteur. Visiblement, ce fier cheval appréciait les groupes de visiteurs venus l'admirer dans son box, tel une légende vivante. Polydor partira pour le paradis des chevaux en 2000, sa première année de retraite à temps plein.

Condé

En 1777, lorsque Condé devient la propriété de Frédéric le Grand, les grandes campagnes du roi sont déjà derrière lui, mais il n'a pas pour autant perdu le goût de monter. Dès leur première promenade, c'est un amour indéfectible qui liera le cheval au vieux roi. Sa Majesté est tellement amusé par ce cheval blanc qu'il le fait amener dans les écuries de son château de Sanssouci où il héberge ses chevaux préférés. Condé devient alors le favori de tout un chacun, au château mais également dans les rues de Postdam : non seulement très beau, il est aussi talentueux et sympathique. Condé a tous les droits, même celui de se promener dans le château. Les gardes n'en retiraient pas autant de bonheur que le seigneur de Sanssouci. Avant et après chaque sortie, le roi gâtait Condé avec des melons, auxquels s'ajoutaient des figues en récompense.

Le hongre ne quitte pas d'une semelle le monarque vieillissant dont le dos douloureux rend les sorties à cheval de plus en plus difficiles. La dernière aura lieu le 4 juillet 1786. Le roi doit être porté pour monter en selle. Cela ne l'empêche pas pour autant de galoper jusqu'à l'épuisement. Frédéric le Grand décédera à l'âge de soixante-quatorze ans.

Condé survécut à son maître pendant de longues années, sans figues, ni melons, mais dans un pré verdoyant de l'école vétérinaire de Berlin. Il y mourra en 1804, alors âgé de trente-huit vénérables années. Son squelette est conservé à la faculté de médecine vétérinaire de la Freie Universität de Berlin.

Du cheval à bascule au dada

Même les plus petits se découvrent un amour pour les chevaux. Un poney à ses côtés et c'est le bonheur dans toute sa plénitude.

Le virus
de l'équitation

Quel que soit l'endroit, le même phénomène peut être observé dans toutes les écuries. Les unes après les autres, tels des papillons attirés par la lumière, les jeunes filles se découvrent une passion pour le cheval, et pas un jeu vidéo ne peut les détourner de nourrir, étriller, bouchonner et mon-

ter. Certes, quelques garçons fréquentent les box, mais restent indubitablement une minorité et sont de véritables coqs en pâte !

À quoi cet engouement féminin pour la gent chevaline tient-il ? La science se penche depuis longtemps sur ce phénomène. Et pense tenir la réponse en invoquant l'instinct nourricier et ménager des filles, qui les tient depuis le berceau. À peine les couches ôtées que se manifestent les premiers symptômes, les nounours et autres peluches tombant au front de l'instinct féminin, embrassés, cajolés des heures durant. Il en va de même des animaux domestiques qui ne sont pas assez rapides pour grimper dans les arbres : câlinés et dorlotés, à l'instar des poupées, habillées et coiffées jusqu'à ce que les cheveux tombent.

Mon maître, mon ami
Bien plus que ta noble conquête,
ton fidèle compagnon je suis.
Aux ordres donnés avec douceur
sans restriction j'obéirai.
Jamais attitude rétive
à ton égard je n'aurai.
Accorde moi ta confiance
et loyal je resterai.
Confie moi les taches pénibles,
ma force et ma bravoure je t'offrirai.
Et pour le prix de ma liberté,
ton meilleur ami je veux rester.

Les spécialistes rassurent les parents inquiets face à l'engouement de leurs fillettes pour le cheval, lorsque leur progéniture, mue par l'instinct, a remplacé la poupée par un animal à crinière. Ces quadrupèdes sont souvent la dernière « peluche » sur le chemin qui mène à l'âge adulte. Dans la période comprise entre six et quatorze ans, les filles satisfont divers besoins émotionnels en se consacrant intensément à l'animal. Par ce biais, elles peuvent s'appuyer sur un partenaire solide. Parallèlement, leur domination de cet imposant animal leur procure l'impression de maîtriser leur côté masculin. Il n'est pas rare que l'intérêt porté au compagnon à quatre pattes s'évanouisse dès lors qu'apparaît le premier petit copain. Et les jeunes filles préfèrent alors passer leurs nuits en discothèque que leurs journées dans les écuries. Ce constat ne s'applique pas à toutes les hippophiles, mais toutefois à une majorité d'entre elles.

La relation femme-cheval est un chapitre récent de l'histoire des équidés. Elle ne débute véritablement qu'au milieu des années 1960, car des siècles durant, le monde de l'équitation est resté un domaine exclusivement masculin.

C'est peut-être la raison pour laquelle les hommes sont encore en majorité à des niveaux élevés de compétition. Mais le nombre de femmes, au saut d'obstacles et au concours complet, ne cesse d'augmenter. Et la tendance se confirme.

Ce sont surtout les filles qui sont atteintes du « virus du cheval ». Mais la « maladie » s'arrête souvent d'elle-même lorsque la fillette rentre dans la période de l'adolescence.

Les théories freudiennes

Au cours des deux siècles derniers, les recherches et les découvertes médicales se sont essentiellement articulées autour de la guérison de l'être dans son rapport avec son corps. Aussi la communauté scientifique s'émeut-elle lorsqu'un certain Sigmund Freud, neurologue viennois, alors inconnu, dévoile avec aplomb ses nouvelles théories : en tant que médecin voués aux « âmes malades », il analyse l'esprit et la psyché de ses patients.

Il étudie notamment le cas d'un enfant de cinq ans, effrayé par les chevaux. Pourquoi le cheval est-il devenu un symbole de peur pour ce garçonnet ? Pour Sigmund Freud, l'équidé est l'incarnation du père que l'enfant craint plus ou moins. Le père n'affiche pas la même bonté envers le fils que sa mère. Et le cheval est apparu aux yeux de l'enfant comme une entité inconnue et menaçante, susceptible de prendre sa place

auprès de sa mère. Cette analyse freudienne est devenue célèbre dans le monde entier sous le nom de « complexe d'Œdipe ». Freud a également disséqué l'amour des filles pour les chevaux au microscope de la psychanalyse. Il établit des liens entre l'équitation et la sexualité féminine, la taille et la force du cheval revêtant un caractère sexuel. Anna, la fille de Freud, interprète même l'amour des chevaux caractérisant les filles comme l'expression d'un désir de pénis.

Mais que les parents inquiets se rassurent : les deux théories ont été depuis réfutées. Toutefois, la psychanalyse freudienne a autrefois fait carrière et les explications des procédés des comportements humains ont entraîné une révolution théorique, se répercutant également sur l'art et la littérature. Des penseurs et poètes tels que Rainer Maria Rilke ont étudié Freud. Rilke, plongé dans un désespoir moral, y trouve quelques solu-

tions. Thomas Mann va même jusqu'à tenir un discours intitulé : « Freud et l'avenir ». Et Albert Einstein en vient aussi à discuter avec le perspicace investigateur des esprits.

La reconnaissance absolue et la plus grande admiration viendront de la fille de Freud, Anna. Elle publiera dix-huit volumes de l'œuvre compilée de son père, semant encore le trouble dans le petit monde de la psychanalyse européenne et américaine. Elle y devient le chef de file de la psychanalyse infantile, car elle est profondément convaincue que la phobie de l'enfant, telle que son père l'avait analysée dans le cheval traumatisant de l'époque, constitue la clé première d'une interprétation complète. Aussi, tout continue de tourner autour d'Œdipe, héros tragique de la mythologie grecque, qui, bien qu'il n'eût jamais peur des chevaux, tua son père dont il ignorait tout et épousa sa mère.

À dada...

Sur les peintures d'enfants médiévales, mais aussi sur les clichés du tournant du XXe siècle, il n'est souvent possible de distinguer les garçons des filles que par leurs jouets. Les fillettes sont représentées avec leurs poupées, tandis que les garçons chevauchent généralement leurs chevaux de bois ou à bascule. Les garçons partagent cet attirance pour le cheval avec leurs héros du moment : les chevaliers, les cow-boys et les indiens. Avec le temps, cette fascination équestre sera remplacée par la voiture. Parallèlement, de plus en plus de filles s'intéresseront aux chevaux, qu'elles ne connaissaient jusqu'alors qu'à travers les livres.

Qui veut devenir un champion doit débuter son entraînement très tôt ! Ce petit cow-boy dispose pour le moins de l'équipement adapté !

Les jouets représentant des chevaux existent sous toutes les formes. Chaque enfant peut trouver dans la gamme existante de quoi combler ses aspirations.

Le dada

Certains ne possèdent pas de cheval, mais cultivent toutefois soigneusement leur dada ! Synonyme de violon d'Ingres, de marotte, voire de manie, le dada décrit le domaine de prédilection d'une personne, qu'il s'agisse de nettoyer sa voiture le samedi ou de collectionner toutes sortes de choses. Le mot anglais *hobby* reprend la notion de dada.

Pour les enfants, le dada incarne une réalité bien plus concrète. Tête de cheval surmontant un simple bâton de bois, ce cheval-là est un très ancien jouet, simulant l'équitation de façon originale et sûre. En outre, il permet d'entretenir sa forme !

Les peluches jouissent de la faveur particulière des enfants. S'il n'est pas toujours possible de caresser un animal de chair et de crin, ceux de tissus font l'affaire.

Les classiques de la littérature équestre

Black Beauty

Black Beauty d'Anna Sewell est un grand classique de la littérature pour enfants et adolescents, paru en 1877 sous le titre *Black Beauty, The Autobiography of a Horse*. La beauté noire y est le narrateur et entraîne les jeunes lecteurs dans la vie et les souffrances de son destin chaotique de cheval.

Fury

Les histoires de l'auteur Albert G. Miller narrant les aventures du jeune orphelin Joey Clark et du cheval noir Fury sont devenues véritablement cultes. Joey apprend que le mustang Fury a été capturé par Jim Newton et se trouve au ranch de Broken Wheel. Rempli de curiosité, il se rend au ranch où ses espoirs sont comblés à deux titres. L'étalon noir et lui s'entendent à merveille dès le premier instant et Jim Newton s'attache au jeune garçon au point de l'adopter. Mais des rumeurs laissent entendre que Fury est un cheval dangereux capable de tuer et viennent assombrir ce tableau idyllique. Joey reste loyal envers son ami à quatre pattes et cherche alors à prouver son innocence.

L'étalon noir

En quinze volumes, Walter Farley et son fils, Steven, racontent les merveilleuses aventures de Black, le pur-sang arabe noir qui sauve le jeune Alec, avant de devenir un célèbre cheval de course en Amérique. Walter Farley a toujours mis en avant sa grande passion pour les chevaux dès sa plus tendre enfance. Il commença même à rédiger la première série de Black dès ses onze ans. Les histoires de Black ne sont pas prêtes de s'arrêter car le fils de Walter Farley, Steven, perpétue la légende de l'indomptable étalon depuis 1996.

Poly

Les histoires du petit poney Poly ont peuplé l'imaginaire de plusieurs générations de bambins. Dans ses nombreux ouvrages, Cécile Aubry raconte les aventures de Pascal, un petit garçon pris d'affection pour le malheureux Poly, maltraité par son maître.

Flicka

C'est au fil des pages de trois volumes conséquents, *Mon Amie Flicka*, *Le Fils de Flicka* et *Le Ranch de Flicka*, que Mary O'Hara met en scène une histoire d'amitié attachante entre un jeune garçon et une pouliche indomptable. Des générations entières de jeunes passionnés d'équitation ont ainsi pu découvrir les fabuleuses aventures du petit Ken, un fils de fermiers américains, et de Flicka, une belle pouliche sauvage. Les péripéties entraînent les lecteurs sur plusieurs années, au cours desquels Ken deviendra le cavalier émérite du fils de Flicka, le flamboyant Thunderbird. Enfin, dans Le *Ranch du Wyoming*, Mary O'Hara raconte sa vie dans les contrées qui auront servi de cadre aux aventures de ses protagonistes.

Grand Galop

Dans *Les Filles de Grand Galop*, c'est la passion du cheval qui unit trois jeunes filles, Stéph, Lisa et Carole. Après avoir surmonté les difficultés du début, les trois demoiselles parviennent à fonder le club du Grand Galop. L'auteur, Bonnie Bryant, a déjà publié plus de cent opus sur les aventures passionnantes des trois filles. Les thèmes principaux tournent autour des comportements responsables à l'égard des chevaux, du fair-play en compétition, mais également de l'esprit de corps et de l'amitié entre les hommes.

Heartland

La série Heartland de l'auteur Lauren Brookes dissimule une attaque en règle contre les glandes lacrymales des jeunes filles amoureuses de la gent équine. Le destin d'Amy Fleming, jeune Américaine de quinze ans qui, à la mort de sa mère, cherche à réorganiser sa vie, ne laisse pas un œil sec. Dépositaire d'un don hérité de sa mère, elle sait calmer les chevaux nerveux grâce à des méthodes thérapeutiques douces. Son quotidien avec les animaux lui permet progressivement de surmonter les événements de la vie et offre au lecteur un voyage fascinant au cœur de la psychologie équine.

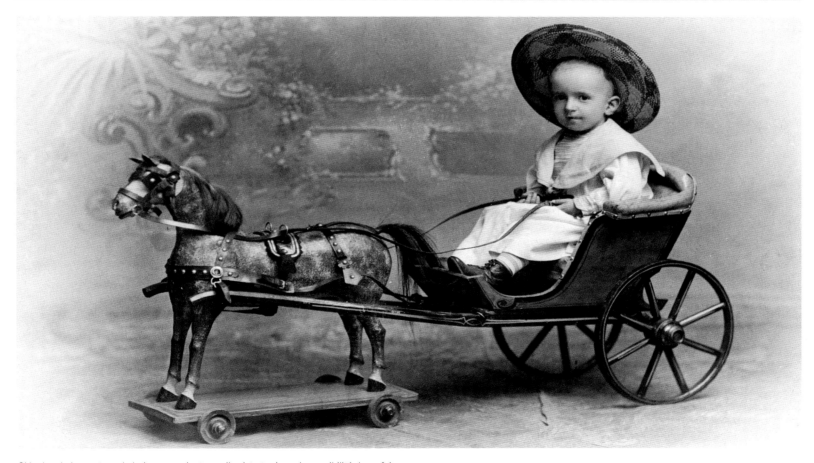

Si le dos de la monture de bois ne convient pas, il existe toujours la possibilité de se faire cocher.

La piste en toute liberté

Lorsque le rideau se lève et que les chevaux pomponnés font leur entrée sur la piste au trot, tous les enfants ouvrent de grands yeux ronds. Ronds comme la piste qui, dès la Rome Antique, fut baptisée cirque. Le galop des chevaux sur la piste étroite n'est pas seulement spectaculaire. Il se révèle en effet très utile pour les écuyers, lesquels profitent de la force centrifuge pour se maintenir en selle. C'est ce que découvre Philip Ashley, professeur d'équitation anglais qui ouvrit le premier cirque à Londres en 1769, construisant une piste, comme il est encore d'usage, de 13 mètres de diamètre. C'est alors l'avènement d'une nouvelle ère du cirque, moderne, proposant désormais, outre des spectacles équestres, des acrobates, des funambules, des clowns et des jongleurs. À Paris, le Vénitien Antonio Franconi perfectionne les représentations équestres en manège à un niveau de haute école et accentue la qualité du divertissement en introduisant dans le programme d'autres animaux dressés.

Ce qui passionnait déjà les Grecs et les Romains de l'Antiquité continue, des siècles plus tard, à enthousiasmer le public. Représentations et dressage en liberté où les chevaux, véritables stars de la piste, ne craignent ni l'eau, ni le feu, exercent une telle fascination sur les foules que des infras-

Le cheval comme marionnette : une performance à laquelle Jean-François Pignon parvient en travaillant en liberté et complicité avec ses chevaux.

Les chevaux de cirque enthousiasment petits et grands. C'est pourquoi chaque cirque, aussi petit soit-il, intègre à son programme un numéro équestre.

tructures spécifiques ont été édifiées à cet effet. Le cirque a le vent en poupe et part sur les routes. Les cirques itinérants, tels le cirque Sarasani, n'emmènent pas que des chevaux dans leurs bagages, mais transportent également des éléphants, des lions, des tigres et des chameaux. Toutefois, les équidés constituent toujours le point d'orgue du spectacle.

Aujourd'hui, l'amateur de cirque peut profiter des représentations et applaudir le dompteur sans arrière-pensée, car l'ère du dressage « à la dure » est révolue. En effet, autrefois, les dresseurs s'imposaient uniquement par la violence pure et le respect affiché par les animaux n'était que

Jean-François Pignon a acquis une renommée internationale grâce à son extraordinaire méthode de dressage en totale liberté et par ses chevaux qui font parfois montre d'un caractère bien trempé.

le produit de leur peur. Avec le dressage moderne, le dompteur étudie précisément le comportement de sa petite troupe et connaît le caractère de chacun de ses chevaux. Rien que par la voix et le langage corporel, il réalise avec la complicité de ses hongres pétulants de véritables spectacles en liberté. À son commandement, les chevaux se dressent et avancent sur leur arrière-main, reforment ensuite le cercle et passent à la figure suivante, la révérence en guise de salutation. Les animaux ne portent pas même un simple licol et pourraient, à leur gré, sortir du rang. Mais ils restent en formation, car identifient leur dresseur comme l'entité la plus élevée dans leur hiérarchie.

L'art du dressage en liberté est encore une activité rare, car elle requiert de l'homme un don particulier de la communication avec les chevaux. Franz Althoff et les Suisses Fredy Knie et son fils Fredy Jr. n'ont cessé de perfectionner cet art et ont écrit une page de l'histoire du cirque moderne. Parmi les maîtres du dressage en liberté, il convient également de citer Jean-François Pignon. Jouissant d'une réputation internationale, ses spectacles équestres se jouent constamment à guichets fermés.

Le Pardon, spectacle équestre de Jean-François Pignon, réunit une troupe de quinze chevaux, vingt-trois écuyers et une douzaine de musiciens. Cette histoire romantique raconte la rupture et la réconciliation de deux clans.

Comédies musicales équestres

Les chevaux sont partis à la conquête du monde du spectacle. Brûler les planches ne reste bien entendu qu'une simple expression imagée, dans la mesure où ils ne se produisent que sur un sol sableux, ferme et familier. Mais après un entraînement spécifique, ils ne s'effrayent plus des feux de la rampe, des projecteurs colorés, de la musique forte et des effets sonores. Et un constat s'impose : ces artistes à quatre pattes apprécient les applaudissements.

Bartabas est une figure désormais emblématique en France. Il fonde le théâtre équestre Zingaro en 1984 et a, aujourd'hui, plus d'une dizaine de spectacles à son actif. Sa renommée désormais internationale lui offre même l'opportunité de donner des représentations à New-York. On lui doit notamment Cabaret équestre, puis Opéra équestre où se mêlent danse, chants berbères et chants géorgiens, puis Chimère où l'Inde est à l'honneur. Enfin, Éclipse, qui voit évoluer les chevaux au son de musiques coréennes et himalayennes. La compagnie est installée depuis 1989 au Fort d'Aubervilliers, à la périphérie de Paris. En 2003, il créé l'Académie du spectacle équestre, où sont formées des cavalières, en vue de spectacles toujours plus grandioses.

En Allemagne, Franz Althoff, homme de cirque, associé à Günther Fröhlich, a créé l'une des premières comédies musicales pour chevaux. Des années durant, avec son propre chapiteau et un matériel scénique impressionnant, la troupe est passée de ville en ville, pour raconter l'histoire de Goa, le prince des Ténèbres. Par la suite, la troupe a monté Equi Magic narrant le voyage onirique d'une petite fille.

La plupart des cavaliers ont fait leur l'adage : « Sur le dos d'un cheval se trouve tout le bonheur de la terre ». Toutefois, aux yeux de nombre de passionnés, la fréquentation même du cheval revêt un caractère encore supérieur à l'équitation à proprement parler.

Amis pour la vie

Vous débutez l'équitation et vous interrogez déjà sur l'école à adopter ; peut-être anglaise, espagnole ou western ? Tournez-vous alors vers un autre type de destrier, tel la moto par exemple. Vous prendrez une décision nettement plus judicieuse.

« Quiconque s'occupe d'un cheval prend la responsabilité de l'animal qui lui est confié. » Tel est l'un des principes éthiques fondateurs de nombre de fédérations équestres. En d'autres termes : celui qui se décide à monter ou même à posséder un cheval doit absolument garder présent à l'esprit que le temps passé en selle ne représentera qu'une - très - petite partie de son loisir. L'équitation requiert de son pratiquant de se mettre en phase avec l'animal, de se préoccuper de son caractère et de ses besoins.

Comment naît une telle aspiration chez les humains ? Les hommes sont-ils surtout intéressés par leurs prouesses de cavalier, échangées ensuite autour d'un pot, et les femmes par le respect qu'elles imposent montées sur un cheval ? De tels clichés fonctionnent encore chez certaines personnes, mais la relation homme-cheval n'est pas aussi superficielle. Isabel Werth, championne olympique de dressage, la décrit ainsi : « La compréhension est un processus d'apprentissage continu. L'objectif et le défi résident dans le développement d'un langage commun, dans l'établissement d'un lien qui conduise à l'individu dans le cheval. »

L'homme acceptera le fait qu'il ne peut simplement imposer sa volonté au cheval. D'autant que dans un rapport de force, il lui faudrait s'in-

cliner. Pris de panique, même un poney ou un poulain sont capables de mettre un adulte hors de combat. Aussi le rapport d'autorité s'établira-t-il sur d'autres bases, car il est absolument indispensable que l'homme occupe la position de maître dans sa relation avec sa monture. Dans le cas contraire, la cohabitation se révélera extrêmement problématique, voire dangereuse. Un cheval inconscient de sa force qui se dresse contre un homme se découvre de très mauvaise compagnie. Par son approche sensible, l'humain gagnera la confiance de l'animal et lui trouvera des occupations pertinentes, car par pur ennui, ce dernier pourra tenter de s'insurger. Seuls des ordres clairs et univoques amènent au résultat escompté. Un comportement inconsistant désoriente l'animal et aboutit à un manque d'assurance. Sensible, chaque cheval requiert un traitement respectueux et apprend à distinguer la louange de la réprimande. Une explosion de colère incontrôlée du maître peut détruire une grande partie du travail accompli et est, de fait, impardonnable. Un bon cavalier commence par rechercher en lui-même les causes d'une erreur. Et bien souvent, c'est là que réside le problème. Même les grands sportifs doivent accepter les coups du sort. « La relation avec les chevaux est aussi complexe, individuelle et personnelle que la vie elle-même », déclare Ludger Beerbaum, multiple champion olympique au saut d'obstacles. Lorsque la formation stagne, il convient de laisser les esprits se détendre : une sortie à deux au vert produit souvent des miracles, aussi simplissime que cela puisse paraître.

Si la chimie opère entre l'animal et l'homme, une tierce personne identifie aisément le référent de l'animal lorsqu'il rentre dans les écuries. En effet, le cheval reconnaît son « maître » à son pas, hennit joyeusement et, impatient, se place à proximité de la porte du box, afin de recevoir au plus vite la pomme qui lui est apportée et les caresses qui l'attendent. Le cava-

Le petit cheval dans le mauvais temps,
qu'il avait donc du courage !
C'était un petit cheval blanc,
tous derrière et lui devant.

Il n'y avait jamais de beau temps
dans ce pauvre paysage.
Il n'y avait jamais de printemps,
ni derrière ni devant.

Mais toujours il était content,
menant les gars du village,
à travers la pluie noire des champs,
tous derrière et lui devant.

Sa voiture allait poursuivant
sa belle petite queue sauvage.
C'est alors qu'il était content,
eux derrière et lui devant.

Mais un jour, dans le mauvais temps,
un jour qu'il était si sage,
il est mort par un éclair blanc,
tous derrière et lui devant.

Il est mort sans voir le beau temps,
qu'il avait donc du courage !
Il est mort sans voir le printemps
ni derrière ni devant.

(Paul Fort)

lier, assez fréquemment un citadin qui sort stressé de son travail, se réjouit de cet accueil sincère.

Leurs réactions sont totalement dépourvues de jalousie, leur âme est généralement pure et leur comportement nullement calculateur. Bien que dirigé par une irréductible gourmandise ! Et la nature même des chevaux fait que leur fréquentation se répercute positivement sur l'âme humaine.

Une amitié qui se retrouve dans le langage…

Tout comme leurs fidèles compagnons à quatre pattes, les hommes peuvent avoir des œillères et ne pas savoir regarder le monde qui les entoure. Ils peuvent également avoir bon dos, et ainsi endosser injustement certaines responsabilités.

On retrouve le comportement humain chez celui du cheval. Par exemple, celui qui sent l'écurie sera loin de freiner des quatre fers et partira alors au galop.

De même que leurs montures, les cavaliers peuvent avoir une santé de cheval, ou, dans le cas inverse, avoir recours à un remède de cheval.

L'homme peut parfois assimiler ses congénères à la race équine et considérer qu'un tel n'est pas un mauvais cheval, ou, au contraire, s'apercevoir qu'il a misé sur le mauvais. Il pourra, selon son caractère, lâcher ou serrer la bride, voire mettre au pas si la tournure des événements ne lui convient pas.

Enfin, en tant que cavalier émérite, l'homme peut cravacher ou éperonner, une fois qu'il a mis le pied à l'étrier ou s'est remis en selle. Tant qu'il n'a pas mangé du cheval !

Pour nombre de cavaliers, une sortie en liberté compte plus qu'un entraînement en manège. Lors de leurs loisirs, les citadins stressés se lancent volontiers dans de longues promenades en nature ou sur la plage afin de se détendre.

Seul le cavalier qui considère son cheval non pas comme un appareil de sport, mais bien comme un être vivant, trouvera un véritable partenaire dans l'animal. Un bon professeur d'équitation dispense cet enseignement dès la première leçon de monte.

Équipé de pied en cap

Avant de monter en selle, il convient de s'équiper convenablement. Dans le cas contraire, le plaisir de la monte pourrait bien s'achever sur un épilogue désagréable. Les zones fragiles du corps doivent absolument être protégées car sujettes à des plaies de frottement ou des ampoules.

Vraisemblablement inventée par un cavalier échaudé, la culotte d'équitation est indispensable. Les coutures des jambes sont intégrées à l'extérieur du pantalon, excluant les risques de zones de pression et d'irritation de la peau. Un empiècement de cuir, au niveau des genoux et des fesses, procure plus d'adhérence et donc plus de tenue en selle. La perfection est atteinte si le pantalon est bien ajusté et ne fait aucun pli. La couleur reste à l'appréciation du cavalier; les motifs trouvent de plus en plus d'amateurs. La compétition impose le port culottes blanches ou beiges.

Les jambes du pantalon disparaissent à hauteur du genou pour se glisser dans les bottes, dont les modèles vont du cuir le plus cher au plastique le meilleur marché. Le débutant se satisfera de simples bottes en plastique. Autre possibilité d'équipement, le jodhpur est doté d'un empiècement de cuir qui court jusqu'aux chevilles et porté avec des boots. Moins traditionnelles, mais d'autant plus populaires, les mini-chaps de cuir : les pièces de cuir montent jusqu'aux genoux et sont fixées par une fermeture à glissière ou velcro. Le cavalier équipé de jambières doit veiller à porter les chaussures adéquates : dotées d'un talon de façon à ne pas glisser dans l'étrier, et surtout pas de languette susceptible d'y rester coincée, ce qui se révélerait extrêmement dangereux en cas de chute.

Il convient de protéger les mains contre les frottements douloureux. Les rênes glissent facilement entre les doigts, provoquant alors rapidement l'apparition d'ampoules lorsque la main est légèrement humide de transpiration. Des gants d'étoffe ou de cuir, renforcés aux emplacements les plus sollicités, préviennent facilement ce désagrément.

La protection de la tête ne bénéficie pas toujours de l'attention qu'elle mérite. Et pourtant, il s'agit de la mesure la plus importante. Les enfants ne devraient jamais monter sans une bombe solide sur la tête avec une mentonnière bien ajustée. Nombre d'adultes ne réalisent souvent pas la portée de telles négligences.

Le cavalier doit être avant tout équipé d'une bombe solide et de bonnes bottes d'équitation. Les culottes de cheval sont pratiques, parce que leurs coutures sont tournées vers l'extérieur et qu'elles n'infligent aucun frottement. L'utilisation de gants et d'une cravache n'est nullement obligatoire.

Le tire-bottes

Le tire-bottes de bois que toute bonne écurie se doit de posséder était autrefois fait de chair et de sang. En effet, à l'époque, un valet restait courbé dans la cour, à la disposition de tous les cavaliers. Sans plus de cérémonie, il attrapait leur jambe bottée et la calait entre ses cuisses. Bien souvent seul un pied en appui sur ses fesses et une main englobant le talon pouvaient libérer le pied de son enveloppe de cuir. Cette méthode, quelque rudimentaire qu'elle soit, reste aujourd'hui très utilisée lorsque le tire-botte n'est pas disponible.

Les cordonniers ont inventé le tire-bottes de bois il y a des années. Cet outil devient vite indispensable au cavalier car la chevauchée fait légèrement gonfler le mollet de sorte que la botte devient trop étroite. Les cavaliers sans valet ont sûrement été des plus reconnaissants envers le tire-bottes.

En effet, même le meilleur cavalier n'est pas à l'abri d'une chute. Et la sécurité passe avant l'esthétique.

Selon la température, les conditions climatiques et l'occasion, le cavalier fait son choix entre une veste, un gilet ou un blouson. La veste reste obligatoire en compétition, seules les directives relatives aux couleurs se sont assouplies. Le noir est la couleur classique pour le dressage et le rouge pour l'obstacle. Les couleurs commencent à s'immiscer dans le monde du CSO, alors que le dressage ne souffre qu'une légère variante de bleu marine. Pour l'équi-loisir, un blouson déboutonné aux hanches, pour ne pas trop serrer le cavalier, offre le meilleur confort. Le cavalier qui sort beaucoup privilégiera un modèle imperméable et coupe-vent avec capuche. Même si les températures sont clémentes, un gilet est utile. En effet, le cavalier a vite froid en simple polo, et le vent ressenti au galop ne doit pas être sous-estimé.

Les fabricants ont depuis longtemps identifié le marché du vêtement d'équitation comme une niche très porteuse. Aujourd'hui, l'offre satisfait toutes les demandes : de l'habit pratique et peu cher à l'équipement élégant et onéreux.

Les éperons western, plutôt volumineux, offrent une vision quelque peu effrayante. Toutefois, s'ils ornent les bottes d'un bon cavalier, ils sont bien plus inoffensifs qu'ils ne le laissent supposer.

Gagner ses éperons et donner des coups d'éperons

Au Moyen Âge, gagner ses éperons constituait l'honneur suprême pour le cavalier, car cette distinction – généralement en or – lui valait une honorable réputation et le droit de porter désormais le titre de « chevalier ». En effet, les éperons étaient le signe de l'adoubement, tant espéré par les cavaliers, et conquis au terme de nombreux efforts, en tournois ou batailles. Parfois, côté macabre de l'histoire, le chevalier versait dans la briganderie et, en cas de capture, perdait tête et éperons.

Aujourd'hui, les expressions contenant le terme « éperon » se sont inscrites dans le langage courant. Chacun doit, par exemple, commencer par « gagner ses éperons ». Et une personne quelque peu fatiguée, quant à elle, mérite parfois d'être éperonnée, afin d'être stimulée.

Des aides précieuses : cravache et éperons

À l'instar du chevalier d'autrefois, le cavalier doit gagner ses éperons. En d'autres termes, il ne peut s'en équiper qu'une fois son assise assurée et contrôlée, de sorte qu'il n'aiguillonne pas le ventre de sa monture à tort et à travers. Le professeur détermine le moment où le cavalier est apte à en disposer. Les personnes débutant avec cet équipement s'équiperont d'exemplaires arrondis, de façon à réduire au maximum le risque de blesser le cheval.

Le novice pourra disposer, dès ses débuts, d'une cravache d'environ un mètre de long, laquelle se révèle indispensable surtout avec certains chevaux de clubs. Les confirmés chevauchent en manège avec une longue cravache de dressage. En concours d'obstacle ou complet, cette aide affiche une taille moindre.

Cravache et éperons ne doivent être que de simples auxiliaires. Destinés à souligner l'action technique du cavalier, ils ne doivent en aucun cas s'y substituer.

Harnaché

Il y a 2 000 ans, les Romains montaient déjà à cheval et, depuis, le principe de l'harnachement n'a subi aucune évolution notoire. Seule la diversité des modèles disponibles s'est accrue. Tous fonctionnent selon le même principe : transmettre au cheval des signaux liés aux changements d'allure et de direction. Ces signes ne constituent rien d'autre qu'une pression corporelle exercée sur le cheval, perçue au niveau de son chanfrein ou de sa bouche. Ce mode de fonctionnement souligne combien la manipulation des rênes requiert la plus grande douceur, car le seuil de la douleur est rapidement atteint, et malheureusement vite dépassé.

Le bric-à-brac qui s'offre au client d'un magasin d'articles d'équitation s'organise néanmoins en quatre catégories : les filets, les brides, les mors et les harnais. Le choix ne doit en aucun cas obéir à des impératifs

Les filets à deux anneaux restent les plus usités. Le principe suivant s'applique : les mors épais et brisés exercent une action plus douce sur la bouche du cheval que les mors fins et en une seule pièce.

esthétiques, mais être entièrement fonction de la nature du cheval. Le harnais doit s'adapter parfaitement à l'anatomie du cheval et son action en aucun cas amoindrir l'assurance de l'animal. Il pourrait ensuite s'effrayer du harnachement et des dommages irréparables pourraient survenir.

Pour le travail, la plupart des chevaux sont équipés d'un mors de filet de bride : ce terme regroupe les différents éléments de l'embouchure, tels que filets, brides et mors. Si la taille des composants est adaptée à sa morphologie, le cheval n'en ressent aucune gêne, car l'espace entre ses dents lui permet facilement d'accueillir cet outil de travail. De façon tout à fait adaptée, la mâchoire du cheval présente sur les deux côtés une partie naturellement dépourvue de dents et appelée barre. Ces barres accueillent le mors, lequel exerce une pression sur la mâchoire en fonction de l'intensité de l'action des rênes. L'harnachement le plus fréquent, car adapté tant aux débutants qu'aux confirmés, reste le filet.

D'innombrables options s'offrent au cavalier dans le choix de la bride de sa monture, ici un licol standard avec mors de filet et rênes en cuir. Outre l'adaptation à la morphologie du cheval, il faut veiller à la qualité des matériaux, car des brides altérées peuvent avoir des répercussions négatives.

Proverbial !

Le langage courant regorge d'expressions tirées du vocabulaire équestre ou empruntant des images du monde du cheval. Elles rendent compte du lien incroyable unissant l'homme et le cheval au cours de l'histoire.

Après l'arrêt prolongé d'une activité quelconque, professionnelle ou de loisir, une personne qui reprend cette occupation « se remet en selle ». Certaines difficultés peuvent survenir, mais sa volonté lui permettra de ne pas « reculer devant l'obstacle ». Même s'il arrive parfois d'être « désarçonné » face à ces événements, l'aide apportée par des collègues pour lui « remettre le pied à l'étrier » lui sera d'un grand secours. Toutefois, selon les Anglais, personne ne pourra lui forcer la main car « vous pouvez conduire un cheval à l'abreuvoir mais vous ne pouvez pas le forcer à boire ». Les Chinois, quant à eux, diront qu'il ne faut rien précipiter car « quand on est pressé, le cheval recule ».

Il sera dit d'une personne qui tire profit de partis différents qu'elle « mange à tous les râteliers ». Une telle critique peut l'amener à « prendre le mors aux dents ».

L'expression « n'emploie pas le fouet lorsque la voix suffit » indique que, bien souvent, la méthode douce se révèle la meilleure technique pour l'apprentissage.

De la même façon, « trop piquer le cheval le fait rétif » explique que les reproches exagérés amènent une réaction négative.

De façon plus générale, il convient de ne jamais « miser sur le mauvais cheval » et ne pas faire preuve d'ingratitude car « à cheval donné, on ne regarde pas les dents ».

Le bosal fonctionne sans embouchure. Toutefois, cet harnachement permet d'obtenir des résultats extraordinaires, comme le prouve Jürgen Krackow, cavalier d'obstacles allemand.

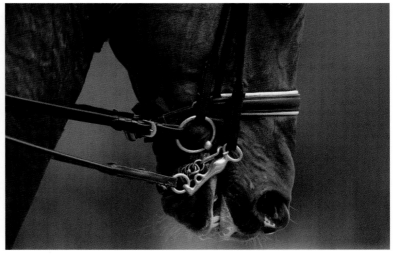

L'embouchure est un mors très incisif qui ne peut en aucun cas être confié à un débutant. Toutefois, entre les mains d'un expert, elle ne pose aucun problème et se révèle même indispensable pour le dressage à haut niveau.

Le plus courant est le mors de filet à anneaux à gros canons creux. Il se compose d'une pièce de métal, brisée en son centre, de sorte qu'il exerce une action douce. Le mors à double brisure se révèle encore plus confortable, car permet une répartition uniforme de la pression. Il existe également des mors constitués d'une seule pièce et qui agissent donc plus fortement en bouche.

Le mors est fixé à l'harnachement, disponible sous différentes formes de licols. Ils se composent toujours d'une têtière qui se place derrière les oreilles et reliée au filet, à l'instar des rênes en contact avec la main du cavalier. Le frontal, la muserolle et la sous-gorge permettent de maintenir l'ensemble en place.

Seules les mains expertes d'un cavalier habile peuvent tenir l'embouchure, laquelle est un auxiliaire subtil, mais dont le mauvais usage fortuit ou l'abus volontaire peut provoquer d'intenses souffrances à l'animal. Une fois le cheval harnaché, le cavalier dispose de quatre rênes en main : une paire de rênes le relie au fin bridon et l'autre à la bride. La bride se compose d'une épaisse tige de métal, placée dans la bouche du cheval et terminée à chaque extrémité par deux anneaux. Selon la longueur et la mobilité de la bride, leur action s'en trouve renforcée. Grâce à cet instrument, le cavalier peut exercer une pression simultanée sur la mâchoire, l'encolure et le menton du cheval. Selon la hauteur de courbure de la tige de métal, et donc selon la liberté accordée à la langue, l'animal ressent également les signaux au niveau de son palais. Une telle description évoque davantage un instrument de torture. Toutefois, le dressage au plus haut niveau exige de telles aides, car elles permettent une concertation extrêmement subtile entre l'animal et son cavalier.

Le Pelham fonctionne selon le même principe que l'embouchure. Il ne se compose toutefois que d'une tige en métal ou en caoutchouc et est dépourvu de bridon.

À tort, les profanes imaginent que l'action du filet dépourvu de mors se ressent de façon moins aiguë. Cette impression se révèle inexacte dans la plupart des cas. Avec le modèle le plus connu, le hackamore mécanique, souvent utilisé à l'obstacle et pour l'équi-western, la pression se transmet très fortement depuis les éléments de métal (leviers) sur le chanfrein, très sensible.

Mors doré ne rend pas le cheval
meilleur...

L'anneau de cou, développé par la Canadienne Linda Tellington-Jones, ne peut être utilisé que lorsque cheval et cavalier se portent une confiance mutuelle et peuvent compter l'un sur l'autre. Il existe en différentes tailles.

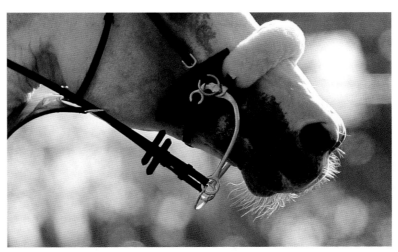

Bien que le hackamore fonctionne sans mors, il compte parmi les harnachements les plus incisifs, dans la mesure où il exerce une très forte pression sur le chanfrein, très sensible, du cheval.

Moins connu, le véritable hackamore, ou hackamore manuel, représente la forme de harnachement la plus douce. Il est pourvu d'un anneau nasal, appelé bosal, passant sous le menton et relié à une corde par un gros nœud. La corde se substitue aux rênes et constitue le lien entre le cheval et la main du cavalier. Le bosal repose de façon très lâche sur le chanfrein et est également fixé à la têtière, lanière qui court sur l'encolure du cheval. Cet harnachement n'est à mettre en œuvre que lorsque cheval et cavalier ont été formés en conséquence. En effet, les moyens d'action sur la monture s'en trouvent de fait réduits.

En selle

Sur le principe de « comme on fait son lit on se couche », l'on peut affirmer que « comme on selle, on monte ». Il existe de multiples façons de poser son honorable fessier sur le dos d'un cheval. Le confort d'assise revêt une importance fondamentale. Le paramètre premier, dans le choix d'une selle, est l'ergonomie par rapport au dos de l'animal. En effet, une selle trop serrée risque de provoquer des frottements et, si le cavalier n'identifie pas le problème à temps, des plaies ouvertes apparaissent rapidement. Une pause s'instaure donc dans l'entraînement du cheval ou bien le cavalier privilégie la méthode de nos ancêtres : la monte à cru. Expérience que tout un chacun devrait avoir faite, mais qui ne procure certes pas un plaisir illimité.

Aussi les premières civilisations de cavaliers ont-elles inventées la selle. Les Scythes accrochaient des couvertures sur leurs chevaux et les Sarmates développèrent les premiers arçons. D'autres améliorations sont apportées à la selle au fil du temps et de l'évolution des besoins, notamment au Moyen Âge pour les chevaliers ou ultérieurement pour les cavaleries.

Le standard moderne s'inspire principalement du maître italien Federico Caprilli, lequel veillait à conserver dans le mouvement un équilibre systématique entre le cavalier et le cheval. Aussi, lors du saut, l'homme se décolle de la selle, basculant de fait son centre de gravité vers l'avant

Les étriers

L'invention la plus ingénieuse de l'équipement équestre reste sans nul doute l'étrier. Il offre au cavalier un confort d'assise accru et un meilleur équilibre. Ainsi, il reste en selle plus longtemps sans se fatiguer et sa stabilité affirmée prévient davantage les chutes. Ces progrès apportèrent une véritable amélioration, notamment pour la cavalerie lourde amenée à batailler en combat rapproché avec l'infanterie, cette dernière visant surtout à faire tomber les cavaliers de leur selle.

Cette invention trouve vraisemblablement ses origines dans la nuit des temps et a été mise en pratique pour la première fois en Mongolie. Attila, roi des Huns, aurait déjà chevauché avec des étriers : soit le pied pouvait y être inséré intégralement, soit les étriers étaient maintenus sous la plante des pieds. Les Indiens avaient élaboré un modèle précurseur, des étriers pour le gros orteil : seul ce dernier était passé dans une boucle de cuir. En Inde, Malaisie et à Singapour, cette version est toujours utilisée, et même étonnamment en courses.

afin de décharger le cheval. Afin de faciliter cette manœuvre pour le cavalier, la selle de CSO a été mise au point au milieu du XXe siècle.

Depuis, il existe un modèle de selle propre à chaque discipline courante, également pour le dressage et le concours complet, chacun soutenant le cavalier dans son assise assurée et équilibrée. Les chevaux de courses n'ont pas été oubliés, de même que l'industrie de la sellerie a également pensé aux petits gabarits, les poneys. Et les cavalières empreintes de nostalgie auront tout le loisir de recourir à une selle amazone.

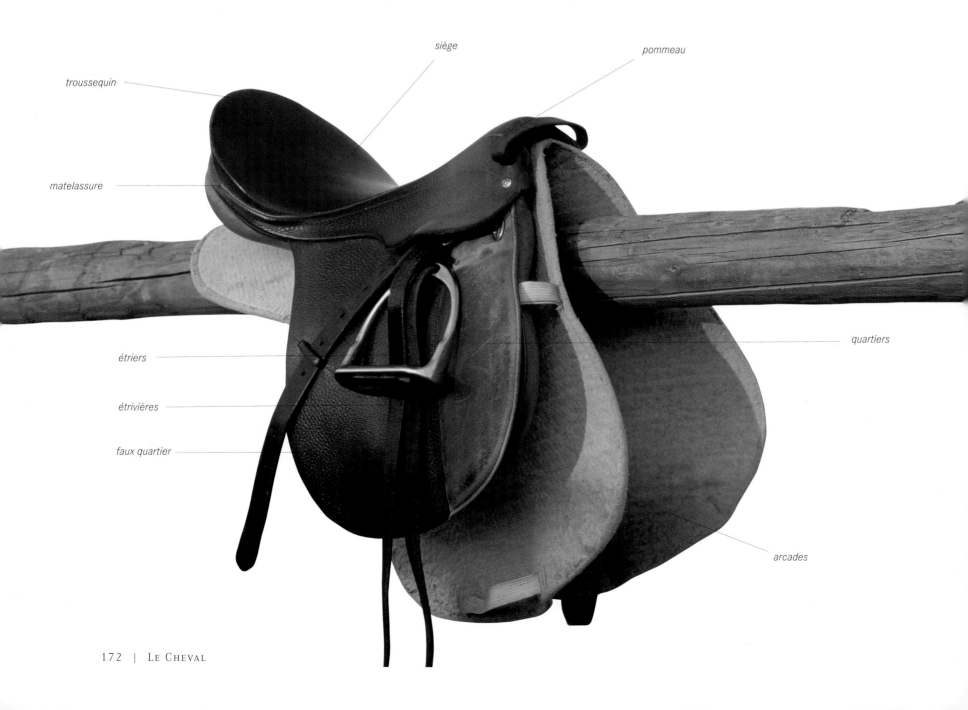

trousséquin

siège

pommeau

matelassure

étriers

étrivières

faux quartier

quartiers

arcades

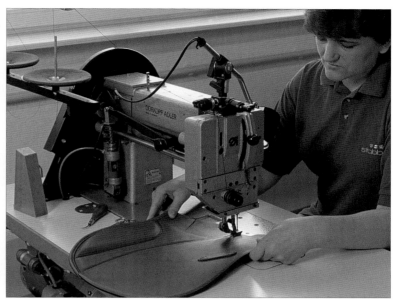

La fabrication commence par la découpe. Un gabarit, différent pour chaque type de selle, est apposé sur le cuir, la forme tracée, puis découpée à l'aide d'un outil tranchant.

Par le biais d'une machine à coudre, les différents empiècements de cuir sont cousus les uns aux autres grâce à un fil particulièrement épais et solide.

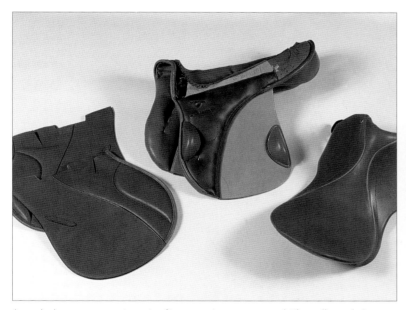

Les principaux composants sont prêts au montage : panneaux latéraux (à gauche), arçon (au milieu) et siège (à droite).

Les empiècements de cuir cousus ensemble sont montés sur l'arçon, puis rembourrés de façon que la selle ne presse pas sur le dos du cheval.

La fabrication touche à sa fin : la finition des coutures s'effectue encore de nos jours à la main.

Une fois achevée, la selle est posée sur une forme pour subir un dernier contrôle. Si elle passe l'examen avec succès, elle est prête pour la vente et le dos d'un cheval.

Boire et manger

La puissance du cheval laisse penser qu'il est doté d'une solide constitution et d'un estomac à toute épreuve. Or, l'estomac de ces animaux est extrêmement sensible et, avec 12 à 14 litres de volume, relativement petit par rapport à leur corps. Aussi ne faut-il pas donner une trop grande quantité de nourriture en une seule fois à un cheval, lequel est incapable de modération. Les apports de nourriture doivent se répartir en trois repas dans la journée, de sorte que l'estomac ne soit pas trop sollicité.

Il ne faut pas pour autant penser que la petite taille de l'estomac résulte d'une erreur de la nature. Cet organe était adapté au mode de vie des chevaux des steppes qui passaient leurs journées à arracher et mâchonner les rares brins d'herbe des plaines arides. Ce principe diététique idéal privilégiant la multiplication des petites portions était donc déjà appliqué. Le programme d'alimentation des chevaux s'appuie sur cette connaissance anatomique. L'idéal serait de leur distribuer cinq repas par jour. Toutefois, dans les pensions normales, des raisons d'ordre pratique amènent à réduire cette fréquence à trois rations quotidiennes.

Outre le rythme, le propriétaire doit se préoccuper de la teneur même de l'alimentation de son cheval. Il n'existe pas de régime unique, valable

Une particularité équine : l'incapacité à vomir

Les chevaux ont cette particularité notoire qu'ils ne peuvent pas vomir. Cette impossibilité tient au cardia. Il s'agit en effet d'un muscle de fermeture qui se situe à l'entrée de l'estomac et correspond à la terminaison de l'œsophage. Ce sphincter puissant, dont l'ouverture est extrêmement étroite et totalement hermétique une fois la nourriture ingérée, empêche tout reflux éventuel vers l'œsophage. Ceci explique donc les risques de dilatation et de surcharge de l'estomac.

Quand l'avoine éperonne…

Un cheval ingérant trop d'avoine ressent bientôt un chatouillis dans le ventre, voire une irritation. De plus, son agitation et son excitation s'accentuent. Cette céréale énergétisante ne figure pas sur la liste des dopants prohibés, mais contient de la dopamine qui exerce une action stimulante sur les animaux. C'est ainsi que les vétérinaires expliquent les effets d'une trop grosse ingestion d'avoine.

pour tous les quadrupèdes. À quantité de nourriture égale, un cheval peut présenter un aspect bien nourri, et un autre sembler au contraire trop maigre. Ce phénomène dépend de la qualité de l'assimilation de l'animal et du travail qu'il accomplit. Un cheval sportif nécessite bien évidemment davantage de nourriture qu'un animal de loisir, et une jument gravide des quantités plus importantes qu'un hongre.

La quantité de nourriture pour un cheval de loisir qui travaille juste 2 heures par jour peut se calculer sur la base de la formule suivante : 1 kg d'aliments concentrés et 1 kg de fourrage pour 100 kg de poids. Un cheval pèse en moyenne quelque 500 kg, ce qui donne un menu quotidien composé de 5 kg d'avoine et 5 kg de fourrage. De plus, si le sol du box est paillé, son habitant aime mâchonner quelques brins ou bien au contraire faire un sort à sa litière. Cet apport est calculé en supplément et ne doit pas représenter plus de 3 kg par jour. Pour ses apports en liquides, il est indispensable que le cheval puisse se servir à volonté. En effet, souvent assoiffé, il absorbe entre 20 et 30 litres d'eau par jour. Un abreuvoir automatique constitue la solution la plus satisfaisante pour tous.

Il en va des chevaux comme des hommes : la boisson et la nourriture entretiennent le corps et le moral.

Le fourrage tout juste grignoté à même la meule constitue un véritable délice pour les chevaux. Il faut toutefois veiller à ce que cet enthousiasme ne les amène pas à se goinfrer.

Lorsque les chevaux chahutent, cette agitation n'est pas toujours liée à une surdose d'a-voine. Mais ce n'est pas exclu, car cette céréale procure une grande quantité d'énergie.

Les siècles passent mais les mots
de François Rabelais nous parviennent encore :
« Vous pouvez garder votre paille,
Votre foin et votre avoine.
Dans les prés les chardons fleurissent longtemps,
Et il fait bon y être cheval selon son gré. »

L'appendice du cheval

D'une capacité de 30 litres, l'appendice du cheval semble tellement énorme que l'on préfère ne pas imaginer les souffrances endurées par l'animal en cas d'appendicite. Mais la comparaison ne tient pas, dans la mesure où le caecum de l'homme n'est qu'une extrémité intestinale complètement superflue alors qu'il constitue un élément vital et indispensable du système digestif équin. L'assimilation de la nourriture ne peut se faire que par la coopération d'innombrables et microscopiques êtres vivants. Ceux-ci résident dans l'appendice et, lorsqu'ils se précipitent sur la nourriture, ils en extraient, accessoirement, la cellulose qui en est le composant majeur. Ces petits commensaux sont les bienvenus car, dépourvu de son appendice, le cheval ne pourrait digérer correctement sa nourriture et mourrait de faim, l'estomac pourtant rempli.

Les pommes doivent être offertes avec parcimonie. Consommées en trop grande quantité, elles provoquent des coliques.

Les carottes sont un délice pour les chevaux et leur assurent aussi un apport précieux en bêta-carotène.

Nombreux sont les chevaux à se régaler des bananes. À leur proposer, sans la peau s'entend.

Les box en extérieur garantissent air frais, jolie vue et, dans les circonstances idéales, d'excellents moments avec son voisin de palier.

Chambre avec vue

Aimeriez-vous habiter dans un trou sombre, sans lumière du jour, ni air frais ? Certes non. Ou apprécieriez-vous que votre appartement soit si petit que vous le fuyiez dès lors que le soleil brille ? Évidemment non, et voilà donc un exemple supplémentaire pour illustrer l'adage : ne faites pas à votre cheval ce que vous n'aimeriez pas que l'on vous fasse. Les chevaux partagent les mêmes goûts que les humains dès lors qu'il s'agit de leur habitation : ils renoncent néanmoins à toute extravagance, tel la terrasse sur le toit, le balcon plein Sud et la vue sur la mer, pour peu qu'un climat favorable règne dans la stalle.

La régulation entièrement automatisée de la température s'appuie judicieusement sur les conditions climatiques du moment, si tant est qu'un courant d'air frais circule dans l'écurie. Une humidité ambiante de 60 à 80 %, associée à une brise continue constituent les bases élémentaires de la prévention, notamment des pathologies des voies aériennes. Si à ces

La stabulation à l'attache

Jusqu'à la fin de la Seconde Guerre mondiale, la forme la plus répandue de stabulation était la stabulation à l'attache. Il s'agissait alors d'un mode d'hébergement purement utilitaire du cheval, dans la mesure où l'animal, employé à des fins militaires, devait être disponible quasiment à tout moment. Attaché à une longue corde et parqué sur une surface d'à peine 3 x 2 mètres, le cheval n'avait pratiquement aucune possibilité de bouger. Toutefois, pour rester honnête, il ne faut pas oublier de mentionner que dans le cadre tant militaire qu'agricole, les chevaux étaient mis à contribution tout la journée et ne revenaient en box que le soir venu. De sorte qu'ils ne souffraient pas trop de ces mauvaises conditions. Il n'y a donc rien de comparable avec leurs frères d'aujourd'hui qui passent parfois 23 heures par jour dans leur stalle à attendre l'arrivée de leur cavalier.

conditions s'ajoutent un entretien et un paillage réguliers du box, les gaz émis par le crottin de cheval n'influent en rien sur la qualité de l'atmosphère respirée.

Les chevaux apprécient les environnements clairs et accueillants, toutefois les stalles inondées de soleil restent plutôt rares. La mesure minimale en lumière du jour s'établit à une fenêtre de 1 m² et ne peut être inférieure à cette valeur.

La taille du box également se calcule selon une formule mathématique : 2 x la taille au garrot². Aussi, le studio d'un cheval toisant à 166 cm doit afficher une surface minimale de 11 m². Si cette valeur limite n'est pas respectée, le pensionnaire risque fort de s'enchevêtrer pendant la nuit, entre les deux cloisons de son box, de sorte que le lendemain il ne soit plus en mesure de se lever seul.

Le vis-à-vis sur le voisinage ne doit pas davantage être occulté. Certes les relations entre voisins de stalles ne sont pas toujours au beau fixe, et s'enveniment notamment lors de la distribution de nourriture. Les contacts sociaux restent néanmoins indispensables et apportent un peu de variété lors des longues journées d'hiver.

L'eau courante dans l'écurie constitue aujourd'hui une évidence, et ce non pour permettre aux bipèdes de se laver les mains, mais surtout aux quadrupèdes d'étancher leur soif. Les abreuvoirs automatiques, positionnés à 1 mètre du sol, distribuent de l'eau à volonté, vingt-quatre heures sur vingt-quatre. Seule la mangeoire, placée à la même hauteur, devra être remplie trois fois par jour. Et il n'est pas interdit de distribuer un peu de fourrage, pour les en-cas.

Le sol sera rembourré par une litière épaisse, destinée à servir de matelas pendant la nuit. Elle se composera de paille, ou pour les goinfres enclins à avaler la majeure partie de leur couche, de copeaux de sciure non comestible. De plus, tout nouveau box appelé à être habité doit être minutieusement vérifié afin de supprimer tous bords tranchants. Il faut également s'assurer que fils électriques et interrupteurs sont hors de portée. En effet, le soir, le dernier à sortir, normalement un bipède, éteint la lumière derrière lui.

Ces stalles affichent un aspect propre et élégant. Les chevaux seront certes « derrière les barreaux », mais les box sont spacieux et généreusement recouverts de sciure.

Chambre zen

Le feng shui a conquis le bureau, la chambre, le jardin et les balcons. Bientôt, même les frigos seront organisés selon ce principe oriental. Mais d'ici là, les forces invisibles du feng shui, et les personnes qui les traquent, auront depuis longtemps gagné les écuries et porté les chevaux, ignorants des puissances en présence, dans de merveilleux sauts. En effet, les animaux sont supposés réagir de façon particulièrement sensibles à la libération des flux énergétiques.

L'objectif ultime du feng shui vise à faire circuler librement le chi, énergie vitale, et de fait l'améliorer. Il s'agit de bannir de son environnement immédiat tous les contours droits, pointus voire coupants, lesquels stimulent en effet les énergies négatives, le sha.

Introduire le feng shui dans les écuries ne signifie pas qu'il faille tout conformer aux principes de cette école, car nombre de propriétaires seraient en butte à bien des difficultés. Car si la foi déplace des montagnes, elle ne repousse pas les cloisons des box. Et qui prendrait la peine de financer des transformations, uniquement parce que la porte ne donne pas au sud ?

L'application des principes du feng shui à une écurie vise au premier chef à améliorer le bien-être des chevaux, lequel peut être troublé par de nombreuses interférences. Ces répercussions négatives se manifestent par des troubles du comportement auxquels les vétérinaires ne peuvent apporter d'explication, comme un cheval refusant de rentrer dans son box, ou bien qui y réside en affichant nervosité et tension. Souvent le consultant en feng shui mène son enquête avec les moyens qui lui sont propres, une baguette de sourcier. En entrant dans le box, ses deux baguettes de métal se croisent subitement, comme mues par une main invisible. Se confirme alors le soupçon qu'un champ énergétique important, tel une nappe d'eau, se situe juste sous l'écurie.

Feng Shui

Traduit littéralement, le terme de feng shui signifie « vent et eau ». Il s'agit d'un art chinois vieux de 5 000 ans, visant à agencer son espace de vie en harmonie totale avec la nature.

L'origine du feng shui se trouve dans le taoïsme, l'une des trois grandes philosophies chinoises. Depuis des siècles, les Chinois appliquent les principes du feng shui lorsqu'ils construisent villes et maisons. Dans les métropoles modernes asiatiques, il est d'usage de se tourner vers un consultant en feng shui lors de la conception de bureaux ou d'espaces professionnels. Une telle pratique tend à se répandre aux États-Unis et en Europe. L'objectif est de permettre la libre circulation de l'énergie vitale, le chi, et d'éviter le sha, aux influences négatives.

L'existence de zones sensibles et la faculté de certains à les détecter restent des points très controversés. Les radiesthésistes, comme se nomment les sourciers d'aujourd'hui, prennent leur activité très au sérieux. Selon eux, le réseau de champs énergétiques, forts et faibles, qui entoure la terre, est déterminant. Ils sont intimement persuadés que certaines formes de vie se sentent très attirées par des rayonnements telluriques intenses alors que d'autres les fuient comme la peste. Les chats, par exemple, sont de grands amateurs de rayonnements. Ils se couchent effectivement volontiers sur les téléviseurs. Abeilles et fourmis construisent leur habitat de préférence sur des champs d'énergie intenses. En revanche, chevaux, chiens et humains se sentent mal à l'aise lorsque ces pôles énergétiques sont situés à proximité de leur zone de détente.

Une fois les origines du trouble identifiées par le radiesthésiste, le déménagement commence dans la chambre à coucher.

À l'instar des habitations humaines, l'écurie feng shui doit être exempte d'ondes négatives, de sorte que l'énergie vitale puisse circuler librement et améliorer le bien-être du cheval.

Mais pour le cheval, cette intervention se traduit généralement par un changement de box qui lui permettra de retrouver un sommeil tranquille.

Les vibrations de la baguette de sourcier ne constituent en soi rien de mystérieux. Les détracteurs attribue ce phénomène à l'effet Carpenter, appellation décrivant un mouvement idéomoteur. Une représentation mentale non exprimée se traduit par une altération des tensions musculaires, lesquelles déclenchent alors involontairement le mouvement imaginé. La conséquence en est ainsi les vibrations de la

Le tenseur permet non seulement de dévier les énergies superflues, mais indique également le type de nourriture adaptée à un cheval. Reste à savoir si le patient à quatre pattes est satisfait du diagnostic.

baguette. Les radiesthésistes convaincus répondent à cette critique en expliquant qu'ils ne font que se concentrer sur un point fixe. Dans la culture asiatique, ce point de concentration porte le nom prometteur de « porte des dieux ».

Pour les chevaux présentant des troubles du comportement, le consultant en feng shui recherche les origines du problème à l'aide d'une baguette double.

Le tenseur est une forme spécifique du bâton du radiesthésiste. Il permet d'évacuer les énergies superflues qui encombrent le cheval.

Géopathologie

Interprétée librement, la géopathologie est l'activité qui étudie les rayonnements telluriques pathogènes. La source de telles énergies peut s'expliquer par la présence d'un point d'eau, de métaux, de failles ou d'abîmes, susceptibles d'influencer le bien-être et la santé des hommes et des animaux. Placées à proximité des espaces consacrés au sommeil ou au repos, ces zones d'exacerbation génèrent nervosité, insomnies et même dysfonctionnements du système immunitaire.

Ces rayonnements invisibles et leurs mystérieux trajets sont traqués depuis des siècles par des hommes armés de baguettes et de pendules, mais dont les capacités de perception et l'efficacité restent fortement contestées par la science.

La plupart des chevaux ne craignent ni la saleté ni le froid. Plus d'un, envoyé au pré avec une couverture, finit par se débarrasser de l'encombrant pendentif. Si l'on se bouge, pas besoin de couverture.

Maison de campagne

« Portes ouvertes tous les jours ! » Un tel slogan ne devrait pas à priori amener un propriétaire à confier sa précieuse monture à une pension pratiquant une telle politique d'ouverture. Et pourtant, cette offre mérite que l'on y porte intérêt. Pratiquée dans de bonnes conditions, la stabulation libre, car tel est le nom de cette alléchante proposition, est une solution idéale pour le cheval. La vie dans un box individuel n'a rien de bien passionnant, la lumière, l'air et les contacts sociaux étant particulièrement limités et fonction des horaires du propriétaire. L'ennui et la sensibilité de l'animal augmentent lorsqu'il ne fait pas assez d'exercice et qu'il ne va pas suffisamment au grand air. Le cheval a la possibilité de disposer de davantage de liberté sur son emploi du temps quotidien et dans ses mouvements, sans pour autant renoncer à un toit pour l'abriter.

La stalle ouverte offre un abri fermé sur trois côtés, de façon à protéger les animaux du vent. La création de deux accès constitue une option judicieuse. En effet, il peut se révéler que le chef du groupe refuse de laisser entrer l'un des membres car sa tête ne lui revient simplement pas. Et

Les chevaux régulièrement emmenés au pré ne se laissent pas impressionner par un sol boueux. Contrairement à de nombreux chevaux d'écurie qui s'effraient à la vue de la moindre flaque.

plutôt que de rester sous la pluie, il y a toujours moyen de se glisser par la porte de derrière.

Cette forme de vie en communauté avec les hauts et les bas inhérents constitue la formule idéale pour les chevaux qui, avant leur domestication, vivaient en hordes. Bien entendu, la constitution du groupe sera déterminée avec pertinence par l'homme, de façon à ce que la cohabitation soit paisible. Le groupe passera ses journées en communauté uniquement en cas de mauvais temps. Sinon, chaque membre s'adonnera, de son côté, à son occupation préférée. Brouter et mastiquer sans hâte, jusqu'à ce que l'emplacement choisi soit nettoyé. Puis un pas en avant et on recommence. Les prés ne débutent pas directement au niveau de l'abri. À cet endroit, le sol doit être travaillé de façon à ne pas se transformer en mare boueuse en cas de forte pluie. En effet, même le cheval le plus robuste finirait par tomber malade. De plus, le pré se doit d'être assez grand de façon à offrir suffisamment d'herbe en été. Il faut évacuer le crottin régulièrement et, si aucun ruisseau ne traverse le champ, prévoir de grands abreuvoirs remplis d'eau car un cheval boit entre 20 et 60 litres par jour.

Il existe des races de chevaux robustes, tels l'islandais. Toutefois, après une période d'adaptation, n'importe quel cheval finit par se trouver bien en stabulation libre, car les loisirs offerts correspondent à ses attentes.

Le paddock est un enclos placé devant un box ou à proximité d'une écurie, généralement dénué d'herbe ou bien avec quelques maigres touffes. Il permet aux chevaux de venir rapidement se dégourdir les jambes.

Ce pré est un véritable paradis pour les chevaux. Il offre suffisamment de place pour pouvoir s'y ébattre ensemble ou bien s'y éviter soigneusement, de préférence par petits groupes. La disette ne les menace pas, l'herbe y est abondante et suffisante pour tous.

Comment affirmer sérieusement, à la vue de ce welsh cob que cheval et neige ne font pas bon ménage ? L'alezan semble affirmer tout le contraire.

En beauté toute l'année

Un cheval dans un pré enneigé n'a rien d'une pauvre petite chose qu'il faut immédiatement ramener au chaud, de peur qu'il ne meure de froid. L'anthropomorphisme occasionnel de l'homme vis-à-vis de l'animal l'amène à le traiter parfois de manière inadéquate. Certes, un cheval de cour-

se transpirant à grosses gouttes ne devra pas être exposé à un courant d'air en hiver, ou bien être transporté au froid sans couverture sur le dos. Mais en règle générale, à l'instar des humains, seuls ceux qui restent enfermés risquent de s'enrhumer une fois la saison froide revenue. Les chevaux qui se sont lentement adaptés à la chute des températures en raison de leur sortie quotidienne au contact du vent et des éléments naturels se sont endurcis.

En hiver, l'homme porte des vêtements respirants et thermiquement isolants. La nature a doté le cheval de cette protection. Sa faculté innée d'adaptation aux conditions climatiques extrêmes en fait un expert parmi les mammifères.

l'islandais compte parmi les races robustes. Rien d'étonnant, lorsque l'on considère que l'Islande, son berceau, n'est pas particulièrement réputée pour la douceur de son climat.

La mue
Lorsque les températures chutent et que les jours raccourcissent, les chevaux se préparent à l'hiver et se parent alors d'un pelage particulièrement épais et robuste. Le poil d'été pousse, allant même jusqu'à doubler.

Ce pelage hivernal ne devient véritablement fonctionnel que lorsqu'un duvet laineux pousse entre les poils de surface. De cette façon, l'air qui est emprisonné dans le duvet joue le rôle d'une couche thermiquement isolante. La mue est un processus de renouvellement du pelage qui se produit tout d'abord au printemps. Commencent par disparaître les poils laineux qui vont alors tomber en touffes, alors que les longs poils superficiels partiront plus lentement, mais régulièrement.

La queue, la crinière et les poils tactiles situés autour des yeux et de la bouche poussent constamment et ne sont, quant à eux, pas sujet à la mue.

Les innombrables vaisseaux sanguins assurent une thermorégulation de la peau et une température corporelle constante de 37 à 38 °C. C'est pourquoi les chevaux survivent même avec des températures extérieures de -40 °C, alors que n'importe quelle vache aurait déjà rendu l'âme. À Dülmen, les dernières hordes de chevaux sauvages en Europe en sont la preuve.

L'irrigation de la peau du cheval est régulée par la circulation sanguine : dans l'idéal, le système fonctionne à l'économie afin de gaspiller un minimum de chaleur intérieure. Mais en cas de besoin, il peut basculer sur un haut régime afin d'éviter un refroidissement. Si les variations quotidiennes ont bien habitué le cheval aux changements, ce dernier ne ressentira aucune gêne dans ce mode de fonctionnement. S'il reçoit suffisamment de fourrage, il est à même d'alimenter son petit foyer interne. Car la digestion dans le gros intestin est un processus qui dégage une nouvelle chaleur. C'est ainsi que le cheval traverse l'hiver sans encombre.

Une fois que le cheval s'est familiarisé avec l'odeur et la sensation de la neige, il marche volontiers, monté ou non, sur le tapis blanc. Seuls les fers peuvent poser quelques difficultés, car la neige s'y agglomère rapidement et le cheval avance d'un pas mal assuré sur ses crampons inégaux.

Pour le cas où un été chaud succéderait à l'hiver rigoureux, le cheval fait à nouveau montre de sa formidable faculté d'adaptation. Dans ce cas, ses vaisseaux sanguins sont à nouveau sollicités à un régime élevé et veillent à ce qu'en cas de besoin, les innombrables glandes de l'animal puissent évacuer par la peau jusqu'à 15 litres de transpiration afin de le rafraîchir. Les chevaux sont de véritables experts en adaptation. Ils en ont fait la preuve des millions d'années durant, avec ou sans l'homme. Et la démonstration continue...

Ci-dessous : contrairement à nombre d'idées reçues, les chevaux n'ont rien de poupées de porcelaine. Une fois qu'ils y sont habitués, ils peuvent supporter de très basses températures. Les chevaux sauvages sont comme les chevaux de Przwalski d'autrefois.

Ci-dessus : en s'ébattant dans la neige, de petits paquets de flocons peuvent s'agglomérer dans le pelage et sur les poils tactiles. Toutefois, les chevaux n'en ont cure, à l'instar de ce poney fell noir, visiblement très heureux.

Un habit de circonstance

Race : cheval curly

Taille au garrot : 130 à 170 cm

Robe : toutes les robes, même pies

Description : cheval à pelage frisé,
de tous les types

Origine : États-Unis

Rares, ils existent néanmoins : les chevaux bouclés. Et leur robe n'est pas le fruit, ainsi qu'on pourrait le penser, du délire d'un propriétaire féru de permanentes. Les curlys sont davantage une foucade de la nature. Leurs follicules pileux n'affichent pas une forme ronde, mais ovale, de sorte que le pelage s'effile et forme des boucles. L'on pense que ce pelage d'hiver résulte de leur adaptation aux froids extrêmes de leur région originelle, les zones montagneuses du Nord des États-Unis. En effet, une fourrure bouclée réchauffe davantage qu'un pelage lisse. L'air stagne davantage entre la peau et le poil bouclé, de sorte que se forme une couche calorifuge. Ce principe vaut pour tous les curlys, quelle que soit la nature de leurs boucles. Certains présentent un pelage plutôt ondulé alors que d'autres arborent de véritables bouclettes. Tous sont néanmoins dotés d'une crinière et d'une queue bouclées, de fanons frisés et de boucles dans les oreilles. À ces caractéristiques s'ajoutent de longs cils recourbés. Les individus marginaux chez les curlys sont les straight curlys. Ils conservent, même en hiver, une robe lisse et se contentent de quelques ondulations au niveau de la queue et de la crinière. Jouissant d'une maigre notoriété, cette race existe néanmoins depuis longtemps. Il est prouvé qu'en Amérique du Nord, des tribus indiennes se sont alors livré des batailles sans merci pour les chevaux bouclés, lesquels, à l'instar des mustangs vivaient alors en hordes sauvages. Ce n'est qu'en 1898 qu'est fondé le premier élevage : le rancher Peter Damele capture les chevaux bouclés et l'origine de la plupart des curlys d'aujourd'hui réside dans l'élevage de Damele.

Déjà à cette époque, Damele n'a pas concentré son effort sur la pureté de la race. Aux États-Unis, l'accent était et reste exclusivement mis sur la beauté des boucles. Tout ce qui présentait bouclettes et volutes était joyeusement élevé sous l'appellation d'american bashkir curly horse, de sorte que l'on trouve désormais des curlys de tous types, tailles et couleurs de robes.

Alors que certains curlys affichent un poil simplement ondulé, d'autres arborent de véritables bouclettes dont plus d'une cavalière serait fière.

La neige et le froid conviennent merveilleusement aux curlys. Protégés par leur épais pelage, ils s'ébattent dans le pré.

Avec une taille au garrot comprise entre 130 et 170 cm, il se décline sur tous les types : le poney, le cheval de monte, le quarter, le mustang et le sang froid. À l'instar d'autres races pour lesquelles certaines caractéristiques revêtent une importance particulière, comme la robe pie par exemple, le reproche peut être fait aux éleveurs de curlys de ne pas prêter attention à la bonne conformation physique et mentale de leurs chevaux. Ce fut jadis le cas, mais aujourd'hui, nombre d'entre eux se concentrent sur l'élevage d'un cheval réussi d'un certain type.

Pelage bouclé ou non, les curlys constituent d'excellents chevaux d'obstacles et de dressage. Comme ils se révèlent parfois polyvalents, certains maîtrisent naturellement le tölt, alors que d'autres développent un sens du travail avec le bétail. Ils font alors des merveilles pour l'équi-western. En outre, leur robustesse, endurance, calme et stabilité de caractère font des curlys d'excellents chevaux de randonnée.

Les curlys dégagent une odeur différente de celles des autres chevaux : ils sentent la laine. Leur poil est extrêmement gras et même le curly le plus propre laisse des traces de suif sur les mains lorsqu'on le caresse.

Un cheval hypoallergénique

Le curly jouit d'une grande popularité auprès des cavaliers qui, en présence de chevaux « normaux », déclenchent des réactions allergiques telles que larmoiements, crises d'éternuement ou eczéma. En effet, outre leurs nombreux talents et particularités, les curlys présentent également l'avantage d'être des chevaux « hypoallergéniques ».

Contre toute attente, leurs superbes boucles ne sont pas à l'origine de cette absence de symptômes. La cause se dissimule seulement un peu plus profondément : contrairement à ce que pense la majorité, les agents allergènes ne sont pas les poils d'animaux, mais les protéines voire les liaisons protéiniques concentrées notamment dans les squames de la peau.

Chez les curlys, ces allergènes affichent une taille inférieure à ceux des autres chevaux et sont présents en moindre quantité. Les allergiques ne développent pas davantage de réaction négative face à des curlys à pelage lisse.

Le poil d'hiver du curly s'orne de boucles ou au minimum d'ondulations. En été, le poil superficiel peut être lisse. Seul le pelage long peut boucler.

REMERCIEMENTS
DE L'AUTEUR

Je remercie tout particulièrement mon père Horst Sgrazzutti qui m'a inculqué l'envie de me surpasser, et ma mère Liane qui m'a offert mes premières leçons d'équitation dans un manège. Je voudrais également témoigner ma reconnaissance aux « Berlinois » qui m'ont accompagnée avec bienveillance tout au long de ce projet, notamment Sabine Hartelt, qui a été la première à éveiller mon intérêt pour les sports équestres et qui m'a aidée de toutes ses forces pour le travail de rédaction proprement dit.

L'éditeur remercie pour leurs conseils, leur participation et leurs photographies :

Daniela Söhnchen
Curly Horses Germany
Élevage de curly en Rhénanie du Nord/Westphalie
Scheideweg 34
42499 Hückeswagen
Tél. : 00 33 (0)700 - 76 46 24 36
www.curly-horses-germany.de
Courriel : curly-info@t-online.de

Fritz et Sylvia Krümmel
Dressage de chevaux ibériques
Lengelshof 1
40883 Ratingen
www.fritz-kruemmel.de

Minitraber-Team
Karola Döme
Wenningkamp 3
48599 Gronau
www.minitraber.de

Aachen-Laurensberger Rennverein e.V.
Albert-Servais-Allee 50
52070 Aix-la-Chapelle
www.chioaachen.de
www.aachen2006.de

L'Hiver
H. W. de Winter
5405 AR Uden Pays-Bas
www.lhiver.nl

Zoo de Cologne
Dr. Waltraut Zimmermann
Riehler Straße 173
50735 Cologne
www.zoo-koeln.de

Joh's Stübben KG
Ostwall 185
47798 Krefeld
www.stuebben.de

Manège de Waldrand
Regina et Michael Fuchsberger GbR
Willmarser Str. 30
97640 Stockheim
www.reiterhof-am-waldrand.de

Max et Ernst Winkelmann
47929 Grefrath

Maréchal-ferrant
Thomas Baldssuhn
Moenicher Heck 4
52396 Heimbach

Haras de la Sickinger Höhe
Dr. Guth
Hintereckstr. 11
66506 Maßweiler

Burg Satzvey
53894 Mechernich-Satzvey

Angelika Fengels
Lanter 2
46569 Hünxe

Nationales Zinnmuseum Ommen
Markt 1
7731 DB Ommen
Pays-Bas

Agence photographique Heinz Hoevelmann
Feldstr. 24
45661 Recklinghausen
Tél. : 00 33 (0)2361–689892
www.trabfotos.de
Courriel : heinz.hövelmann@trabfotos.de

Jacques Toffi
Beselerstr. 27 a
22607 Hambourg
www.toffi-images.de

CRÉDITS
PHOTOGRAPHIQUES

Toutes les photographies sont de Jürgen Schulzki, à l'exception de :

Archiv Deutsches Pferdemuseum/Verden : 98

Archiv Trakehner Verband/Neumünster : 99 (cg, cd)

Braatz, Peter/Aix-la-Chapelle (www.360pixel.de) : 136

Corbis : Richard T. Nowitz 10/11, Stapleton Collection 12 h, Buddy Mays 12 b, Bettmann 15 h, Tedd Gipstein 15 b, Gianni Dagli Orti 16 h, Araldo de Luca 16 b, Archivo Iconografico, S.A. 18 h, Werner Forman 18 b, Historical Picture Archive 19 h, Ted Spiegel 19 b, Bettmann 20-21, Christie's Images 22, Swim Ink 2, LLC 23 h, Julian Calder 23 (bg), Bob Thomas bc, Bettmann (bd), Tom Brakefield 26 h, Sean Sexton Collection 27 h, Bettmann 31 hg, Bettmann 33 h, John Gillmoure 33 b, Adam Woolfitt 35 h, Wally McNamee 36 h, Bureau L.A. Collection 37, Burstein Collection 39, Kit Houghton 42 b, Kevin R. Morris 43 h, Yann Arthus-Bertrand 43 b, Bettmann 46 b, Ludovic Maisant 49, Corbis 52, Bob Krist 53 h, Kit Houghton 53 b, Tim Thompson 54 h, Jerry Cooke 54 b, 55 (cg, cd), Larry Lee Photography 55 h, Yann Arthus-Bertrand 64 h, Bettmann 78, Robert Holmes 79 h, Archivo Iconografico, S.A. 19 b, Bettmann 80 h, Geoffrey Clements b, Jonathan Hession/Touchstone/Bureau L.A. Collections 81 hg, Bettmann 81 (hd, b), Araldo de Luca 83 h, Hulton-Deutsch Collection 84 h, Franz-Marc Frei 85 h, Bettmann 86 h, Cat's 86 c, Corbis 86 b, Bettmann 87 h, Carl & Ann Purcell 87 b, Craig Aurness 88 b, Carl & Ann Pucell 88 h, Corbis 89 b, Bettmann 90, Richard Cummins 91 h, Dave Bartruff 91 b, Bettmann 92, Quadrillon 93 h, Régis Bossu/Sygma 93 b, Gianni Dagli Orti 94 b, Archivo Iconografico, S.A. 95 b, Hulton-Deutsch Collection 96, 97, Kit Houghton 100 h, Reuters 100 b, Kit Houghton 101 h, Craig Aurness 101 b, Carl & Ann Purcell 102, Nik Wheeler 103 h, Lukas Schifres 103 c, Najlah Feanny 103 b, Reuters 107 b, Arnold Cedric/Sygma 109 (bd), Bettmann 110 h, Hulton-Deutsch Collection 111 b, Tim Graham/Sygma 112 (hg, hd), Kit Houghton 112 b, Caren Firouz/ Reuters 113 h, Franck Prevel 113 c, Joe Skipper/Reuters 113 b, Bettmann 114, Hulton-Deutsch Collection 114 h, Reuters 115 b, Hulton-Deutsch Collection 116, Michael S. Yamashita 117 h, Layne Kennedy 117 b, Kit Hughton 118 h, Corbis 118 b, Bettmann 119 c, Bettmann 134 c, Hulton-Deutsch Collection 140 b, Tim Graham 146 h, Darrell Gulin 150 h, John und Lisa Merrill 158/159, Craig Aurness 162 h, Scheufler Collection 163, David Stoecklein 169 h, Ron Sanford 176 h, Paul Almasy 176 b, Kit Houghton 177

Ditter, Irina/Cologne : 181

Döme, Karola/Dülmen (www.minitraber.de) : 120 b

Hövelmann, Heinz/Recklinghausen (www.trabfotos.de) : 122, 123

Lufthansa Foto : 140 h, 141 (bg)

Martinez, Claudio/Cologne (www.martinez-design.de) : 17 b

Melchior, Leon/Lanaken : 157
Schloss Johannisberg/Geisenheim-Johannisberg : 89 h

Schupp, Holger/Aix-la-Chapelle (www.holgerschupp.de) : 142 h, 143 (h, cg)

Söhnchen, Daniela (www.curly-horses-germany.de) : 184, 185

Stempell, Kyra/Bedburg : 26-27 (illustrations), 40/41 (illustrations)

Strauch, Michael/Eschweiler (www.foto-strauch.de) : 137 b

Toffi, Jacques/Hambourg (www.toffi-images.de) : 62, 63, 104-105, 106, 107 h, 110 b, 119 b, 121, 124, 125 h, 126, 127, 128, 130, 131, 132, 133, 135 (h, b), 136, 137 h, 138, 139, 142 b, 146 (bg, bd), 147, 148, 149, 152 b, 154, 155, 156, 164 h, 165 (h, c), 167 h, 171 (hg, hd, b), 180 b

Zimmermann, Waltraut Dr./Cologne (www.koelner-zoo.de) : 28-29

ORIENTATION
BIBLIOGRAPHIQUE

XÉNOPHON, *De l'art équestre*, Belles Lettres, 2002.

La Passion du cheval en deux volumes : l'équitation, les techniques de base ; les plus beaux chevaux du monde, Glénat, 2005.

CHAMBRY Pierre, *Équitation : technique, dressage, perfectionnement*, Amphora, 1998.

LAFFON Martine, *Le Dico des chevaux*, La Martinière, 2004.

HARRISON Lorraine, *Les Chevaux dans l'art, la photographie et la littérature*, Evergreen, 2000.

HEMPFLING Klaus-Ferdinand, *Danser avec les chevaux*, Vigot Maloine, 1996.

ARTHUS-BERTRAND Yann, GOURAUD Jean-Louis, *Chevaux*, Éditions du Chêne, 2004.

CINQUINI Fulvio, *Centaures : hommes et chevaux*, Seuil, 2002.

Nous nous sommes efforcés de citer toutes les sources et les détenteurs de droits avec le plus d'exactitude possible. Si certaines erreurs ou omissions s'étaient glissées dans le texte, nous vous prions de bien vouloir vous adresser à la maison d'édition de sorte que nous apportions les corrections nécessaires pour les versions ultérieures.

Index